Libertação

Francisco Cândido Xavier

Libertação

Pelo Espírito
André Luiz

Copyright © 1949 *by*
FEDERAÇÃO ESPÍRITA BRASILEIRA – FEB

33ª edição – 19ª impressão – 5,5 mil exemplares – 9/2025

ISBN 978-85-7328-818-6

Todos os direitos reservados. Nenhuma parte desta publicação pode ser reproduzida, armazenada ou transmitida, total ou parcialmente, por quaisquer métodos ou processos, sem autorização do detentor do *copyright*.

FEDERAÇÃO ESPÍRITA BRASILEIRA – FEB
SGAN 603 – Conjunto F – Avenida L2 Norte
70830-106 – Brasília (DF) – Brasil
www.febeditora.com.br
editorial@febnet.org.br
+55 61 2101 6161

Pedidos de livros à FEB
Comercial
Tel.: (61) 2101 6161 – comercial@febnet.org.br

Adquirindo esta obra, você está colaborando com as ações de assistência e promoção social da FEB e com o Movimento Espírita na divulgação do Evangelho de Jesus à luz do Espiritismo.

Dados Internacionais de Catalogação na Publicação (CIP)
(Federação Espírita Brasileira – Biblioteca de Obras Raras)

L953l	Luiz, André (Espírito)
	Libertação / pelo Espírito André Luiz; [psicografado por] Francisco Cândido Xavier. – 33. ed. – 19. imp. – Brasília: FEB, 2025.
	288 p.; 21 cm – (Coleção A vida no mundo espiritual; 6)
	Inclui índice geral
	ISBN 978-85-7328-818-6
	1. Espiritismo. 2. Obras psicografadas. I. Xavier, Francisco Cândido, 1910–2002. II. Federação Espírita Brasileira. III. Título. IV. Coleção.
	CDD 133.93
	CDU 133.7
	CDE 00.06.02

Sumário

Ante as portas livres 7
1 Ouvindo elucidações 13
2 A palestra do instrutor 27
3 Entendimento 39
4 Numa cidade estranha 53
5 Operações seletivas 67
6 Observações e novidades 81
7 Quadro doloroso 93
8 Inesperada intercessão 105
9 Perseguidores invisíveis 117
10 Em aprendizado 129
11 Valiosa experiência 141
12 Missão de amor 155
13 Convocação familiar 171
14 Singular episódio 185
15 Finalmente, o socorro 197
16 Encantamento pernicioso 209
17 Assistência fraternal 221

18	Palavras de benfeitora	233
19	Precioso entendimento	245
20	Reencontro	257
	Índice geral	271

Ante as portas livres

Ante as portas livres de acesso ao trabalho cristão e ao conhecimento salutar que André Luiz vai desvelando, recordamos, prazerosamente, a antiga lenda egípcia do peixinho vermelho.

No centro de formoso jardim, havia grande lago, adornado de ladrilhos azul-turquesa.

Alimentado por diminuto canal de pedra, escoava suas águas, do outro lado, através de grade muito estreita.

Nesse reduto acolhedor, vivia toda uma comunidade de peixes, a se refestelarem, nédios e satisfeitos, em complicadas locas,[1] frescas e sombrias. Elegeram um dos concidadãos de barbatanas para os encargos de rei, e ali viviam plenamente despreocupados, entre a gula e a preguiça.

Junto deles, porém, havia um peixinho vermelho, menosprezado de todos.

Não conseguia pescar a mais leve larva, nem refugiar-se nos nichos barrentos.

---

[1] N.E.: Local sob uma laje que serve de toca para peixes.

Os outros, vorazes e gordalhudos, arrebatavam para si todas as formas larvárias e ocupavam, displicentes, todos os lugares consagrados ao descanso.

O peixinho vermelho que nadasse e sofresse. Por isso mesmo era visto, em correria constante, perseguido pela canícula[2] ou atormentado de fome.

Não encontrando pouso no vastíssimo domicílio, o pobrezinho não dispunha de tempo para muito lazer e começou a estudar com bastante interesse.

Fez o inventário de todos os ladrilhos que enfeitavam as bordas do poço, arrolou todos os buracos nele existentes e sabia, com precisão, onde se reuniria maior massa de lama por ocasião de aguaceiros.

Depois de muito tempo, à custa de longas perquirições, encontrou a grade do escoadouro.

À frente da imprevista oportunidade de aventura benéfica, refletiu consigo: "Não será melhor pesquisar a vida e conhecer outros rumos?"

Optou pela mudança.

Apesar de macérrimo pela abstenção completa de qualquer conforto, perdeu várias escamas, com grande sofrimento, a fim de atravessar a passagem estreitíssima.

Pronunciando votos renovadores, avançou, otimista, pelo rego d'água, encantado com as novas paisagens, ricas de flores e sol que o defrontavam, e seguiu, embriagado de esperança...

Em breve, alcançou grande rio e fez inúmeros conhecimentos.

Encontrou peixes de muitas famílias diferentes, que com ele simpatizaram, instruindo-o quanto aos percalços da marcha e descortinando-lhe mais fácil roteiro.

Embevecido, contemplou nas margens homens e animais, embarcações e pontes, palácios e veículos, cabanas e arvoredo.

---

[2] N.E.: Calor muito forte.

Habituado com o pouco, vivia com extrema simplicidade, jamais perdendo a leveza e a agilidade naturais.

Conseguiu, desse modo, atingir o oceano, ébrio de novidade e sedento de estudo.

De início, porém, fascinado pela paixão de observar, aproximou-se de uma baleia para quem toda a água do lago em que vivera não seria mais que diminuta ração; impressionado com o espetáculo, abeirou-se dela mais que devia e foi tragado com os elementos que lhe constituíam a primeira refeição diária.

Em apuros, o peixinho aflito orou ao Deus dos peixes, rogando proteção no bojo do monstro e, não obstante as trevas em que pedia salvamento, sua prece foi ouvida, porque o valente cetáceo começou a soluçar e vomitou, restituindo-o às correntes marinhas.

O pequeno viajante, agradecido e feliz, procurou companhias simpáticas e aprendeu a evitar os perigos e tentações.

Plenamente transformado em suas concepções do mundo, passou a reparar as infinitas riquezas da vida. Encontrou plantas luminosas, animais estranhos, estrelas móveis e flores diferentes no seio das águas. Sobretudo, descobriu a existência de muitos peixinhos, estudiosos e delgados tanto quanto ele, junto dos quais se sentia maravilhosamente feliz.

Vivia, agora, sorridente e calmo, no Palácio de Coral que elegera, com centenas de amigos, para residência ditosa, quando, ao se referir ao seu começo laborioso, veio a saber que somente no mar as criaturas aquáticas dispunham de mais sólida garantia, uma vez que, quando o estio se fizesse mais arrasador, as águas de outra altitude continuariam a correr para o oceano.

O peixinho pensou, pensou... e sentindo imensa compaixão daqueles com quem convivera na infância, deliberou consagrar-se à obra do progresso e salvação deles.

Não seria justo regressar e anunciar-lhes a verdade? Não seria nobre ampará-los, prestando-lhes a tempo valiosas informações?

Não hesitou.

Fortalecido pela generosidade de irmãos benfeitores que com ele viviam no Palácio de Coral, empreendeu comprida viagem de volta.

Tornou ao rio, do rio dirigiu-se aos regatos e dos regatos se encaminhou para os canaizinhos que o conduziram ao primitivo lar.

Esbelto e satisfeito como sempre, pela vida de estudo e serviço a que se devotava, varou a grade e procurou, ansiosamente, os velhos companheiros.

Estimulado pela proeza de amor que efetuava, supôs que o seu regresso causasse surpresa e entusiasmo gerais. Certo, a coletividade inteira lhe celebraria o feito, mas depressa verificou que ninguém se mexia.

Todos os peixes continuavam pesados e ociosos, repimpados nos mesmos ninhos lodacentos, protegidos por flores de lótus, de onde saíam apenas para disputar larvas, moscas ou minhocas desprezíveis.

Gritou que voltara a casa, mas não houve quem lhe prestasse atenção, porquanto ninguém, ali, dera pela ausência dele.

Ridicularizado, procurou, então, o rei de guelras enormes e comunicou-lhe a reveladora aventura.

O soberano, algo entorpecido pela mania de grandeza, reuniu o povo e permitiu que o mensageiro se explicasse.

O benfeitor desprezado, valendo-se do ensejo, esclareceu, com ênfase, que havia outro mundo líquido, glorioso e sem-fim. Aquele poço era uma insignificância que podia desaparecer de momento para outro. Além do escoadouro próximo desdobravam-se outra vida e outra experiência. Lá fora, corriam regatos ornados de flores, rios caudalosos repletos de seres diferentes e, por fim, o mar, onde a vida aparece cada vez mais rica e mais surpreendente. Descreveu o serviço de tainhas e salmões, de trutas e esqualos. Deu notícias do peixe-lua, do peixe-coelho e do galo-do-mar. Contou que vira o céu repleto de astros sublimes e que descobrira árvores gigantescas, barcos imensos, cidades praieiras, monstros temíveis, jardins submersos, estrelas do oceano e ofereceu-se para conduzi-los ao Palácio de Coral, onde viveriam todos, prósperos e tranquilos. Finalmente os informou de que semelhante felicidade, porém, tinha igualmente seu preço. Deveriam todos emagrecer convenientemente, abstendo-se de devorar tanta larva e tanto verme nas locas escuras e aprendendo a trabalhar e estudar tanto quanto era necessário à venturosa jornada.

Assim que terminou, gargalhadas estridentes coroaram-lhe a preleção.

Ninguém acreditou nele.

Alguns oradores tomaram a palavra e afirmaram solenes, que o peixinho vermelho delirava, que outra vida além do poço era francamente impossível, que aquela história de riachos, rios e oceanos era mera fantasia de cérebro demente e alguns chegaram a declarar que falavam em nome do Deus dos peixes, que trazia os olhos voltados para eles unicamente.

O soberano da comunidade, para melhor ironizar o peixinho, dirigiu-se em companhia dele até a grade de escoamento e, tentando, de longe, a travessia, exclamou borbulhante:

— Não vês que não cabe aqui nem uma só de minhas barbatanas? Grande tolo! Vai-te daqui! Não nos perturbes o bem-estar... Nosso lago é o centro do Universo... Ninguém possui vida igual à nossa!..

Expulso a golpes de sarcasmo, o peixinho realizou a viagem de retorno e instalou-se, em definitivo, no Palácio de Coral, aguardando o tempo.

Depois de alguns anos, apareceu pavorosa e devastadora seca. As águas desceram de nível. E o poço onde viviam os peixes pachorrentos e vaidosos esvaziou-se, compelindo a comunidade inteira a perecer, atolada na lama...

***

O esforço de André Luiz, buscando acender luz nas trevas, é semelhante à missão do peixinho vermelho.

Encantado com as descobertas do caminho infinito, realizadas depois de muitos conflitos no sofrimento, volve aos recôncavos da crosta terrestre, anunciando aos antigos companheiros que, além dos cubículos em que se movimentam, resplandece outra vida, mais intensa e mais bela, exigindo, porém, acurado aprimoramento individual para a travessia da estreita passagem de acesso às claridades da sublimação.

Fala, informa, prepara, esclarece...

Há, contudo, muitos peixes humanos que sorriem e passam, entre a mordacidade e a indiferença, procurando locas passageiras ou pleiteando larvas temporárias.

Esperam um paraíso gratuito com milagrosos deslumbramentos depois da morte do corpo.

Mas, sem André Luiz e sem nós, humildes servidores de boa vontade, para todos os caminheiros da vida humana pronunciou o Pastor Divino as indeléveis palavras: "A cada um será dado de acordo com as suas obras."

EMMANUEL
Pedro Leopoldo (MG), 22 de fevereiro de 1949.

1
Ouvindo elucidações

1.1   No vasto salão do educandário que nos reunia, o ministro Flácus, fixando em nós o olhar saturado de doce magnetismo, convidava-nos a preciosas meditações.

Congregamo-nos, ali, somente algumas dezenas de companheiros, de modo a registrar-lhe as instruções edificantes. E, sem dúvida, a preleção revestia-se de profundo interesse.

Podíamos perguntar à vontade, dentro do assunto, e guardar todas as informações compatíveis com o novo trabalho que nos cumpria desempenhar.

Até então, ouvira comentários alusivos a colônias purgatoriais, perfeitamente organizadas para o trabalho expiatório a que se destinam, arrebanhando milhares de criaturas arraigadas no mal; entretanto, agora, o instrutor Gúbio, que se mantinha silencioso, em nossa companhia, concedera-nos permissão de acompanhá-lo a enorme centro dessa espécie.

Interessados na palavra fluente e primorosa do orador, seguíamos o curso das elucidações com justificável expectação de aluno que não deseja perder um til do ensinamento, observando que a serenidade e a atenção transpareciam no rosto de todos os aprendizes, considerando-se que todos, no recinto, éramos candidatos ao serviço de socorro aos irmãos ignorantes, atormentados nas sombras...

Senhoreando-nos o espírito, o ministro prosseguia, satisfeito: **1.2**

— Os superiores que se disponham a trabalhar em benefício dos inferiores, em ação persistente e substancial, não lhes podem utilizar as armas, sob pena de se precipitarem no baixo nível deles. A severidade pertencerá ao que instrui, mas o amor é o companheiro daquele que serve.

"Sabemos que a educação, na maioria das vezes, parte da periferia para o centro; contudo, a renovação, traduzindo aperfeiçoamento real, movimenta-se em sentido inverso. Ambos os impulsos, todavia, são alimentados e controlados pelos poderes quase desconhecidos da mente.

"O espírito humano lida com a força mental, tanto quanto maneja a eletricidade, com a diferença, porém, de que se já aprende a gastar a segunda, no transformismo incessante da Terra; mal conhece a existência da primeira, que nos preside a todos os atos da vida.

"A rigor, portanto, não temos círculos infernais, de acordo com os figurinos da antiga teologia, onde se mostram indefinidamente gênios satânicos de todas as épocas, e sim esferas obscuras em que se agregam consciências embotadas na ignorância, cristalizadas no ócio reprovável ou confundidas no eclipse temporário da razão. Desesperadas e insubmissas, criam zonas de tormentos reparadores. Semelhantes criaturas, no entanto, não se regeneram à força de palavras. Necessitam de amparo eficiente que lhes modifique o tom vibratório, elevando-lhes o modo de sentir e pensar.

"Eminentes pensadores do mundo traçam diretrizes à salvação das almas, mas somos de parecer que possuímos suficiente número de roteiros nesse sentido, em todos os setores do conhecimento terrestre. Reclamamos, na atualidade, quem ajude o pensamento do homem na direção do Alto. Empreender o tentame incentivando-se tão somente os valores culturais seria consagrar a tecnocracia, que procura a simples mecanização da vida, destruindo-lhe as sementes gloriosas de improvisação, de infinito e de eternidade.

1.3 "Grandes políticos e veneráveis condutores nunca se ausentaram do mundo.

"Passam pela multidão, sacudindo-a ou arregimentando-a. É forçoso reconhecer, porém, que a organização humana, por si só, não atende às exigências do ser imperecível.

"Péricles, o estadista que legou seu nome a um século, realiza edificante trabalho educativo junto dos gregos; entretanto, não lhes atenua a belicosidade e os pruridos de hegemonia, sucumbindo ao assédio de aflitivo desgosto.

"Alexandre, o conquistador, organiza vastíssimo império, estabelecendo uma civilização respeitável; no entanto, não impede que os seus generais prossigam em conflitos sanguinolentos, difundindo o saque e a morte.

"Augusto, o Divino, unifica o Império Romano em sólidos alicerces, concretizando avançado programa político em benefício de todos os povos, mas não consegue banir de Roma o desvario pela dominação a qualquer preço.

"Constantino, o Grande, advogado dos cristãos indefesos, oferece novo padrão de vida ao planeta; contudo, não modifica as disposições detestáveis de quantos guerreavam em nome de Deus.

"Napoleão, o ditador, impõe novos métodos de progresso material em toda a Terra, mas não se furta, ele próprio, às garras da tirania, pela simples ganância da posse.

"Pasteur, o cientista, defende a saúde do corpo humano, devotando-se, abnegado, ao combate silencioso da selva microbiana;

todavia, não pode evitar que seus contemporâneos se destruam reciprocamente em disputas incompreensíveis e cruéis.

"Permanecemos diante de um mundo civilizado na superfície, que reclama não só a presença daqueles que ensinam o bem, mas principalmente daqueles que o praticam. **1.4**

"Sobre os mananciais da cultura, nos vales da Terra, é imprescindível que desçam as torrentes da compaixão do Céu, pelos montes do amor e da renúncia.

"Cristo não brilha apenas pelo ensino sublimado. Resplandece na demonstração. Em companhia dele, é indispensável mantenhamos a coragem de amparar e salvar, descendo aos recessos do abismo.

"Não longe de nossa paz relativa, em círculos escuros de desencanto e desesperação, misturam-se milhões de seres, conclamando comiseração... Por que não acender piedosa luz dentro da noite em que se mergulham desorientados? Por que não semear esperança entre corações que abdicaram da fé em si mesmos?

"À frente, pois, de imensas coletividades em dolorosa petição de reajustamento, faz-se inadiável o auxílio restaurador.

"Somos entidades ainda infinitamente humildes e imperfeitas para nos candidatarmos, de pronto, à condição dos anjos.

"Comparada à grandeza, inabordável para nós, de milhões de sóis que obedecem a Leis Soberanas e Divinas, em pleno Universo, a nossa Terra, com todas as esferas de substância ultrafísica que a circundam, pode ser considerada qual laranja minúscula perante o Himalaia, e nós outros, confrontados com a excelsitude dos Espíritos Superiores, que dominam na sabedoria e na santidade, não passamos, por enquanto, de bactérias, controladas pelo impulso da fome e pelo magnetismo do amor. Entretanto, guindados a singelas culminâncias da inteligência, somos micróbios que sonham com o crescimento próprio para a eternidade.

1.5   "Enquanto o homem, nosso irmão, desintegra, assombrado, as formações atômicas, nós outros, distanciados do corpo denso, estudamos essa mesma energia por meio de aspectos que a ciência terrestre, por agora, mal conseguiria imaginar. Caminheiros, porém, que somos do progresso infinito, principiamos apenas, ele e nós, a sondar a força mental, que nos condiciona as manifestações nos mais variados planos da Natureza.

"Encarcerados ainda na Lei de Retorno, temos efetuado multisseculares recapitulações, por milênios consecutivos.

"Expressando-nos coletivamente, sabemos hoje que o espírito humano lida com a razão há, precisamente, quarenta mil anos... Todavia, com o mesmo furioso ímpeto com que o homem de Neandertal aniquilava o companheiro a golpes de sílex, o homem da atualidade, classificada de gloriosa era das grandes potências, extermina o próprio irmão a tiros de fuzil.

"Os investigadores do raciocínio, ligeiramente tisnados de princípios religiosos, identificam tão somente, nessa anomalia sinistra, a renitência da imperfeição e da fragilidade da carne, como se a carne fosse permanente individuação diabólica, esquecidos de que a matéria mais densa não é senão o conjunto das vidas inferiores incontáveis, em processo de aprimoramento, crescimento e libertação.

"Nos campos da crosta planetária, queda-se a inteligência, qual se fora anestesiada por perigosos narcóticos da ilusão; no entanto, auxiliá-la-emos a sentir e reconhecer que o espírito permanece vibrando em todos os ângulos da existência.

"Cada espécie de seres, do cristal até o homem, e do homem até o anjo, abrange inumeráveis famílias de criaturas, operando em determinada frequência do Universo. E o amor divino alcança-nos a todos, à maneira do Sol que abraça os sábios e os vermes.

"Todavia, quem avança demora-se em ligação com quem se localiza na esfera próxima.

"O domínio vegetal vale-se do império mineral para sustentar-se e evoluir. Os animais aproveitam os vegetais na obra de aprimoramento. Os homens se socorrem de uns e outros para crescerem mentalmente e prosseguir adiante...

1.6

"Atritam os reinos da vida, conhecidos na Terra, entre si.

"Torturam-se e entredevoram-se, por meio de rudes experiências, a fim de que os valores espirituais se desenvolvam e resplandeçam, refletindo a divina luz..."

Nesse ponto, o esclarecido ministro fez longa pausa, fitou-nos, bondoso, e continuou:

— Mas... além do principado humano, para lá das fronteiras sensoriais que guardam ciosamente a alma encarnada, amparando-a com limitada visão e benéfico esquecimento, começa vasto império espiritual, vizinho dos homens. Aí se agitam milhões de Espíritos imperfeitos que partilham, com as criaturas terrenas, as condições de habitabilidade da crosta do mundo. Seres humanos, situados noutra faixa vibratória, apoiam-se na mente encarnada, por intermédio de falanges incontáveis, tão semiconscientes na responsabilidade e tão incompletas na virtude, quanto os próprios homens.

"A matéria, congregando milhões de vidas embrionárias, é também a condensação da energia, atendendo aos imperativos do "eu" que lhe preside à destinação.

"Do hidrogênio às mais complexas unidades atômicas, é o poder do espírito eterno a alavanca diretora de prótons, nêutrons e elétrons, na estrada infinita da vida. Demora-se a inteligência corporificada no círculo humano em transitória região, adaptada às suas exigências de progresso e aperfeiçoamento, dentro da qual o protoplasma lhe faculta instrumentos de trabalho, crescimento e expansão. Entretanto, nesse mesmo espaço, alonga-se a matéria noutros estados, e, nesses outros estados, a mente desencarnada, em viagem para o conhecimento e para a virtude, radica-se na esfera física, buscando dominá-la e absorvê-la, estabelecendo gigantesca luta de pensamento que ao homem comum não é dado calcular.

1.7 "Frustrados em suas aspirações de vaidoso domínio no domicílio celestial, homens e mulheres de todos os climas e de todas as civilizações, depois da morte, esbarram nessa região em que se prolongam as atividades terrenas e elegem o instinto de soberania sobre a Terra por única felicidade digna do impulso de conquistar. Rebelados filhos da Providência, tentam desacreditar a grandeza divina, estimulando o poder autocrático da inteligência insubmissa e orgulhosa e buscam preservar os círculos terrestres para a dilatação indefinida do ódio e da revolta, da vaidade e da criminalidade, como se o planeta, em sua expressão inferior, lhes fosse paraíso único, ainda não integralmente submetido a seus caprichos, em vista da permanente discórdia reinante entre eles mesmos. É que, confinados ao berço escabroso da ignorância em que o medo e a maldade, com inquietudes e perseguições recíprocas, lhes consomem as forças e lhes inutilizam o tempo, não se apercebem da situação dolorosa em que se acham.

"Fora do amor verdadeiro, toda união é temporária e a guerra será sempre o estado natural daqueles que perseveram na posição de indisciplina.

"Um reino espiritual, dividido e atormentado, cerca a experiência humana em todas as direções, intentando dilatar o domínio permanente da tirania e da força.

"Sabemos que o Sol opera por meio de radiações, nutrindo, maternalmente, a vida a milhões de quilômetros. Sem nos referirmos às condições da matéria em que nos movimentamos, lembremo-nos de que, em nosso sistema, as existências mais rudimentares, desde os cumes iluminados aos recôncavos das trevas, estão sujeitas à sua influenciação.

"Como acontece aos corpos gigantescos do cosmos, **1.8** também nós outros, espiritualmente, caminhamos para o zênite[3] evolutivo, experimentando as radiações uns dos outros. Nesse processo multiforme de intercâmbio, atração, imantação e repulsão, aperfeiçoam-se mundos e almas, na comunidade universal.

"Dentro de semelhante realidade, toda a nossa atividade terrestre se desdobra num campo de influências que nem mesmo nós, os aprendizes humanos em círculos mais altos, poderíamos, por enquanto, determinar.

"Incapacitados de prosseguir além do túmulo, a caminho do Céu que não souberam conquistar, os filhos do desespero organizam-se em vastas colônias de ódio e miséria moral, disputando, entre si, a dominação da Terra. Conservam, igualmente, quanto ocorre a nós mesmos, largos e valiosos patrimônios intelectuais e, anjos decaídos da Ciência, buscam, acima de tudo, a perversão dos processos divinos que orientam a evolução planetária.

"Mentes cristalizadas na rebeldia, tentam solapar, em vão, a Sabedoria Eterna, criando quistos de vida inferior, na organização terrestre, entrincheiradas nas paixões escuras que lhes vergastam as consciências. Conhecem inumeráveis recursos de perturbar e ferir, obscurecer e aniquilar. Escravizam o serviço benéfico da reencarnação em grandes setores expiatórios e dispõem de agentes da discórdia contra todas as manifestações dos sublimes propósitos que o Senhor nos traçou às ações.

"Os homens terrenos que, semilibertos do corpo, lhes conseguiram identificar, de algum modo, a existência recuaram, tímidos e espavoridos, espalhando entre os contemporâneos as noções de um inferno punitivo e infindável, encravado em tenebrosas regiões além da morte.

---
[3] N.E.: Ponto da esfera celeste que se situa na vertical do observador, sobre a sua cabeça.

1.9   "A mente infantil da Terra, embalada pela ternura paternal da Providência, por intermédio da teologia comum, nunca pôde apreender, mais intensivamente, a realidade espiritual que nos governa os destinos.

"Raros compreendem na morte simples modificação de envoltório, e escasso número de pessoas, ainda mesmo tratando-se dos religiosos mais avançados, guardou a prudência de viver, no vaso físico, de conformidade com os princípios superiores que esposou. Somos defrontados, agora, pela necessidade da proclamação de verdades velhas para os velhos ouvidos e novas para os ouvidos novos da inteligência juvenil situada no mundo.

"O homem, herdeiro presuntivo da coroa celeste, é o condutor do próprio homem, dentro de enormes extensões do caminho evolutivo. Entre aquele que já se acerca do anjo e o selvagem que ainda se limita com o irracional, existem milhares de posições, ocupadas pelo raciocínio e pelo sentimento dos mais variados matizes. E, se há uma corrente, brilhante e maravilhosa, de criaturas encarnadas e desencarnadas que se dirigem para o monte da sublimação, desferindo glorioso cântico de trabalho, imortalidade, beleza e esperança, exaltando a vida, outra corrente existe, escura e infeliz, nas mesmas condições, interessada em descer aos recôncavos das trevas, lançando perturbação, desânimo, desordem e sombra, consagrando a morte. Espíritos incompletos que somos ainda, aderimos aos movimentos que lhes dizem respeito e colhemos os benefícios da ascensão e da vitória ou os prejuízos da descida e da derrota, controlados pelas inteligências mais vigorosas que a nossa e que seguem conosco, lado a lado, na zona progressiva ou deprimente em que nos colocamos.

"O inferno, por isso mesmo, é um problema de direção espiritual.

"Satã é a inteligência perversa.

"O mal é o desperdício do tempo ou o emprego da energia em sentido contrário aos propósitos do Senhor. 1.10

"O sofrimento é reparação ou ensinamento renovador.

"As almas decaídas, contudo, quaisquer que sejam, não constituem uma raça espiritual sentenciada irremediavelmente ao satanismo, integrando, tão somente, a coletividade das criaturas humanas desencarnadas, em posição de absoluta insensatez. Misturam-se à multidão terrestre, exercem atuação singular sobre inúmeros lares e administrações, e o interesse fundamental das mais poderosas inteligências, dentre elas, é a conservação do mundo ofuscado e distraído, à força da ignorância defendida e do egoísmo recalcado, adiando-se o Reino de Deus entre os homens, indefinidamente...

"De milênios a milênios, a região em que respiram padece extremas alterações, qual acontece ao campo provisoriamente ocupado pelos povos conhecidos. A matéria que lhes estrutura a residência sofre tremendas modificações e precioso trabalho seletivo se opera na transformação natural, dentro dos moldes do infinito Bem. Entretanto, embora de fileiras compactas incessantemente substituídas, persistem por séculos sucessivos, acompanhando o curso das civilizações e seguindo-lhes os esplendores e experiências, as aflições e derrotas."

Fazendo-se nova pausa do ministro, que me pareceu oportuna e intencional, um companheiro interferiu, indagando:

— Grande benfeitor, reconhecemos a veracidade de vossas afirmativas; todavia, por que não suprime o Senhor compassivo e sábio tão pavoroso quadro?

O esclarecido mentor fixou um gesto de condescendência e respondeu:

— Não será o mesmo que interrogar pela tardança de nossa própria adesão ao Reino Divino? Sente-se o meu amigo suficientemente iluminado para negar o lado sombrio da própria individualidade? Libertou-se de todas as tentações que fluem dos escaninhos misteriosos da luta interna? Não admite que o orbe possua os seus círculos de luz e trevas, qual acontece a nós mesmos nos recessos do coração? E assim como duelamos em formidáveis conflitos por dentro, a vida planetária é compelida igualmente a combater nos recônditos ângulos de si mesma. Quanto à intervenção do Senhor, recordemo-nos de que os estudos desta hora não se prendem aos aspectos da compaixão, e sim aos problemas da justiça.

1.11 "Nós outros e a Humanidade militante na carne não representamos senão diminuta parcela da família universal, confinados à faixa vibratória que nos é peculiar.

"Somos simplesmente alguns bilhões de seres perante a eternidade. E estejamos convencidos de que se o diamante é lapidado pelo diamante, o mau só pode ser corrigido pelo mau. Funciona a justiça por meio da injustiça aparente, até que o amor nasça e redima os que se condenaram a longas e dolorosas sentenças diante da boa Lei.

"Homens perversos, calculistas, delituosos e inconsequentes são vigiados por gênios da mesma natureza, que se afinam com as tendências de que são portadores.

"Realmente, nunca faltou proteção do Céu contra os tormentos que as almas endurecidas e ingratas semearam na Terra, e os numes guardiães não se despreocupam dos tutelados; no entanto, seria ilógico e absurdo designar um anjo para custodiar criminosos.

"Os homens encarnados, de maneira geral, permanecem cercados pelas escuras e degradantes irradiações de entidades imperfeitas e indecisas, quanto eles próprios, criaturas que lhes são invisíveis ao olhar, mas que lhes partilham a residência.

"Em razão disso, o planeta, por enquanto, ainda não passa de vasto crivo de aprimoramento, ao qual somente os indivíduos excepcionalmente aperfeiçoados pelo próprio esforço conseguem escapar na direção das esferas sublimes.

"Considerando semelhante situação, o Mestre Divino exclamou perante o juiz, em Jerusalém: 'Por agora, o meu reino não é daqui' e, pela mesma razão, Paulo de Tarso, depois de lutas angustiosas, escreve aos efésios que 'não temos de lutar contra a carne e o sangue, mas sim contra os principados, contra as potestades, contra os príncipes das trevas e contra as hostes espirituais da maldade, nas próprias regiões celestes'. **1.12**

"Além, pois, do reino humano, o império imenso das inteligências desencarnadas participa de contínuo julgamento da Humanidade.

"E, entendendo a nossa condição de trabalhadores incompletos, detentores de velhas dificuldades e terríveis inibições, na ordem do aprimoramento iluminativo, cabe-nos preparar recursos de auxílio, reconhecendo que a obra redentora é trabalho educativo por excelência.

"O sacrifício do Mestre representou o fermento divino, levedando toda a massa. É por isso que Jesus, acima de tudo, é o doador da sublimação para a vida imperecível. Absteve-se de manejar as paixões da turba, visto reconhecer que a verdadeira obra salvacionista permanece radicada ao coração, e distanciou-se dos decretos políticos, não obstante reverenciá-los com inequívoco respeito à autoridade constituída, por não ignorar que o serviço do Reino Celeste não depende de compromissos exteriores, mas do individualismo afeiçoado à boa vontade e ao espírito de renúncia em benefício dos semelhantes.

"Sem nosso esforço pessoal no bem, a obra regenerativa será adiada indefinidamente, compreendendo-se por precioso e indispensável nosso concurso fraterno para que irmãos nossos, provisoriamente impermeáveis no mal, se convertam aos desígnios divinos, aprendendo a utilizar os poderes da luz potencial de que são detentores. Somente o amor sentido, crido e vivido por nós provocará a eclosão dos raios de amor em nossos semelhantes. Sem polarizar as energias da alma na direção divina, ajustando-lhes o magnetismo ao centro do Universo, todo programa de redenção é um conjunto de palavras, pecando pela improbabilidade flagrante."

1.13   O ministro sorriu para nós, expressivamente, e concluiu:
— Terei sido bastante claro?

Transbordava de todos os rostos o desejo de ouvi-lo por mais tempo; no entanto, Flácus, aureolado de luz, desceu da tribuna e pôs-se a conversar familiarmente conosco.

A preleção fora encerrada.

As considerações ouvidas despertavam em mim o máximo interesse. No entanto, era preciso aguardar nova oportunidade para mais amplos esclarecimentos.

2
A palestra do instrutor

2.1   Ao nos retirarmos do educandário, o instrutor Gúbio, pousando sobre Elói, o nosso companheiro, e sobre mim, os olhos lúcidos, acentuou:

— Para muitas criaturas, é difícil compreender a arregimentação inteligente dos Espíritos perversos. Entretanto, é lógica e natural. Se ainda nos situamos distantes da santidade, não obstante os propósitos superiores que já nos orientam, que dizer dos irmãos infelizes que se deixaram prender, sem resistência, às teias da ignorância e da maldade? Não conhecem região mais elevada que a esfera carnal, a que ainda se ajustam por laços vigorosos. Enleados em forças de baixo padrão vibratório, não apreendem a beleza da vida superior e, enquanto mentalidades frágeis e enfermiças se dobram humilhadas, os gênios da impiedade lhes traçam diretrizes, enfileirando-as em comunidades extensas e dirigindo-as em bases escuras de ódio aviltante e desespero silencioso. Organizam, assim, verdadeiras cidades, em que se refugiam falanges compactas de almas que fogem, envergonhadas de si mesmas, ante quaisquer manifestações da divina luz. Filhos da revolta e da treva aí se aglomeram, buscando preservar-se e escorando-se, aos milhares, uns nos outros...

Auscultando-nos a surpresa manifesta, o instrutor prosseguiu, respondendo-nos às arguições íntimas: **2.2**

— Tais colônias perturbadoras devem ter começado com as primeiras inteligências terrestres entregues à insubmissão e à indisciplina ante os ditames da paternidade celestial. A alma caída em vibrações desarmônicas, pelo abuso da liberdade que lhe foi confiada, precisa tecer os fios do reajustamento próprio e milhões de irmãos nossos se recusam a semelhante esforço, ociosos e impenitentes, alongando o labirinto em que muitas vezes se perdem por séculos. Inabilitados para a jornada imediata rumo ao Céu, em virtude das paixões devastadoras que os magnetizam, arrebanham-se de conformidade com as tendências inferiores em que se afinam, ao redor da crosta terrestre, de cujas emanações e vidas inferiores ainda se nutrem, qual ocorre aos próprios homens encarnados. O objetivo essencial de tais exércitos sombrios é a conservação do primitivismo mental da criatura humana, a fim de que o planeta permaneça, tanto quanto possível, sob seu jugo tirânico.

As observações de Gúbio escaldavam-me o cérebro.

Eu também havia passado pelos baixos círculos da vida, depois do transe corporal; entretanto, não identificara a existência dessas condensações organizadas de entidades malignas do campo espiritual, embora ouvisse, em muitas ocasiões, impressionantes comentários sobre elas.

Efetivamente, não conseguia, por mim mesmo, exumar todas as recordações do angustiado período que a porta do túmulo me oferecera.

Vira-me perseguido, através de longos pântanos... Errara, aflitivamente, dias e noites que me pareceram sem-fim, atormentado e desditoso; todavia, custava-me crer que as atividades maléficas gozassem de organismo diretor. Por isso mesmo, de mente agora centralizada nos propósitos do bem, aventurei uma indagação.

2.3 — Com que fim — perguntei — essas legiões retardadas se mancomunam, além da morte, se despidas da vestimenta grosseira de carne devem saber, mais que nunca, que se empenham em combates inúteis? Não se sentem, porventura, transportadas ao plano do esclarecimento puro, quanto à posição que lhes diz respeito? Não se cercam presentemente de mais sublimes revelações da Natureza? Não lhes quadrariam mais justos o trabalho edificante e o estudo nobre, na elevada aspiração de galgar a sabedoria santificante, estrada acima? Por que motivo se aglomeram, assim, em ajuntamentos desprezíveis e diabólicos? Fácil de entender-se a jornada evolutiva do homem, depois do sepulcro, mas o estacionamento deliberado na crueldade e no ódio, além da morte, dá para confundir a mente de qualquer...

O orientador sorriu maneiroso e considerou:

— Reportamo-nos a Espíritos perfeitamente humanos, não obstante desencarnados, e tais perguntas, André, poderiam ser formuladas mesmo na crosta da Terra. Por que razão, nós mesmos, antes de acordar a consciência para a Revelação Divina, nos precipitávamos nas linhas inferiores, todos os dias, contrariando espetacularmente a Lei? À frente dos olhos, contávamos com bendito dilúvio de claridade solar, jorrando incessante do Espaço infinito... Sabíamos que a existência do corpo correria rápida, que seríamos defrontados pela morte comum a todos, que regressaríamos do mundo carnal pela mesma porta misteriosa, através da qual penetráramos nele; no entanto, quantas vezes teremos menoscabado a Sabedoria Excelsa, com atitudes de criminosa indiferença? Ante as sugestões do plano divino que te povoam, agora, o pensamento, lembras-te de algum tempo passado em que tivesses cogitado sinceramente da própria sublimação?

Se desenterrarmos o pretérito, meu caro, encontraremos lamentáveis reminiscências... Não nos compete parar ou desanimar. À maneira do tronco frágil, é imperioso crescer, subir, por alcançar o oxigênio de cima, e, apesar de algemados ao que fomos, à semelhança da árvore humilde presa aos resíduos do complicado envoltório que lhe encerrava a semente, reclamamos ascensão, ar puro e largueza de condições para produzirmos o bem que o Senhor espera de nós.

A argumentação de Gúbio era bela e sugestiva; entretanto, eu sentia dificuldades para aceitar a ideia de purgatórios e infernos dirigidos. **2.4**

— Concordo com as elucidações — exclamei reverente —, mas é quase incrível tanta ignorância, além do corpo que nos conserva em ilusão... A sepultura abre-nos a todos um caminho novo. É razoável que a mente perturbada sofra amarguras de reajustamento até que se restaure; todavia, apropriar-se um Espírito desencarnado de certos setores do caminho, como se fora deles senhor absoluto para perpetuar sua tirania, é observação que me escapava...

— Sim — tornou o orientador, convincente —, para quem refletiu sobre o assunto, durante muito tempo, em sentido contrário à realidade, o apontamento surpreende bastante; todavia, não vejo obstáculos à apreensão do ensinamento. Reconheçamos, por exemplo, que o homem comum já atravessou, desde milênios, a estação evolutiva em que se demora o irracional e, em várias ocasiões, revela comportamento de nível inferior ao dele.

Imprimindo grave entono à voz agradável e fraternal, acrescentou:

— Notemos que nós mesmos, os desencarnados, nos movemos num campo de matéria que se caracteriza por densidade específica, embora rarefeita, quando confrontada com as antigas formas físicas, e nossa mente, em qualquer parte, na crosta ou aqui

2.5 onde nos achamos, é um centro psíquico de atração e repulsão. O Espírito encarnado respira numa zona de vibrações mais lentas, enfaixado num veículo constituído de trilhões de células que são outras tantas vidas microscópicas inferiores. Cada vida, porém, por mais insignificante, possui expressão magnética especial. A vontade, não obstante condicionada por leis cósmicas e morais, inclinará a comunidade dos corpúsculos vivos que permanecem a seu serviço por tempo limitado, à maneira do eletricista que liga as forças da usina para atividades num charco ou para serviços numa torre. Sendo cada um de nós uma força inteligente, detendo faculdades criadoras e atuando no Universo, estaremos sempre engendrando agentes psicológicos, por meio da energia mental, exteriorizando o pensamento e com ele improvisando causas positivas, cujos efeitos podem ser próximos ou remotos sobre o ponto de origem. Abstendo-nos de mobilizar a vontade, seremos invariáveis joguetes das circunstâncias predominantes no ambiente que nos rodeia; contudo, tão logo deliberemos manobrá-la, é indispensável resolvamos o problema de direção, porquanto nossos estados pessoais nos refletirão a escolha íntima. Existem princípios, forças e leis no universo minúsculo, tanto quanto no Universo macrocósmico. Dirija um homem a sua vontade para a ideia de doença e a moléstia lhe responderá ao apelo, com todas as características dos moldes estruturados pelo pensamento enfermiço, porque a sugestão mental positiva determina a sintonia e receptividade da região orgânica, em conexão com o impulso havido, e as entidades microbianas, que vivem e se reproduzem no campo mental dos milhões de pessoas que as entretêm, acorrerão em massa, absorvidas pelas células que as atraem, em obediência às ordens interiores, reiteradamente recebidas, formando no corpo a enfermidade idealizada. Claro que nesse capítulo temos a questão das provas necessárias, nos casos em que determinada personalidade renasce, atendendo a impositivos das lições expiatórias, mas, mesmo aí, o problema de ligação mental é infinitamente importante, porquanto o doente que se compraz na aceitação e no elogio da própria decadência acaba na posição de excelente incubador de bactérias e sintomas mórbidos, enquanto o Espírito em reajustamento, quando reage, valoroso, contra o mal, ainda mesmo que benéfico e merecido, encontra imensos recursos de concentrar-se no bem, integrando-se na corrente de vida vitoriosa.

2.6 Registrava as explicações, profundamente edificado, e, não obstante a longa pausa que se fez espontaneamente, não ousei interromper o curso da argumentação, a fim de não quebrar a linha do pensamento.

Prestimoso e digno, Gúbio continuou:

— Nossa mente é uma entidade colocada entre forças inferiores e superiores, com objetivos de aperfeiçoamento. Nosso organismo perispiritual, fruto sublime da evolução, quanto ocorre ao corpo físico na esfera da crosta, pode ser comparado aos polos de um aparelho magnetoelétrico. O Espírito encarnado sofre a influenciação inferior, por meio das regiões em que se situam o sexo e o estômago, e recebe os estímulos superiores, ainda mesmo procedentes de almas não sublimadas, pelo coração e pelo cérebro. Quando a criatura busca manejar a própria vontade, escolhe a companhia que prefere e lança-se ao caminho que deseja. Se não escasseiam milhões de influxos primitivistas, constrangendo-nos, mesmo aquém das formas terrestres, a entreter emoções e desejos, em baixos círculos, e armando-nos quedas momentâneas em abismos do sentimento destrutivo, pelos quais já peregrinamos há muitos séculos, não nos faltam milhões de apelos santificantes, convidando-nos à ascensão para a gloriosa imortalidade.

O instrutor, fitando em nós o olhar percuciente e calmo, ponderou:

2.7   — Entenderam, agora, como é compreensível a opção de certos Espíritos pela casa escura do crime, depois do túmulo, qual ocorre a milhões de entidades encarnadas que, em plena harmonia com a natureza terrestre, estimam viver no domicílio da enfermidade? Atitudes mentais enraizadas não se modificam facilmente. O rei que governa milhares, o condutor que se acostumou a traçar férreas diretrizes, o homem que se habituou a dobrar caracteres alheios, quando não dispõem de princípios santificantes, no terreno idealístico, para se alimentarem intimamente na tarefa a que se consagram, não se transformam em servidores humildes de um momento para outro, só porque se desfizeram da carga de células materiais. Quando não se recomendam aos precipícios da loucura, no eclipse total da razão por tempo indeterminável, em vista dos desvarios na intelectualidade e no poder, são conservados e respeitados na obra evolutiva do mundo, pelas qualidades apreciáveis e dignas que já conquistaram, embora as paixões violentas que lhes assinalam a vida íntima, e são utilizados então por gênios superiores, nos serviços de aprimoramento planetário, em que vigiam e reajustam os mais fracos, sendo vigiados e reajustados pelos mais fortes, convertendo-se, gradual e imperceptivelmente, ao supremo bem, aceitando o plano divino em cuja execução passam a colaborar com fidelidade e valor. Em tal posição, auxiliam e são auxiliados, dão e recebem, impulsionam o progresso e progridem a seu turno...

Impôs ligeira pausa às elucidações e, em seguida, prosseguiu noutro rumo:

— Semelhante realidade obriga-nos a meditar na extensão do serviço espiritual em todos os ângulos evolutivos. Educação para a eternidade não se circunscreve à ilustração superficial de que um homem comum se reveste, sentando-se, por alguns anos, num banco de universidade — é obra de paciência nos séculos. Se árvores existem assinaladas por centenas de anos, dentro das finalidades a que se destinam, que dizer dos milênios reclamados por uma individualidade, no capítulo da própria sublimação?

"Não podemos olvidar, desse modo, o amor que devemos aos ignorantes, aos fracos, aos infelizes. Imprescindível se torna caminhar nos passos daqueles que igualmente, um dia, nos estenderam compassivas mãos." **2.8**

O argumento era demasiado edificante para que interferíssemos com indagações novas.

O orientador percebeu a oportunidade do esclarecimento e continuou:

— Os átomos que integram a hóstia dum templo são, no fundo, iguais àqueles que formam o pão pobre de uma penitenciária. Assim, toda matéria em si mesma. Passiva e plástica, é análoga nas mãos das entidades sábias ou ignorantes, amorosas ou brutalizadas, no estado de condensação conhecido na crosta planetária e além dele. Em razão disso, são compreensíveis as transitórias construções levantadas em nosso plano por criaturas desviadas do bem. Para quem anestesiou as faculdades no prazer fugitivo, a separação da carne geralmente constitui acesso a doloroso estágio na incompreensão. E considerando que a maioria das criaturas humanas persegue as sensações do corpo físico, qual se as atrações genésicas e o desvairado apego aos bens provisórios dos círculos mais baixos encerrassem toda a felicidade do mundo, a colheita de personalidades desequilibradas é sempre inquietante, conservando quase inalteradas as fileiras escuras dos insensatos cultivadores da satisfação egoística a qualquer preço. Loucos perigosos, por voluntários, dirigidos por inteligências soberanas, especializadas em dominação, constituem hordas terríveis que, a bem dizer, vigiam as saídas das esferas inferiores em todas as direções.

2.9 — E por que permite Deus semelhante irregularidade? — inquiriu Elói, sob visível consternação. — Não bastaria ligeira ordem do Eterno para sanar a desarmonia?

Gúbio, prestativo, não se fez esperado na resposta.

Sorrindo, franco, aduziu com interesse:

— Não será o mesmo que perguntar o motivo pelo qual o Senhor nos esperou até ontem? Acreditaremos em paraísos miraculosos? Não sabemos, porventura, que cada homem se sentará no trono que levantou ou se projetará ao fundo do abismo que preferiu? Além disso, é necessário reconhecer que se o lapidário aprimora a pedra, usando lima resistente, o Senhor do Universo aperfeiçoa o caráter dos filhos transviados de sua casa, usando corações endurecidos, temporariamente afastados de sua obra. Nem sempre o melhor juiz pode ser o homem mais doce.

"Qualidades morais e virtudes excelsas não são meras fórmulas verbalistas. São forças vivas. Sem a posse delas, é impraticável a ascensão do espírito humano. Personalidades vulgares apegam-se à salvaguarda de recursos exteriores e neles centralizam os sentimentos mais nobres, prendendo-se a fantasias inúteis... Encarcera-se-lhes, então, a mente na insegurança, na fragilidade, no pavor. O choque da morte imprime-lhes tremendos conflitos à organização perispirítica, veículo destinado às suas próprias manifestações no círculo novo de matéria diferente a que foram arrebatadas, e, após perderem abençoados anos no campo didático da esfera carnal, enredadas em conflitos deploráveis, erram aflitas, exânimes e revoltadas, ajustando-se ao primeiro grupo de entidades viciosas que lhes garantam continuidade de aventura em fictícios prazeres. Formam associações enormes e compactas, com base nas emanações da crosta do mundo, onde milhões de homens e mulheres lhes sustentam as exigências mais baixas; fazem vida coletiva provisória à força de sugarem as energias da residência dos irmãos encarnados, qual se fossem extensa colônia de criminosos, vivendo a expensas de generoso rebanho bovino. Importa ponderar, contudo, que o homem explora a vaca, menos consciente e incapaz de ser julgada por delito de conivência, ao passo que, na esfera humana, o quadro apresenta outro aspecto. A criatura racional não se eximirá à responsabilidade. Se o perseguidor invisível aos olhos terrestres erige agrupamentos para culto sistemático à revolta e ao egoísmo, o homem encarnado, senhor de valiosos patrimônios de conhecimento santificante, garante-lhe a obra nefasta pela fuga constante às obrigações divinas de cooperador de Deus, no plano de serviço em que se localiza, alimentando ruinosa aliança. Um e outro, por isso, partilhando os resultados da indiferença destrutiva ou da ação condenável, atritam e se vascolejam reciprocamente, tais quais feras que se entredevoram na floresta da vida. Obsidiam-se mutuamente, quando nos atilhos[4] educativos da carne ou na ausência deles. Atravessam séculos, assim, jungidos um ao outro, presos a lamentáveis ilusões e propósitos sinistros, com extremas perturbações para si mesmos, já que a herança celestial se faz naturalmente vedada a todos aqueles que menosprezam em si próprios as sementes divinas. Há milhões de almas humanas que se não afastaram, ainda, da crosta terrestre, há mais de dez mil anos. Morrem no corpo denso e renascem nele, qual acontece às árvores que brotam sempre, profundamente arraigadas no solo. Recapitulam, individual e coletivamente, lições multimilenárias, sem atinarem com os dons celestiais de que são herdeiras, afastadas deliberadamente do santuário de si mesmas, no terreno movediço da egolatria inconsequente, agitando-se, de quando em quando, em guerras arrasadoras que atingem os dois planos, no impulso mal dirigido de libertação, por meio de crises inomináveis de fúria e sofrimento. Destroem, então, o que construíram laboriosamente e modificam processos de vida exterior, transferindo-se de civilização."

---

[4] N.E.: O que está ligado por atilho; feixe, molho. Por extensão: evento ou circunstância que provoca uma série de acontecimentos.

2.11   O instrutor, sentindo a profunda atenção com que lhe seguíamos a palavra, acentuou, depois de leve pausa:

— Todavia, no fluir e refluir das eras numerosas, os filhos do planeta que se conservam atentos às determinações divinas, livres da antiga escravidão à miséria moral, tornam ao ambiente escuro do cativeiro que já abandonaram a fim de ampararem os irmãos ignorantes e desvairados, em sublime trabalho de compaixão. Formam as vanguardas do Cristo, nos mais diversos pontos do globo, e, aos milhões, sob o patrocínio dele, operam no amor e na renúncia, avançando, dificilmente embora, Humanidade adentro, enfrentando a ofensiva incendiária e exterminadora, com as bênçãos da luz celeste...

A exposição não podia ser mais clara. Elói, contudo, observou, assombrado:

— Quem diria, na Terra, nosso velho domicílio, que a vida infinita se estenderia, assim, estranha e ameaçadora?

— Sim — concordou o orientador —, porém a ortodoxia no mundo costuma ser o cadáver da revelação. Argumentos teológicos de milênios obstruem os canais da inteligência humana quanto às realidades divinas. Mas a criatura prosseguirá na tarefa de autodescobrimento. A força mental, na luta comum, permanece restrita ao círculo acanhado da personalidade egoística, copiando o molusco algemado à concha, e sabemos que semelhante energia, patrimônio eterno com que nos sublimamos ou viciamos, emite raios criadores sobre a matéria passiva que nos cerca, dependendo de nós a direção que venha a tomar. Se milhões de raios luminosos formam um astro brilhante, é natural que milhões de pequeninos desesperos integrem um inferno perfeito. Herdeiros do Poder Criador, geraremos forças afins conosco, onde estivermos. Não será tudo isto perfeitamente inteligível? É por esta razão que o Senhor mandou constar no Livro Divino o seu aviso celestial: "Eis que estou à porta e bato". Se alguém abre a porta viva da alma, haverá realmente o colóquio redentor entre o Mestre e o discípulo. O coração é tabernáculo, e a sublimação das potências que o integram é a única via de acesso às esferas superiores.

2.12 O devotado orientador fixou o gesto de quem dava término oportuno às explicações, sorriu benévolo e interrogou:

— Qual de nós cometeria o absurdo de exigir voo ao balão cativo? A mente humana, enraizada nos interesses mais fortes da Terra, não detém outro símbolo.

Calamo-nos, atendidos em nossa fome de elucidações. Colhêramos ali, na conversação de alguns minutos, precioso material de observação para longo tempo.

Prosseguíamos, agora, em silêncio, extáticos ante a beleza imponente da noite, maravilhosamente constelada.

Vento brando sussurrava cânticos sem palavras na folhagem leve e grupos de amigos, que nos defrontavam de instante a instante, mostravam no olhar a mesma doce felicidade que transbordava do arvoredo florido.

E assim, banhados em comoções inesquecíveis, buscamos o santuário em que receberíamos instruções para serviço próximo, inundados de confiança e alegria, na posição de trabalhadores jubilosos que caminhassem contentes para a luta, como se avançassem, felizes, para uma festa de luz.

3
Entendimento

3.1 O zimbório[5] estrelado, aos raios liriais da Lua, espalhava em torno vibrações de beleza inexprimível, semeando esperança, alegria e consolo.

Informado quanto aos objetivos que nos conduziriam à crosta, com escalas por uma colônia purgatorial de vasta expressão, vali-me da hora amena para aproveitar a convivência com o instrutor, tentando arrancar-lhe observações que vinham sempre revestidas de preciosos ensinamentos.

— É admirável pensar — aventurei respeitosamente — que se formam verdadeiras expedições em nossa esfera para atender a simples caso de obsessão...

— Os homens encarnados — redarguiu o orientador com certa vaguidade no olhar, qual se trouxesse a alma presa a imagens fugidias do pretérito — não suspeitam a extensão dos cuidados que despertam em nossos círculos de ação. Somos todos,

---
[5] N.E.: Céu.

eles e nós, corações imantados uns aos outros, na forja de benditas experiências. No romance evolutivo e redentor da Humanidade, cada espírito possui capítulo especial. Ternos e ríspidos laços de amor e ódio, simpatia e repulsão, acorrentam-nos reciprocamente. As almas corporificadas na crosta guardam-se em passageiro sono, com esquecimento temporário quanto às atividades pregressas. Banham-se no Estige[6] dos antigos, cujas águas lhes facultam, durante certo tempo, valiosa segurança para retorno a oportunidades de elevação. Todavia, enquanto se mergulham em olvido benéfico, demoramo-nos, por nossa vez, em abençoada vigília. Os perigos que nos ameaçam os entes amados de agora ou de épocas que o tempo consumiu, desde muito, não nos deixam impassíveis. Os homens não se acham sozinhos na estreita senda de provas salutares em que se confinam. A responsabilidade pelo aperfeiçoamento do mundo compete-nos a todos.

— Esclarecido, com respeito à jovem senhora que nos cabia socorrer, aduzi reverente: **3.2**

— A enferma, a cuja assistência fomos admitidos, está, por exemplo, em vosso passado espiritual?

— Sim — confirmou Gúbio, humilde —, mas não fui designado para servir no caso de Margarida, a doente que nos compele à breve expedição do momento, apenas porque houvesse sido minha filha em eras recuadas. Em cada problema de socorro, é imprescindível considerar as várias partes em jogo. Em virtude do enigma de obsessão que nos propomos resolver, somos constrangidos a buscar todas as personalidades que compõem o quadro de serviço. Perseguidores e perseguidos entrelaçam-se, em cada processo de auxílio, em grande expressão

---

[6] N.E.: Rio da invulnerabilidade, um dos rios do Hades. O Estige aparece em várias histórias. Numa das mais comuns, Tétis tentou tornar o seu filho Aquiles invulnerável mergulhando-o nas águas desse rio. Porém, ao mergulhá-lo, suspendeu-o pelo calcanhar (o calcanhar de Aquiles), ficando esta parte vulnerável, o que acabou sendo o motivo de sua morte durante a Guerra de Troia.

numérica. Cada espírito é um elo importante em extensa região da corrente humana. Quanto mais crescemos em conhecimentos e aptidões, amor e autoridade, maior é o âmbito de nossas ligações na esfera geral. Almas existem que se veem sob o interesse de milhões de outras almas. Enquanto os movimentos da vida se estendem, harmoniosos, sob os ascendentes do bem, as dificuldades não chegam a surgir; contudo, quando a perturbação se estabelece, não é fácil desfazer obstáculos, porque, em tais circunstâncias, é indispensável procedamos com absoluta imparcialidade, dando a cada um quanto lhe caiba. O homem terrestre, mormente nos dias tormentosos, costuma ver somente o "seu lado", mas, acima da justiça comum, propriamente considerada, outros tribunais mais altos funcionam... Em razão disso, todos os casos de desarmonia espiritual na Terra movem aqui extensa rede de servidores que passam a tratá-los sem inclinações pessoais, em bases do amor que Jesus exemplificou e, nessas ocasiões, preparamo-nos a satisfazer todos os imperativos de trabalho salvacionista que a tarefa nos imponha ou proporcione, dentro das atividades que lhe são conexas.

3.3 A essa altura da instrutiva conversação, chegamos a gracioso templo.

Nesse doce recanto consagrado à materialização de entidades sublimes, a luz suave da noite calma como que se fazia mais bela.

As vibrações constantes das preces, aí emitidas por vários séculos, tinham criado em torno da edificação prodigioso clima de encantamento.

Melodia celeste derramava-se à surdina e as flores delicadas do átrio pareciam corresponder aos sons cristalinos, variando no brilho e na cor, quase que imperceptivelmente.

Eu trazia o coração opresso, como se a felicidade das últimas horas, em que ouvira tão confortadoras e tão graves reflexões atinentes à extensão do mundo e da vida, me aproximasse a insignificância pessoal da grandeza divina, e lágrimas tranquilas inundaram-me o rosto.

O instrutor tomou-nos a frente e, juntos, penetramos o jardim que circundava o aprazível santuário. 3.4

Alguns irmãos adiantaram-se, acolhedores.

Um deles, o instrutor Gama, que se encarregava dos serviços da casa, abraçou-nos e disse com bondade:

— Chegam no momento preciso. Os doadores de fluidos sublimados encontram-se a postos e a outra comissão já veio.

Entramos sem detença.

Soube, de imediato, que outro grupo, constituído, aliás, por duas irmãs, ali se achava com o objetivo de receber instruções de serviço para esferas mais baixas.

Cariciosa claridade azul-brilhante banhava o largo recinto, adornado de flores níveas, semelhantes aos lírios que conhecemos na Terra.

Não houve tempo para conversações prévias.

Em seguida a saudações ligeiras e cordiais, foi composto o conjunto de oração.

Os doadores de energia radiante, médiuns de materialização em nosso plano, se alinhavam, não longe, em número de vinte.

Comovedora partitura soou, argentina e leve, em aposento próximo, predispondo-nos à meditação de ordem superior.

E logo após a prece, formosa e espontânea, pronunciada pelo responsável mais altamente categorizado na instituição, eis que a tribuna doméstica se ilumina. Esbranquiçada nuvem de substância leitosa e brilhante adensa-se em derredor e, pouco a pouco, desse bloco de neve translúcida, emerge a figura viva e respeitável de veneranda mulher. Indizível serenidade caracteriza-lhe o olhar simpático e o porte de madona antiga, repentinamente trazida à nossa frente. Cumprimenta-nos com um gesto de bênção, como que nos endereçando, a todos, os raios da luz esmeraldina que em forma de auréola lhe exornam a cabeça.

3.5 As duas moças que formavam a comissão de serviços, estranha à nossa, avançaram com lágrimas discretas e rojaram-se genuflexas.

— Mãe querida — clamou uma delas, com tal inflexão de voz que nos cortava as fibras mais íntimas —, ajuda-me a falar-te! A saudade longamente reprimida é um fogo que consome o coração. Auxilia-me! Não me deixes perder este doce e divino minuto!

Apesar dos soluços de emoção que lhe vibravam no peito, continuou:

— Abençoa-nos para a grande jornada!... Há muito tempo aguardamos esta hora breve de reencontro contigo... Perdoa-nos, mãezinha, se insistimos tanto na rogativa... Contudo, sem tua proteção amorosa, como vencer nos turbilhões do abismo?

Desejando talvez justificar-se, ante os olhos maternos, acrescentava em pranto:

— De conformidade com as tuas amadas recomendações, além de nossas tarefas habituais na zona de serviço em que a tua bondade nos situou, temos velado pelo paizinho, mergulhado nas sombras; todavia, há seis anos buscamo-lo embalde... Escapa-nos à influência renovadora e se compraz na companhia de entidades que, por onde passam, vampirizam as criaturas. Não nos recebe a atuação carinhosa senão em forma de pensamentos vagos, de que se desvencilha facilmente, e, se multiplicamos providências salvacionistas, procede como louco... Gesticula a esmo, colérico e irritado, grita blasfêmias e solicita o concurso de seres viciados, a cujas radiações escuras se entrelaça, repelindo-nos as sugestões e a presença... Prefere o contato de entidades ignorantes e infelizes, detestando-nos a ternura...

Nesse ponto, crise mais intensa de emotividade impediu-lhe continuar.

A nobre senhora que descera da tribuna, erguendo as filhas **3.6**
e acolhendo-as nos braços, exclamou com acento consolador na
voz sem lágrimas, não obstante a visível melancolia:

— Filhas amadas, o Sol combate a treva todos os dias.
Batalhemos contra o mal, incessantemente, até a vitória. Não
se suponham sozinhas no conflito doloroso. Desculpemos o
papai, infinitamente, e colaboremos por restituí-lo à terra firme da luz. Se o Cristo trabalha por nós, desde o princípio dos
séculos, sem que lhe possamos compreender a amplitude dos
sacrifícios, que dizer das nossas obrigações de amparo e tolerância, uns para com os outros? Cláudio se fez para sempre credor
da nossa estima e gratidão, apesar do pavoroso crime oculto
que no-lo arrebatou às profundezas... Envenenou um parente
para conseguir a riqueza material que nos ofereceu educação
e conforto na esfera carnal. Por extrema dedicação a nós três,
não hesitou diante da tentação que o constrangeu a infernal
compromisso. Dono de afeição inquieta, não soube esperar a
bênção do tempo e lançou mão de inconfessável processo para
localizar-nos em um oásis de superioridade mentirosa... Para
que ele nos sentisse garantidas e felizes, viveu durante quarenta
anos consecutivos entre o remorso e o sofrimento, psiquicamente sintonizado com Espíritos maliciosos e vingativos das
sombras, mas, na realidade, sobre as aflições dele nos foi possível atravessar abençoada existência de progresso e conforto,
numa casa ditosa e farta, sem sabermos que em nossos alicerces
espirituais vivia um ato escuro de assassínio e violência!

A essa altura, a entidade materializada chorou comovedoramente.

Abraçadas as três, num quadro emocionante e mudo, a
mãezinha encontrou recursos a fim de prosseguir:

— Tornaremos, contudo, ao campo de luta regeneradora e
benfazeja... Que vale para nós a paisagem celestial sem a libertação

daqueles que amamos? O coração amoroso, atormentado, abdicará do ingresso numa estrela para persistir ao lado de um ente querido, em duelo com as serpentes de um charco... Poderíamos gozar, porventura, o espetáculo augusto das esferas resplandecentes, ouvindo-lhes a harmonia indefinível, numa situação de destaque adquirida à custa daqueles que gemem e desfalecem nas trevas? Abandonar quem nos serviu de degrau em plena ascensão divina é das mais horrendas formas de ingratidão. O Senhor não pode abençoar uma ventura colhida ao preço de angústias para aqueles que no-las deram. Estou convencida de que há mais grandeza no anjo que desce ao inferno para salvar os filhos de Deus, transviados e sofredores, do que no mensageiro espiritual que se dá pressa em comparecer ante o trono do Eterno para louvá-lo, com esquecimento dos próprios benfeitores...

3.7   A venerável matrona enxugou o pranto copioso e prosseguiu:
— Olvidemos, pois, minhas filhas, o que hoje somos, para socorrer os que, com o propósito de nos servirem, resvalaram a despenhadeiro sinistro e tormentoso. Saldemos nossas dívidas secretas com abnegação e devotamento. Mais tarde, receberei Antônio, o sobrinho envenenado, em meus braços maternos, reaproximando-o de Cláudio, pela cordialidade e pelo respeito vividos em comum. Ensinar-lhe-ei com alegre ternura a pronunciar o nome de Deus e a desfazer as pesadas nuvens de revolta que lhe empanam a vida íntima. A fim de incliná-lo à compreensão e à piedade com mais eficiência, comprometi-me a acolher também no tabernáculo materno as seis criaturas desviadas do bem, às quais se apegou, desvairado, nas regiões inferiores, em face da culpa de quem nos foi desvelado amigo. Meu afeto reinará dificilmente num lar repleto de corações menos afins com o meu, onde Jesus me ensinará a soletrar, venturosa, a doce lição do sacrifício silencioso... Muitas vezes, lidarei com a discórdia e a tentação; todavia, não podemos acreditar em felicidades de

improviso. Conquistaremos em cooperação abençoada aquela paz que Cláudio sonhou para nós e que ele próprio não desfrutou...

"Para que eu parta, porém, no rumo da reencarnação, é necessário que o papai renasça primeiro. Sem esse marco inicial, não posso atacar o nosso processo redentor em nova fase. Ajudemo-nos, assim, reciprocamente. Enquanto procuro transformar Antônio, reajustando-lhe as fibras afetivas, inclinem ambas o espírito paterno à esperança e à meditação reconstrutivas..."

As jovens derramavam pranto comovedor, em que se misturavam angústia e alegria, e a matrona iluminada, revelando-se em despedida, acrescentou:

— Não desanimem. O tempo é das mais preciosas dádivas do Senhor e o tempo nos auxiliará. O porvir reunir-nos-á, de novo, em abençoado refúgio terrestre. Eu e Cláudio, então renovado, receberemos muitos filhinhos, e vocês duas estarão entre eles, reconfortando-nos os corações. Terei sobre o peito algumas pedras preciosas por lapidar, no esforço de cada dia, e, dentro da alma, duas flores, em ambas, cujo perfume celeste me sustentará as energias necessárias à perseverança até o fim... Compensar-me-ão vocês duas de todas as canseiras... Juntas pelo amor imperecível, trabalharemos sustentadas pela recordação, embora imprecisa, da gloriosa vida espiritual que, um dia, nos acolherá, felizes e triunfantes. Lembremo-nos de Jesus e avancemos...

Silenciou a emissária, e as moças, provavelmente avisadas de que o tempo permanecia esgotado, abraçaram-na de encontro ao coração, sedentas de carinho. A mãezinha beijou-as enternecida e, após saudar-nos cordialmente, tornou à tribuna, em cujo topo desapareceu ao nosso olhar, numa onda de neblina evanescente.

Entreolhamo-nos em lágrimas, como quem tivera permissão de repousar a mente em branda melodia.

3.9   As irmãs retomaram o lugar que ocupavam e música balsâmica se fez ouvir, renovando-nos o ambiente, obedecendo, certo, ao intuito de modificar-nos o campo vibracional.

Ponderando na incomensurável bondade do Pai, recordei os laços afetivos que me ligavam ao pretérito e observei, mais uma vez, que todas as medidas do bem são planejadas e pacientemente executadas pelos que se angelizam nas virtudes do Céu, lastimando, intimamente, as oportunidades perdidas noutro tempo, quando o verdadeiro entendimento da vida me não felicitava o espírito.

Ainda não voltara a mim mesmo da salutar divagação, quando outro lençol de alva substância, coroada de tons dourados, se fez visível no alto. Em breves instantes, revestida de luz, outra mensageira surgia na tribuna.

Dos olhos irradiava doce magnetismo santificante.

Trajava um peplo[7] estruturado em fina gaze azul-radiosa e desceu, ereta e digna, fitando-nos suavemente, à procura de alguém, com interesse particular.

O instrutor ergueu-se, reverente, e caminhou na direção dela, qual discípulo submisso.

A recém-chegada pronunciou frases de paz, sem afetação, e endereçou-lhe a palavra em tom de infinita ternura:

— Irmão Gúbio, agradeço-te o concurso dadivoso. Creio haver chegado, efetivamente, o instante de aceitar-te a ajuda fraterna em favor da libertação de meu infortunado Gregório. Espero, há séculos, pela renovação e penitência dele. Impressionado pelos imensos recursos do poder, no passado distante, cometeu hediondos crimes da inteligência. Internado em perigosa organização de transviados morais, especializou-se, depois da morte, em oprimir ignorantes e infelizes. Pelo endurecimento do coração,

---

[7] N.E.: Variedade de túnica feminina de tecido fino, sem mangas e presa ao ombro, usada na antiga Grécia.

conquistou a confiança de gênios cruéis, desempenhando presentemente a detestável função de grande sacerdote em mistérios escuros. Chefia condenável falange de centenas de outros Espíritos desditosos, cristalizados no mal, e que lhe obedecem com deplorável cegueira e quase absoluta fidelidade. Agravou o passivo de suas dívidas clamorosas, trazidas da insânia terrestre, e vem sendo instrumento infeliz nas mãos de inimigos do bem, poderosos e ingratos... Há cinquenta anos, porém, já consigo aproximar-me dele mentalmente. Recalcitrante e duro, a princípio, Gregório agora experimenta algum tédio, o que constitui uma bênção nos corações infiéis ao Senhor. Já lhe surpreendo no espírito rudimentos de necessária transformação. Ainda não chora sob o guante do arrependimento benéfico e parece-me longe do remorso salvador; entretanto, já duvida da vitória do mal e abriga interrogações na mente envilecida. Não é tão severo no comando dos Espíritos desventurados que lhe seguem as determinações, e o colapso de sua resistência não me parece remoto.

Nesse instante, notei que a venerável matrona derramava lágrimas discretas, que lhe deslizavam na face como sementes de luz.

Parou por alguns momentos, controlada pelas reminiscências dolorosas, e continuou:

— Irmão Gúbio, perdoa-me o pranto que não significa mágoa ou esmorecimento... Na pauta do julgamento humano comum, meu filho espiritual será talvez um monstro... Para mim, contudo, é a joia primorosa do coração ansioso e enternecido. Penso nele qual se houvera perdido a pérola mais linda num mar de lama e tremo de alegria ao considerar que vou reencontrá-lo. Não é paixão doentia que vibra em minhas palavras. É o amor que o Senhor acendeu em nós, desde o princípio. Estamos presos, diante de Deus, pelo magnetismo divino, tanto quanto as estrelas que se imantam umas às outras no império universal. Não encontrarei o Céu sem que os sentimentos de Gregório se voltem igualmente para a eterna sabedoria. Alimentamo-nos na Criação com os raios de vida imperecível que emitimos uns para com os outros. Como surpreender a perfeita ventura se recebo do filho amado tão somente raios de forças em desvario?

3.11   O nosso orientador contemplou-a, de olhos úmidos, e rogou:
— Nobre Matilde, estamos prontos! Dita ordens! Por mais que fizéssemos por tua alegria, nosso esforço seria pobre e pequenino, diante dos sacrifícios em que te empenhas por nós todos.

Num sorriso triste, prosseguiu a respeitável senhora:
— Descerei, dentro em breves anos, para o torvelinho de lutas carnais, a fim de esperar Gregório em existência de resgate difícil e doloroso. Educá-lo-ei sob os princípios superiores que regem a vida. Crescerá sob minha inspiração imediata e receberá a prova perigosa e aflitiva da riqueza material. É de nosso plano que ele acolha, no curso do tempo, em labor gradativo, a extensa legião de servidores viciados que hoje o seguem e a ele obedecem, a fim de encaminhá-los, tanto os possivelmente encarnados quanto os desencarnados, através do carreiro de santificação pela disciplina benéfica em construtivo suor. Padecerá calúnias e vilipêndios. Será muita vez humilhado à face dos homens. Triunfará nos bens efêmeros e nas honrarias mentirosas. Receberá, no desdobramento da tarefa salvadora, tentações de toda espécie, que lhe serão desfechadas pela colônia de ignorância, perversidade e delinquência a que atualmente se filia, e conhecerá, depois de experiências inquietantes, a deserção dos falsos amigos, o abandono, a miséria, a enfermidade, a velhice e a solidão. Apegar-se-á profundamente ao meu carinho, na infância, na mocidade e na madureza; entretanto, na colheita de provações mais duras, tê-lo-ei precedido na viagem do túmulo... Nessa época, porém, que pressinto de tão longe, meu coração materno, embora na esfera espiritual, encorajá-lo-á, passo a passo, na direção do esperado triunfo... Nas amarguras e desilusões que o ajudarão a reestruturar e aperfeiçoar

os poderes da mente, minha voz de amor eterno será por ele registrada com mais precisão... Até lá, porém, Gúbio, compete-me trabalhar muito e sem desânimo, com incessante aproveitamento das horas. Moverei as cordas da intercessão sublime, mobilizarei meus amigos, rogarei a Jesus fortaleza e serenidade. Iniciaremos a liberação com o teu abnegado concurso na zona abismal.

3.12 A veneranda mensageira fez ligeiro intervalo e, concentrando o olhar sobre o nosso instrutor, aduziu com nova inflexão de voz:

— Atenderás Margarida, que te foi filha amantíssima e que a Gregório ainda se encontra imantada por teias escuras do passado, e colaborarás com o meu devotamento materno para que na alma dele se converta a sublevação em humildade e a frieza em calor. Encontrando-o, veste a capa do servo prestimoso e fala-lhe em meu nome. Sob o gelo que lhe cristaliza os sentimentos, descansa, inapagada, a chama do amor que nos une para sempre. Disponho, agora, da permissão de fazer-me sentir e acredito que, à face de tua amorosa tarefa, mover-se-lhe-á o espírito endurecido.

"Sei quanto te custa a incursão nos domínios da dor, porque só aquele que sabe amar e suportar consegue triunfo nas consciências que se degradaram no mal; entretanto, meu amigo, os dons divinos descem sobre nós, dentro de justas condicionais. O Senhor nos enriquece para que enriqueçamos a outrem, dá-nos alguma coisa para ensaiarmos a distribuição de benefícios que lhe pertencem, ajuda-nos a fim de que auxiliemos, por nossa vez, os mais necessitados. Mais recolhe quem mais semeia..."

Diante daqueles olhos divinos, agora velados de lágrimas que não chegavam a cair, Gúbio valeu-se do intervalo e considerou, reverencioso:

— Abnegada Matilde, sou pequenino em excesso para merecer-te as palavras. Onde existe a alegria, o sofrimento não se detém. Socorreste-me com a tua intercessão, amparando-me o zelo afetivo, perante as necessidades de Margarida. Um coração paternal é sempre venturoso, humilhando-se pelos filhos que ama. Sou simplesmente teu devedor, e, se Gregório me flagelasse nos círculos em que domina, semelhante aflição se converteria igualmente em júbilo, dentro de mim. De qualquer modo, ele me recordará tua bondade e teu devotamento apoiando-me os propósitos de descer para servir. As dores que me acarretasse seriam abençoados espinhos nas rosas que me ofereceste. Em teu nome, salvarei minha filha, cuja experiência atual no corpo denso nos é sumamente importante às reencarnações porvindouras... Trabalharei reconhecido ao ensejo que me deste, lutarei, encorajado e feliz...

3.13 Mostrando intenso júbilo e grande esperança na expressão fisionômica, a senhora agradeceu com palavras generosas e concluiu:

— Ao terminares a fase essencial de tua missão, nos dias próximos, sobre o que serei notificada por nossos mensageiros, irei ao teu encontro nos "campos de saída".[8] Então, quem sabe, é provável se verifique o encontro pessoal que almejo há muito tempo, porquanto Gregório virá possivelmente em tua companhia, até a um ponto em que de alguma sorte a manifestação da luz será possibilitada ante as trevas.

A emissária acentuou a expressão brilhante do rosto, exteriorizando a doce expectativa que lhe povoava a alma, e considerou:

— A hora é chegada... O Senhor estará conosco. Há tempo de plantar e tempo de colher. Gregório e eu semearemos de novo. Seremos mãe e filho, outra vez!

Detendo-se particularmente sobre nosso instrutor, falou extática:

— Possam minhas lágrimas de alegria orvalhar-te o espírito laborioso. Seguir-te-ei a ação e aproximar-me-ei no instante oportuno. Creio na vitória do amor, logo resplandeça o minuto do reencontro. Nesse dia abençoado, Gregório e os companheiros

---

[8] Nota do autor espiritual: A expressão "campos de saída" define lugares-limite entre as esferas inferiores e superiores.

que mais se afinarem com ele serão trazidos por nós a círculos regeneradores e, dessas esferas de reajustamento, conto reorganizar elementos ante o futuro promissor, sonhando em companhia dele as realizações que nos competem alcançar.

Gúbio pronunciou algumas frases de compromisso fraterno. **3.14**
Trabalharíamos sem descanso.

Desvelar-nos-íamos pela execução das ordens afetuosas.

A singular entrevista terminou entre preces de gratidão ao Eterno Pai.

Findo aquele culto vivo de amor imortal, despedimo-nos da família cristã que ali se congregava.

Cá fora, a noite se fizera mais bela.

A Lua reinava num trono de azul macio, constelado de estrelas luzentes.

Flores inúmeras saudavam-nos com perfume inebriante.

Ergui para o instrutor olhos repletos de indagações, mas Gúbio, afagando-me os ombros, delicadamente murmurou:

— Repousa a mente e não perguntes por agora. Amanhã, seguiremos na direção da tarefa nova, que nos exigirá muita prudência e compreensão fraternal, e convence-te de que o serviço nos esclarecerá com a sua linguagem viva.

4
Numa cidade estranha

4.1 No dia imediato, pusemo-nos em marcha.

Respondendo-nos às arguições afetivas, o instrutor informou-nos de que teríamos apenas alguns dias de ausência.

Além dos serviços referentes ao encargo particular que nos mobilizava, entraríamos em algumas atividades secundárias de auxílio. Técnico em missões dessa natureza, afirmou que nos admitira, num trabalho que ele poderia desenvolver sozinho, não só pela confiança que em nós depositava, mas também pela necessidade da formação de novos cooperadores especializados no ministério de socorro às trevas.

Após a travessia de várias regiões, "em descida", com escalas por diversos postos e instituições socorristas, penetramos vasto domínio de sombras.

A claridade solar jazia diferençada.

Fumo cinzento cobria o céu em toda a sua extensão.

A volitação[9] fácil se fizera impossível.

---
[9] N.E.: Locomoção pelo ar.

A vegetação exibia aspecto sinistro e angustiado. As árvores não se vestiam de folhagem farta, e os galhos, quase secos, davam a ideia de braços erguidos em súplicas dolorosas.

4.2

Aves agoureiras, de grande tamanho, de uma espécie que poderá ser situada entre os corvídeos, crocitavam[10] em surdina, semelhando-se a pequenos monstros alados espiando presas ocultas.

O que mais contristava, porém, não era o quadro desolador, mais ou menos semelhante a outros de meu conhecimento, e sim os apelos cortantes que provinham dos charcos. Gemidos tipicamente humanos eram pronunciados em todos os tons.

Acredito, teríamos examinado individualmente os sofredores que aí se localizavam, se nos entregássemos a detida apreciação; todavia, Gúbio, à maneira de outros instrutores, não se detinha para atender a curiosidade improfícua.

Lembrando a "selva escura" a que Alighieri[11] se reporta no imortal poema, eu trazia o coração premido de interrogativas inquietantes.

Aquelas árvores estranhas, de frondes ressecadas, mas vivas, seriam almas convertidas em silenciosas sentinelas de dor, qual a mulher de Ló, transformada simbolicamente em estátua de sal? E aquelas grandes corujas diferentes, cujos olhos brilhavam desagradavelmente nas sombras, seriam homens desencarnados sob tremendo castigo da forma? Quem chorava nos vales extensos de lama? Criaturas que houvessem vivido na Terra que recordávamos, ou duendes desconhecidos para nós?

De quando em quando, grupos hostis de entidades espirituais em desequilíbrio nos defrontavam, seguindo adiante, indiferentes, incapazes de registrar-nos a presença. Falavam em alta voz, em português degradado, mas inteligível, evidenciando, pelas gargalhadas, deploráveis condições de ignorância.

---

[10] N.E.: Crocitar: Soltavam a voz (o corvo e outras aves como a coruja, o abutre etc.).

[11] N.E.: Dante Alighieri (1265-1321), poeta italiano, autor de *A divina comédia*.

Apresentavam-se em trajes bisonhos e conduziam apetrechos de lutar e ferir.

4.3   Avançamos mais profundamente, mas o ambiente passou a sufocar-nos. Repousamos, de algum modo, vencidos de fadiga singular, e Gúbio, depois de alguns momentos, nos esclareceu:

— Nossas organizações perispiríticas, à maneira de escafandro estruturado em material absorvente, por ato deliberado de nossa vontade, não devem reagir contra as baixas vibrações deste plano. Estamos na posição de homens que, por amor, descessem a operar num imenso lago de lodo; para socorrer eficientemente os que se adaptaram a ele, são compelidos a cobrir-se com as substâncias do charco, sofrendo-lhes, com paciência e coragem, a influenciação deprimente. Atravessamos importantes limites vibratórios e cabe-nos entregar a forma exterior ao meio que nos recebe, a fim de sermos realmente úteis aos que nos propomos auxiliar. Finda a nossa transformação transitória, seremos vistos por qualquer dos habitantes desta região menos feliz. A oração, de agora em diante, deve ser nosso único fio de comunicação com o Alto, até que eu possa verificar, quando na crosta, qual o minuto mais adequado de nosso retorno aos dons luminescentes. Não estamos em cavernas infernais, mas atingimos grande império de inteligências perversas e atrasadas, anexo aos círculos da crosta, onde os homens terrestres lhes sofrem permanente influenciação. Chegou para nós o momento de pequeno testemunho. Muita capacidade de renúncia é indispensável, a fim de alcançarmos nossos objetivos. Podemos perder por falta de paciência ou por escassez de vocação para o sacrifício. Para a malta de irmãos retardados que nos envolverá, seremos simples desencarnados, ignorantes do próprio destino.

Passamos a inalar as substâncias espessas que pairavam em derredor, como se o ar fosse constituído de fluidos viscosos.

Elói estirou-se, ofegante, e não obstante experimentar, **4.4** por minha vez, asfixiante opressão, busquei padronizar atitudes pela conduta do instrutor, que tolerava a metamorfose, silencioso e palidíssimo.

Reparei, confundido, que a voluntária integração com os elementos inferiores do plano nos desfigurava enormemente. Pouco a pouco, sentimo-nos pesados e tive a ideia de que fora, de improviso, religado, de novo, ao corpo de carne, porque, embora me sentisse dono da própria individualidade, me via revestido de matéria densa, como se fosse obrigado a envergar inesperada armadura.

Decorridos longos minutos, o orientador apelou, diligente:

— Prossigamos! Doravante, seremos auxiliares anônimos. Não nos convém, por enquanto, a identificação pessoal.

— Mas não será isto mentir? — clamou Elói, quase refeito.

Gúbio dividiu conosco um olhar de benevolência e explicou bondosamente:

— Não te recordas do texto evangélico que recomenda não saiba a mão esquerda o que dá a direita? Este é o momento de ajudarmos sem alarde. O Senhor não é mentiroso quando nos estende invisíveis recursos de salvação, sem que lhe vejamos a presença. Nesta cidade sombria, trabalham inúmeros companheiros do bem nas condições em que nos achamos. Se erguermos bandeira provocante nestes campos, nos quais 95 por cento das inteligências se encontram devotadas ao mal e à desarmonia, nosso programa será estraçalhado em alguns instantes. Centenas de milhares de criaturas aqui padecem amargos choques de retorno à realidade, sob a vigilância de tribos cruéis, formadas de Espíritos egoístas, invejosos e brutalizados. Para a sensibilidade medianamente desenvolvida, o sofrimento aqui é inapreciável.

— E há governo estabelecido num reino estranho e sinistro quanto este? — indaguei.

4.5   — Como não? — respondeu Gúbio, atenciosamente. — Qual ocorre na esfera carnal, a direção, neste domínio, é concedida pelos poderes superiores, a título precário. Na atualidade, este grande empório de padecimentos regenerativos permanece dirigido por um sátrapa[12] de inqualificável impiedade, que aliciou para si próprio o pomposo título de Grande Juiz, assistido por assessores políticos e religiosos tão frios e perversos quanto ele mesmo. Grande aristocracia de gênios implacáveis aqui se alinha, senhoreando milhares de mentes preguiçosas, delinquentes e enfermiças...

— E por que permite Deus semelhante absurdo?

Dessa vez, era o meu colega que perguntava, de novo, um tanto apavorado, agora, ante os compromissos que assumíramos.

Longe de perturbar-se, Gúbio replicou:

— Pelas mesmas razões educativas por meio das quais não aniquila uma nação humana quando, desvairada pela sede de dominação, desencadeia guerras cruentas e destruidoras, mas a entrega à expiação dos próprios crimes e ao infortúnio de si mesma, para que aprenda a integrar-se na ordem eterna que preside à vida universal. De período a período, contado cada um por vários séculos, a matéria utilizada por semelhantes inteligências é revolvida e reestruturada, qual acontece nos círculos terrenos, mas se o Senhor visita os homens pelos homens que se santificam, corrige igualmente as criaturas por intermédio das criaturas que se endurecem ou bestializam.

— Significa então que os gênios malditos, os demônios de todos os tempos... — exclamei reticencioso.

— Somos nós mesmos — completou o instrutor, paciente — quando nos desviamos, impenitentes, da Lei. Já perambulamos por estes sítios sombrios e inquietantes, mas os choques biológicos do renascimento e da desencarnação, mais ou menos recentes, não te permitem, nem a Elói, o desabrochar de reminiscências

---

[12] N.E.: Indivíduo muito poderoso e arbitrário.

completas do passado. Comigo, porém, a situação é diversa. A extensão de meu tempo, na vida livre, já me confere recordações mais dilatadas e, de antemão, conheço as lições que constituam novidade. Muitos de nossos companheiros, guindados à altura, não mais identificam nestas paragens senão motivos de cansaço, repugnância e pavor; todavia, é forçoso observar que o pântano, invariavelmente, é uma zona da Natureza pedindo o socorro dos servos mais fortes e generosos.

Música exótica fazia-se ouvir não distante e Gúbio rogou-nos prudência e humildade em favor do êxito no trabalho a desdobrar-se. **4.6**

Reerguemo-nos e avançamos.

Fizera-se-nos tardio o passo e nossa movimentação difícil.

Em voz baixa, o orientador reiterou a recomendação:

— Em qualquer constrangimento íntimo, não nos esqueçamos da prece. É, de ora em diante, o único recurso de que dispomos a fim de mobilizar nossas reservas mentais superiores, em nossas necessidades de reabastecimento psíquico. Qualquer precipitação pode arrojar-nos a estados primitivistas, lançando-nos em nível inferior, análogo ao dos Espíritos infelizes que desejamos auxiliar. Tenhamos calma e energia, doçura e resistência, de ânimo voltado para o Cristo. Lembremo-nos de que aceitamos o encargo desta hora, não para justiçar, e sim para educar e servir.

Adiantamo-nos, caminho afora, como se fazia possível.

Em minutos breves, penetramos vastíssima aglomeração de vielas, reunindo casario decadente e sórdido.

Rostos horrendos contemplavam-nos furtivamente, a princípio, mas, à medida que varávamos o terreno, éramos observados com atitude agressiva, por transeuntes de miserável aspecto.

Alguns quilômetros de via pública, repletos de quadros deploráveis, desfilaram a nossos olhos.

4.7   Mutilados às centenas, aleijados de todos os matizes, entidades visceralmente desequilibradas ofereciam-nos paisagens de arrepiar.

Impressionado com a multidão de criaturas deformadas que se enfileirava sob nosso raio visual, perfeitamente arrebanhada ali em experiência coletiva, enderecei algumas interrogações ao instrutor, em tom discreto.

— Por que tão extensa comunidade de sofredores? Que causas impunham tão flagrante decadência da forma?

Paciente, o orientador não se fez demorado na resposta:

— Milhões de pessoas — informou, calmo —, depois da morte, encontram perigosos inimigos no medo e na vergonha de si mesmas. Nada se perde, André, no círculo de nossas ações, palavras e pensamentos. O registro de nossa vida opera-se em duas fases distintas, perseverando no exterior, por meio dos efeitos de nossa atuação em criaturas, situações e coisas, e persistindo em nós mesmos, nos arquivos da própria consciência, que recolhe matematicamente todos os resultados de nosso esforço, no bem ou no mal, ao interior dela própria. O Espírito, em qualquer parte, move-se no centro das criações que desenvolveu. Defeitos escuros e qualidades louváveis envolvem-no, onde se encontre. A criatura na Terra, por onde peregrinamos, ouve argumentos alusivos ao Céu e ao Inferno e acredita vagamente na vida espiritual que a espera Além-túmulo. Mais cedo que possa imaginar, perde o veículo de carne e compreende que não se pode ocultar por mais tempo, desfeita a máscara do corpo sob a qual se escondia à maneira da tartaruga dentro da carapaça. Sente-se tal qual é e receia a presença dos filhos da luz, cujos dons de penetração lhe identificariam, de pronto, as mazelas indesejáveis. O perispírito, para a mente, é uma cápsula mais delicada, mais suscetível de refletir-lhe a glória ou a viciação, em virtude dos tecidos rarefeitos de que se constitui. Em razão disso, as almas decaídas, num impulso de revolta contra os deveres que nos competem a cada um, nos serviços de sublimação, aliam-se umas às outras por meio de organizações em que exteriorizam, tanto quanto possível, os lamentáveis pendores que lhes são peculiares, não obstante ferretoadas pelo aguilhão das inteligências vigorosas e cruéis.

— Mas — interferi — não há recursos de soerguer semelhantes comunidades? **4.8**

— A mesma lei de esforço próprio funciona igualmente aqui. Não faltam apelos santificantes de cima; contudo, com a ausência da íntima adesão dos interessados ao ideal da melhoria própria, é impraticável qualquer iniciativa legítima, em matéria de reajustamento geral. Sem que o espírito, senhor da razão e dos valores eternos que lhe são consequentes, delibere mobilizar o patrimônio que lhe é próprio no sentido de elevar o seu campo vibratório, não é justo seja arrebatado, por imposição, a regiões superiores que ele mesmo, por enquanto, não sabe desejar. E até que resolva atirar-se ao empreendimento da própria ascensão, vai sendo aproveitado pelas leis universais no que possa ser útil à obra divina. A minhoca, enquanto é minhoca, é compelida a trabalhar o solo; o peixe, enquanto é peixe, não viverá fora d'água...

Sorrindo ante a própria argumentação, concluiu bem--humorado:

— É natural, pois, que o homem, dono de vastas teorias de virtude salvadora, enquanto se demora no comboio da inferioridade seja empregado em atividades inferiores. A Lei estima infinitamente a lógica.

Calou-se Gúbio, evidentemente constrangido pela necessidade de não acordarmos demasiada atenção em torno de nós.

Tocado, no entanto, pela miséria que ali emoldurava tanta dor, perdi-me num mar de indagações íntimas.

Que empório extravagante era aquele? Algum país onde vicejassem tipos subumanos? Eu sabia que semelhantes criaturas não envergavam corpos carnais e que se congregavam num reino purgatorial, em benefício próprio; entretanto, vestiam-se de roupagens de matéria francamente imunda. Lombroso e Freud encontrariam aí extenso material de observação. Incontáveis tipos que interessariam, de perto, à criminologia e à psicanálise vagueavam absortos, sem rumo. Exemplares inúmeros de pigmeus, cuja natureza em si ainda não posso precisar, passavam por nós, aos magotes. Plantas exóticas, desagradáveis ao nosso olhar, ali proliferam, e animais em cópia abundante, embora monstruosos, se movimentavam a esmo, dando-me a ideia de seres acabrunhados que pesada mão transformara em duendes. Becos e despenhadeiros escuros se multiplicavam em derredor, acentuando-nos o angustioso assombro.

4.9 Após a travessia de vastíssima área, não sopitei as interrogações que me escapavam do cérebro.

O instrutor, todavia, esclareceu discreto:

— Guarda as perguntas intempestivas no momento. Estamos numa colônia purgatorial de vasta expressão. Quem não cumpre aqui dolorosa penitência regenerativa pode ser considerado inteligência subumana. Milhares de criaturas, utilizadas nos serviços mais rudes da Natureza, movimentam-se nestes sítios em posição infraterrestre. A ignorância, por ora, não lhes confere a glória da responsabilidade. Em desenvolvimento de tendências dignas, candidatam-se à Humanidade que conhecemos na crosta. Situam-se entre o raciocínio fragmentário do macacoide e a ideia simples do homem primitivo na floresta. Afeiçoam-se a personalidades encarnadas ou obedecem, cegamente, aos Espíritos prepotentes que dominam em paisagens como esta. Guardam, enfim, a ingenuidade do selvagem e a fidelidade do cão. O contato com certos indivíduos inclina-os ao bem ou ao mal, e somos responsabilizados pelas forças superiores que nos governam, quanto ao tipo de influência que exercermos sobre a mente infantil de semelhantes criaturas. Com respeito aos Espíritos que se mostram nestas ruas sinistras, exibindo formas quase animalescas, neles reparamos várias demonstrações da anormalidade a que somos conduzidos pela desarmonia interna. Nossa atividade mental nos marca o perispírito. Podemos reconhecer a propriedade do asserto, quando ainda no mundo. O glutão começa a adquirir aspecto deprimente no corpo em que habita. Os viciados no abuso do álcool passam a viver de borco, arrojados ao solo, à maneira de grandes vermes. A mulher que se habituou a mercadejar com o vaso físico, olvidando as sagradas finalidades da vida, apresenta máscara triste, sem sair da carne. Aqui, porém, André, o fogo devorador das paixões aviltantes revela suas vítimas com mais hedionda crueldade.

Certo, porque eu refletisse no problema de assistência, o orientador aduziu: **4.10**

— É impraticável a enfermagem individual e sistemática numa cidade em que se amontoam milhares de alienados e doentes. Um médico do mundo surpreenderia aqui, às centenas, casos de amnésia, de psicastenia, de loucura, por meio de neuroses complexas, alcançando a conclusão de que toda a patogenia permanece radicada aos ascendentes de ordem mental. Quem cura nestes lugares há de ser o tempo com a piedade celeste ou a piedade celeste por intermédio de embaixadores da renúncia, em serviços de intercessão para os Espíritos arrependidos que se refugiem na obediência aos imperativos da Lei, inspirados pela boa vontade.

Alguns transeuntes repulsivos ombrearam conosco e Gúbio considerou prudente silenciar.

Notei a existência de algumas organizações de serviços que nos pareceriam, na esfera carnal, ingênuas e infantis, reconhecendo que a ociosidade era, ali, a nota dominante. E porque não visse crianças, exceção feita das raças de anões, cuja existência percebia sem distinguir os pais dos filhos, arrisquei, de novo, uma indagação, em voz baixa.

4.11	Respondeu o instrutor atencioso:

— Para os homens da Terra, propriamente considerados, este plano é quase infernal. Se a compaixão humana separa as crianças dos criminosos definidos, que dizer do carinho com que a compaixão celestial vela pelos infantes?

— E por que em geral tanta ociosidade neste plano? — indaguei ainda.

— Quase todas as almas humanas situadas nestas furnas sugam as energias dos encarnados e lhes vampirizam a vida, qual se fossem lampreias insaciáveis no oceano do oxigênio terrestre. Suspiram pelo retorno ao corpo físico, de vez que não aperfeiçoaram a mente para a ascensão, e perseguem as emoções do campo carnal com o desvario dos sedentos no deserto. Quais fetos adiantados absorvendo as energias do seio materno, consomem altas reservas de força dos seres encarnados que as acalentam, desprevenidos de conhecimento superior. Daí, esse desespero com que defendem no mundo os poderes da inércia e essa aversão com que interpretam qualquer progresso espiritual ou qualquer avanço do homem na montanha de santificação. No fundo, as bases econômicas de toda essa gente residem, ainda, na esfera dos homens comuns e, por isso, preservam, apaixonadamente, o sistema de furto psíquico, dentro do qual se sustentam junto às comunidades da Terra.

A essa altura, defrontamos acidentes no solo, que o instrutor nos levou a atravessar.

Subimos, dificilmente, a rua íngreme e, em pequeno planalto, que se nos descortinou aos olhos espantadiços, a paisagem alterou-se.

Palácios estranhos surgiam imponentes, revestidos de claridade abraseada, semelhante à auréola do aço incandescente.

Praças bem cuidadas, cheias de povo, ostentavam carros soberbos, puxados por escravos e animais.

O aspecto devia, a nosso ver, identificar-se com o das grandes cidades do Oriente, de duzentos anos atrás. 4.12

Liteiras e carruagens transportavam personalidades humanas, trajadas de modo surpreendente, em que o escarlate exercia domínio, acentuando a dureza dos rostos que emergiam dos singulares indumentos.

Respeitável edifício destacava-se diante de uma fortaleza, com todos os característicos de um templo, e o orientador confirmou-me as impressões, asseverando que a casa se destinava a espetaculoso culto externo.

Enquanto nos movimentávamos, admirando o suntuoso casario em contraste chocante com o vasto reino de miséria que atravessáramos, alguém nos interpelou descortês:

— Que fazem?

Era um homem alto, de nariz adunco e olhos felinos, com todas as maneiras do policial desrespeitoso, a identificar-nos.

— Procuramos o sacerdote Gregório, a quem estamos recomendados — esclareceu Gúbio, humilde.

O estranho pôs-se à frente, determinou lhe acompanhássemos as passadas, em silêncio, e guiou-nos a um casarão de feio aspecto.

— É aqui! — disse em tom seco e, após apresentar-nos a um homem maduro, envolvido em longa e complicada túnica, retirou-se.

Gregório não nos recebeu hospitaleiramente. Fitou em Gúbio os olhos desconfiados de fera surpreendida e interrogou:

— Vieram da crosta há muito tempo?

— Sim — respondeu nosso instrutor —, e temos necessidade de auxílio.

— Já foram examinados?

— Não.

— E quem mos enviou? — inquiriu o sacerdote, sob visível perturbação.

— Certa mensageira de nome Matilde.

13.   O anfitrião estremeceu, mas observou implacável:

— Não sei quem seja; todavia, podem entrar. Tenho serviços nos mistérios e não posso ouvi-los agora. Amanhã, porém, ao anoitecer, serão levados aos setores de seleção, antes de admitidos ao meu serviço.

Nem mais uma palavra.

Entregues a um servidor de fisionomia desagradável, demandamos porão escuro, e confesso que acompanhei Gúbio e Elói de alma conturbada por receio absorvente e indefinível.

5
Operações seletivas

5.1   Transcorridas longas horas em compartimento escuro, aproveitadas em meditações e preces, sem entendimentos verbais, fomos conduzidos, na noite imediata, a um edifício de grandes e curiosas proporções.

O esquisito palácio guardava a forma de enorme hexágono, alongando-se para cima em torres pardacentas, e reunia muitos salões consagrados a estranhos serviços. Iluminado externa e interiormente pela claridade de volumosos tocheiros, apresentava o aspecto desagradável de uma casa incendiada.

Sob a custódia de quatro guardas da residência de Gregório, que nos comunicaram a necessidade de exame antes de qualquer contato direto com o aludido sacerdote, penetramos o recinto de largas dimensões, no qual se congregavam algumas dezenas de entidades em deploráveis condições.

Moços e velhos, homens e mulheres, aí se misturavam em relativo silêncio.

Alguns gemiam e choravam.

Reparei que a multidão se constituía, em sua quase totalidade, **5.2**
de almas doentes. Muitos padeciam desequilíbrios mentais visíveis.

Observei-lhes, impressionado, o aspecto enfermiço.

O perispírito de todos os que aí se enclausuravam, pacientes e expectadores, mostrava a mesma opacidade do corpo físico. Os estigmas da velhice, da moléstia e do desencanto, que perseguem a experiência humana, ali triunfavam, perfeitos...

O medo controlava os mais desesperados, porque o silêncio caía, abafante, apesar da inquietação que transparecia de todos os rostos.

Alguns servidores da casa, em trajes característicos, separavam, por grupos vários, as pessoas desencarnadas que entrariam, naquele momento, em seleção para julgamento oportuno.

Discretamente, o instrutor elucidou-nos:

— Presenciamos uma cerimônia semanal dos juízes implacáveis que vivem sediados aqui. A operação seletiva realiza-se com base nas irradiações de cada um. Os guardas que vemos em trabalho de escolha, compondo grupos diversos, são técnicos especializados na identificação de males numerosos, por meio das cores que caracterizam o halo dos Espíritos ignorantes, perversos e desequilibrados. A divisão para facilitar o serviço judiciário é, por isso mesmo, das mais completas.

A essa altura, o pessoal de Gregório nos dera tréguas, afastando-se de nós, de algum modo, não obstante vigiar-nos das galerias repletas de gente.

Respeitado o nosso trio pelos selecionadores que não nos alteraram a união, situávamo-nos, agora, no campo das vítimas.

Atento à explicação ouvida, indaguei curioso:

— Todas estas entidades vieram constrangidas, conforme sucedeu conosco? Há Espíritos satânicos, recordando as oleografias religiosas da crosta, disputando as almas no leito de morte?

O orientador obtemperou, muito calmo:

5.3 — Sim, André, cada mente vive na companhia que elege. Semelhante princípio prevalece para quem respira no corpo denso ou fora dele. É imperioso reconhecer, porém, que a maioria das almas asiladas neste sítio veio ter aqui, obedecendo a forças de atração. Incapazes de perceber a presença dos benfeitores espirituais que militam entre os homens encarnados, em tarefas de renunciação e benevolência, em vista do baixo teor vibratório em que se precipitaram, por meio de delitos reiterados, da ociosidade impenitente ou da deliberada cristalização no erro, não encontraram senão o manto de sombras em que se envolveram e, desvairadas, sozinhas, procuraram as criaturas desencarnadas que com elas se afinam, agregando-se naturalmente a este imenso cortiço, com toda a bagagem de paixões destruidoras que lhes marcam a estrada. Aportando aqui, sofrem, porém, a vigilância de inteligências poderosas e endurecidas que imperam ditatorialmente nestas regiões, onde os frutos amargos da maldade e da indiferença enchem o celeiro dos corações desprevenidos e maliciosos.

— Oh! — exclamei em voz sussurrante. — Por que motivo confere o Senhor atribuições de julgadores a Espíritos despóticos? Por que estará a justiça, nesta cidade estranha, em mãos de príncipes diabólicos?

Gúbio estampou na fisionomia significativa expressão e ajuntou:

— Quem se atreveria a nomear um anjo de amor para exercer o papel de carrasco? Ademais, como acontece na crosta planetária, cada posição, além da morte, é ocupada por aquele que a deseja e procura.

Vagueei o olhar, em derredor, e confrangeu-se-me toda a alma. Na comunidade das vítimas, arrebanhadas aos magotes, como se fossem animais raros para uma festa, predominavam a humildade e a aflição, mas, entre as sentinelas que nos rodeavam, a peçonha da ironia transbordava.

Palavrões eram desferidos, desrespeitosamente, a esmo.   **5.4**

À frente de vasta tribuna vazia e sob as galerias laterais abarrotadas de povo, compacta multidão se amontoava irreverente.

Alguns minutos decorreram, desagradáveis e pesados, quando absorvente vozerio se fez ouvido:

— Os magistrados! Os magistrados! Lugar! Lugar para os sacerdotes da justiça!

Procurei a paisagem exterior, curiosamente, tanto quanto me era possível, e vi que funcionários rigorosamente trajados à moda dos lictores da Roma antiga, carregando a simbólica machadinha (fasces) ao ombro, avançavam, ladeados por servidores que sobraçavam grandes tochas a lhes clarearem o caminho. Penetraram o átrio em passos rítmicos e, depois deles, sete andores, sustentados por dignitários diversos daquela corte brutalizada, traziam os juízes, esquisitamente ataviados.

Que solenidade religiosa era aquela? As poltronas suspensas eram, em tudo, idênticas à "sédia gestatória" das cerimônias papalinas.

Varando, agora, o recinto, os lictores passaram o instrumento simbólico às mãos e alinharam-se, corretos, perante a tribuna espaçosa, sobre a qual resplandecia alarmante facho de luz.

Os julgadores, por sua vez, desceram, pomposos, dos tronos içados e tomaram assento numa espécie de nicho a salientar-se de cima, inspirando silêncio e temor, porque a turba inconsciente, em redor, calou-se de súbito.

Tambores variados rufaram, como se estivéssemos numa parada militar em grande estilo, e uma composição musical semisselvagem acompanhou-lhes o ritmo, torturando-nos a sensibilidade.

Terminado aquele ruído, um dos julgadores se levantou e dirigiu-se à massa, aproximadamente nestes termos:

— Nem lágrimas, nem lamentos.

"Nem sentença condenatória, nem absolvição gratuita.

5.5 "Esta casa não pune, nem recompensa.

"A morte é caminho para a justiça.

"Escusado qualquer recurso à compaixão entre criminosos.

"Não somos distribuidores de sofrimento, e sim mordomos do governo do mundo.

"Nossa função é a de selecionar delinquentes, a fim de que as penas lavradas pela vontade de cada um sejam devidamente aplicadas em lugar e tempo justos.

"Quem abriu a boca para vilipendiar e ferir, prepare-se para receber, de retorno, as forças tremendas que desencadeou por meio da palavra envenenada.

"Quem abrigou a calúnia suportará os gênios infelizes aos quais confiou os ouvidos.

"Quem desviou a visão para o ódio e para a desordem, descubra novas energias para contemplar os resultados do desequilíbrio a que se consagrou espontaneamente.

"Quem utilizou as mãos em sementeiras de malícia, discórdia, inveja, ciúme e perturbação deliberada, organize resistência para a colheita de espinhos.

"Quem centralizou os sentidos no abuso de faculdades sagradas, espere, doravante, necessidades enlouquecedoras, porque as paixões envilecentes, mantidas pela alma no corpo físico, explodem aqui, dolorosas e arrasadoras. A represa por longo tempo guarda micróbios e monstros, segregados a distância do curso tranquilo das águas; todavia, chega um momento em que a tempestade ou a decadência surpreendem a obra vigorosa de alvenaria e as formas repelentes, libertadas, se espalham e crescem em toda a extensão da corrente.

"Seguidores do vício e do crime, tremei!

"Condenados por vós mesmos, conservais a mente prisioneira das mais baixas forças da vida, à maneira do batráquio encarcerado no visco do pântano, ao qual se habituou no transcurso dos séculos!..."

Nesse ponto, o orador fez pausa e reparei os circunstantes. **5.6**
Olhos esgazeados pelo pavor jaziam abertos em todas as máscaras fisionômicas.

O juiz, por sua vez, não parecia respeitar o menor resquício de misericórdia. Mostrava-se interessado em criar ambiente negativo a qualquer espécie de soerguimento moral, estabelecendo nos ouvintes angustioso temor.

Prolongando-se o intervalo, enderecei com o olhar silenciosa interrogação ao nosso orientador, que me falou quase em segredo:

— O julgador conhece à saciedade as leis magnéticas, nas esferas inferiores, e procura hipnotizar as vítimas em sentido destrutivo, não obstante usar, como vemos, a verdade contundente.

— Não vale acusar a edilidade desta colônia — prosseguiu a voz trovejante —, porque ninguém escapará aos resultados das próprias obras, quanto o fruto não foge às propriedades da árvore que o produziu.

Amaldiçoados sejam pelo governo do mundo quem nos desrespeite as deliberações, baseadas, aliás, nos arquivos mentais de cada um.

Assinalando, intuitivamente, a queixa mental dos ouvintes, bradou terrificante:

— Quem nos acusa de crueldade? Não será benfeitor do espírito coletivo o homem que se consagra à vigilância de uma penitenciária? E quem sois vós senão rebotalho humano? Não viestes até aqui, conduzidos pelos próprios ídolos que adorastes?

Nesse momento, convulsivo choro invadiu a muitos.

Gritos atormentados, rogativas de compaixão se fizeram ouvir. Muitos se prosternaram de joelhos.

Imensa dor generalizara-se.

Gúbio trazia a destra sobre o peito, como se contivesse o coração, mas, vendo por minha vez aquele grande grupo de Espíritos rebelados e humilhados, orgulhosos e vencidos, lastimando amargamente as oportunidades perdidas, recordei meus velhos caminhos de ilusão e — por que não dizer? — ajoelhei-me também, compungido, implorando piedade em silêncio.

5.7   Exasperado, o julgador bradou colérico:

— Perdão? Quando desculpastes sinceramente os companheiros da estrada? Onde está o juiz reto que possa exercer, impune, a misericórdia?

E, incidindo toda a força magnética que lhe era peculiar, por intermédio das mãos, sobre uma pobre mulher que o fixava estarrecida, ordenou-lhe com voz soturna:

— Venha! Venha!

Com expressão de sonâmbula, a infeliz obedeceu à ordem, destacando-se da multidão e colocando-se, embaixo, sob os raios positivos da atenção dele.

— Confesse! Confesse! — determinou o desapiedado julgador, conhecendo a organização frágil e passiva a que se dirigia.

A desventurada senhora bateu no peito, dando-nos a impressão de que rezava o *confiteor*[13] e gritou lacrimosa:

— Perdoai-me! Perdoai-me, ó Deus meu!

E como se estivesse sob a ação de droga misteriosa que a obrigasse a desnudar o íntimo diante de nós, falou, em voz alta e pausada:

— Matei quatro filhinhos inocentes e tenros... e combinei o assassínio de meu intolerável esposo... O crime, porém, é um monstro vivo. Perseguiu-me, enquanto me demorei no corpo... Tentei fugir-lhe com todos os recursos, em vão... e por mais buscasse afogar o infortúnio em "bebidas de prazer", mais me chafurdei... no charco de mim mesma...

De repente, parecendo sofrer a interferência de lembranças menos dignas, clamou:

---

[13] N.E.: Oração que começa por essa palavra latina, e em que o católico, depois de se confessar pecador, pede a proteção divina e de todos os santos.

— Quero vinho! Vinho! Prazer!...

5.8

Em vigorosa demonstração de poder, afirmou, triunfante, o magistrado:

— Como libertar semelhante fera humana ao preço de rogativas e lágrimas?

Em seguida, fixando sobre ela as irradiações que lhe emanavam do temível olhar, asseverou, peremptório:

— A sentença foi lavrada por si mesma! Não passa de uma loba, de uma loba, de uma loba...

À medida que repetia a afirmação, qual se procurasse persuadi-la a sentir-se na condição do irracional mencionado, notei que a mulher, profundamente influenciável, modificava a expressão fisionômica. Entortou-se-lhe a boca, a cerviz curvou-se, espontânea, para a frente, os olhos alteraram-se dentro das órbitas. Simiesca expressão revestiu-lhe o rosto.

Via-se, patente, naquela exibição de poder, o efeito do hipnotismo sobre o corpo perispirítico.

Em voz baixa, procurei recolher o ensinamento de Gúbio, que me esclareceu num cicio:

— O remorso é uma bênção, sem dúvida, por levar-nos à corrigenda, mas também é uma brecha, pela qual o credor se insinua, cobrando pagamento. A dureza coagula-nos a sensibilidade durante certo tempo; todavia, sempre chega um minuto em que o remorso nos descerra a vida mental aos choques de retorno das nossas próprias emissões.

E, acentuando, de modo singular, a voz quase imperceptível, acrescentou:

— Temos aqui a gênese dos fenômenos de licantropia,[14] inextricáveis, ainda, para a investigação dos médicos encarnados. Lembras-te de Nabucodonosor, o rei poderoso, a que

---

[14] N.E.: Ideia fixa na qual o doente se acredita transformado em lobo ou outro animal selvagem.

se refere a *Bíblia*? Conta-nos o Livro Sagrado que ele viveu, sentindo-se animal, durante sete anos. O hipnotismo é tão velho quanto o mundo e é recurso empregado pelos bons e pelos maus, tomando-se por base, acima de tudo, os elementos plásticos do perispírito.

5.9 Notando, porém, que a mulher infeliz prosseguia guardando estranhos caracteres no semblante, perguntei:

— Esta irmã infortunada permanecerá doravante em tal aviltamento da forma?

Finda longa pausa, o instrutor informou com tristeza:

— Ela não passaria por esta humilhação se não a merecesse. Além disso, se se adaptou às energias positivas do juiz cruel, em cujas mãos veio a cair, pode também esforçar-se intimamente, renovar a vida mental para o bem supremo e afeiçoar-se à influenciação de benfeitores que nunca escasseiam na senda redentora. Tudo, André, em casos como este, se resume a problema de sintonia. Onde colocamos o pensamento, aí se nos desenvolverá a própria vida.

O orientador não conseguiu continuar.

Ao redor de nós, as lamentações se fizeram estridentes.

Interjeições de espanto e dor eram proferidas sem rumo.

O magistrado, que detinha a palavra, determinou silêncio e exprobrou, asperamente, a atitude dos queixosos. Logo após, notificou que os Espíritos seletores se materializariam em breves minutos e que os interessados poderiam solicitar deles as explicações que desejassem. Concomitantemente, ergueu as mãos em mímica reverencial e, fazendo-nos sentir que presidia ao estranho cenáculo, fez uma invocação em alta voz, denunciando, nos gestos, a condição de respeitável hierofante,[15] em grande solenidade.

---

[15] N.E.: Sacerdote que, nas religiões de mistérios da Grécia antiga, instruía os futuros iniciados, mostrando-lhes solenemente os objetos sagrados.

Terminada que foi a alocução, vasto lençol nebuloso, semelhante a uma nuvem móvel, apareceu na tribuna que se mantinha, até então, despovoada.

E, pouco a pouco, diante de nossos olhos assombrados, três entidades tomaram forma perfeitamente humana, apresentando uma delas, a que no porte guardava maior autoridade hierárquica, pequeno instrumento cristalino nas mãos.

Trajavam túnicas de curiosa e indefinível substância em amarelo vivo e revestiam-se de halo afogueado, não brilhante. Essa auréola, mais acentuadamente viva em volta da fronte, desferia radiações perturbadoras, que recordavam a esbraseada expressão do ferro incandescido.

Ambos os acólitos da personalidade central do trio tomaram folhas de apontamento num cofre vizinho e, ladeando-a, desceram até nós, em silêncio.

Inesperada quietação tomou a turba, dantes agitada.

Ainda não sei de que recôndita organização provinham tais funcionários espirituais; no entanto, reparei que o chefe da expedição tríplice mostrava infinita melancolia na tela fisionômica.

Alçou ele o instrumento cristalino, à frente do primeiro grupo, formado de 14 homens e mulheres de vários tipos. Efetuou observações que não pude acompanhar e disse algo aos companheiros que se dispuseram à anotação imediata. Antes, porém, que se retirasse, dois membros do conjunto avançaram implorando socorro:

— Justiça! Justiça! — suplicou o primeiro. — Estou punido sem culpa... Fui homem de pensamento e de letras, entre as criaturas encarnadas... Por que deverei suportar a companhia dos avarentos?

Fitando o seletor angustiadamente, reclamou:

— Se escolheis com equidade, livrai-me do labirinto em que me vejo!

.11 Não terminara, e o segundo interferiu, ajuntando:

— Magistrado venerável, por quem sois!... Não pertenço à classe dos sovinas. Imantaram-me a seres sórdidos e desprezíveis! Minha vida transcorreu entre livros, não entre moedas... A Ciência fascinou-me, os estudos eram meu tema predileto... Pode, assim, o intelectual equiparar-se ao usurário?

O dirigente da seleção mostrou reservada piedade no semblante calmo e elucidou firme:

— Clamais debalde, porque desagradável vibração de egoísmo cristalizante vos caracteriza a todos. Que fizestes do tesouro cultural recebido? Vosso "tom vibratório" demonstra avareza sarcástica. O homem que ajunta letras e livros, teorias e valores científicos, sem distribuí-los em benefício dos outros, é irmão infortunado daquele que amontoa moedas e apólices, títulos e objetos preciosos sem ajudar a ninguém. O mesmo prato lhes serve na balança da vida.

— Por amor de Deus! — suplicou um dos circunstantes, comovedoramente.

— Esta casa é de justiça, em nome do governo do mundo! — afiançou o explicador sem alterar-se.

E, impassível, embora visivelmente amargurado, pôs-se em marcha.

Auscultava uma formação de oito pessoas; todavia, enquanto se comunicava com os assessores acerca das observações recolhidas, um cavalheiro de faces macilentas salientou-se e exclamou, estadeando enorme fúria:

— Que ocorre neste recinto misterioso? Estou entre caluniadores confessos, quando desempenhei o papel de homem honrado... Criei numerosa família, nunca traí as obrigações sociais, fui correto e digno e, não obstante aposentado desde cedo, cumpri todos os deveres que o mundo me assinalou...

Com acento colérico, aduzia aflito:

— Quem me acusa?... Quem me acusa?...

O selecionador elucidou sereno:

— A condenação transparece de vós mesmo. Caluniastes vosso próprio corpo, inventando para ele impedimentos e enfermidades que só existiam em vossa imaginação, interessada na fuga ao trabalho benéfico e salvador. Debitastes aos órgãos robustos deficiências e moléstias deploráveis, tão somente no propósito de conquistardes repouso prematuro. Conseguistes quanto pretendíeis. Empenhastes amigos, subornastes consciências delituosas e obtivestes o descanso remunerado, durante quarenta anos de experiência terrestre em que outra ação não desenvolvestes senão dormir e conversar sem proveito. Agora, é razoável que o vosso círculo vital se identifique ao de quantos se mergulharam no pântano da calúnia criminosa.

O infeliz não teve forças para a tréplica. Submeteu-se, em lágrimas, à argumentação ouvida e retomou o lugar que lhe competia.

Alcançando o terceiro grupo, constituído de mulheres diversas, mal havia aplicado o singular instrumento ao campo vibratório que lhes dizia respeito, foi o mensageiro abordado por uma senhora, pavorosamente desfigurada, que lhe lançou em rosto atrozes queixas.

— Por que tamanha humilhação? — inquiriu em pranto copioso. — Fui dona de uma casa que me encheu de trabalho, voltei para cá rodeada de especiais considerações, naturalmente devidas ao meu estado social, e arrebanham-me entre mulheres sem pudor? Que autoridades são estas que impõem a mim, dama de nobre procedência, o convívio de meretrizes?

Forte crise de soluços embargou-lhe a voz.

O selecionador, no entanto, dentro de uma calma que mais se avizinhava da frieza, declarou sem rebuços:

— Estamos numa esfera onde o equívoco se faz mais difícil. Consultai a própria consciência. Teríeis sido, realmente, a padroeira de um lar respeitável, como julgais? O teor vibratório assevera que as vossas energias santificantes de mulher, em maior parte, foram desprezadas. Vossos arquivos mentais se reportam a desregramentos emotivos em cuja extinção gastareis longo tempo. Ao que parece, o altar doméstico não foi bem o vosso lugar.

.13   A senhora gritou, gesticulou, protestou, mas os selecionadores prosseguiram na tarefa a que se impunham.

Ao nosso lado, aplicou o instrumento, em que se salientavam pequeninos espelhos, e falou para os auxiliares, definindo-nos a posição:

— Entidades neutras.

Fixou-nos com penetrante fulguração de olhar, como se nos surpreendesse, mudo, as intenções mais profundas, e passou adiante.

Instado por mim, Gúbio esclareceu:

— Não fomos acusados. Ser-nos-á possível o engajamento no serviço desejado.

— Que aparelho vem a ser esse? — indagou Elói, antecipando-me a curiosidade.

O orientador não se fez rogado e elucidou:

— Trata-se de um captador de ondas mentais. A seleção individual exigiria longas horas. As autoridades que dominam nestas regiões preferem a apreciação em grupo, o que se faz possível pelas cores e vibrações do círculo vital que nos rodeia a cada um.

— Por que nos considerou neutros? — interroguei por minha vez.

— O instrumento não é suscetível de marcar a posição das mentes que já se transferiram para a nossa esfera. É recurso para a identificação de perispíritos desequilibrados e não atinge a zona superior.

— Mas — perguntei, ainda — por que se fala nesta casa em nome do governo do mundo?

O instrutor endereçou-me expressivo gesto e ajuntou:

— André, não te esqueças de que nos encontramos num plano de matéria algum tanto densa e não nos círculos de gloriosa santidade. Não olvides a palavra "evolução" e recorda que os maiores crimes das civilizações terrestres foram cometidos em nome da Divindade. Quanta vez, no corpo físico, notamos sentenças cruéis, emitidas por espíritos ignorantes, em nome de Deus?

Pouco a pouco, a cerimônia terminou com a mesma imponência de culto externo em que se havia iniciado e, sob a vigilância das sentinelas, tornamos ao ponto de origem, guardando inesperadas meditações e profundos pensamentos.

6
Observações e novidades

6.1 De volta ao domicílio de Gregório, fomos transferidos da cela trevosa para um aposento de janelas gradeadas, onde tudo desagradava à vista. Certo, devíamos a mudança ao resultado encorajador que alcançáramos nas operações seletivas, mas, em verdade, ainda aí, nos achávamos em autêntico pardieiro. De qualquer modo, era para nós imenso consolo contemplar algumas estrelas, através do nevoeiro que assaltava a paisagem noturna.

O instrutor, versado em expedições idênticas à nossa, recomendou-nos não tocar os varões de metal que nos impediam a retirada, esclarecendo se achavam imantados por forças elétricas de vigilância e acentuando que a nossa condição ainda era de simples prisioneiros.

Aproximamo-nos, porém, das janelas que nos comunicavam com o exterior e reparei que o espetáculo era digno de estudo.

Grande movimento na via pública, congregando vários grupos de criaturas em conversação não longe de nós.

Os diálogos e entendimentos surpreendiam. Quase todos **6.2** se referiam à esfera carnal.

Questões minuciosas e pequeninas da vida particular eram analisadas com inequívoco interesse; contudo, as notas dominantes caíam no desequilíbrio sentimental e nas emoções primárias da experiência física.

Percebi diferentes expressões nos "halos vibratórios" que revestiam a personalidade dos conversadores, por intermédio das cores de variação típica.

Dirigi-me a Gúbio, buscando-lhe oportuno esclarecimento.

— Não mediste, ainda — respondeu, prestimoso —, a extensão do intercâmbio entre encarnados e desencarnados. A determinadas horas da noite, três quartas partes da população de cada um dos hemisférios da crosta terrestre se acham nas zonas de contato conosco e a maior percentagem desses semilibertos do corpo, pela influência natural do sono, permanecem detidos nos círculos de baixa vibração, qual este em que nos movimentamos provisoriamente. Por aqui, muitas vezes se forjam dolorosos dramas que se desenrolam nos campos da carne. Grandes crimes têm nestes sítios as respectivas nascentes e, não fosse o trabalho ativo e constante dos Espíritos protetores que se desvelam pelos homens no labor sacrificial da caridade oculta e da educação perseverante, sob a égide do Cristo, acontecimentos mais trágicos estarreceriam as criaturas.

De alma voltada para as noções da vida imensa que o ambiente sugeria, rememorei o curso incessante das civilizações. Pensamentos mais altos clarearam-me os raciocínios. A bondade do Senhor não violenta o coração. O Reino Divino nascerá dentro dele e, à maneira da semente de mostarda que se liberta dos envoltórios inferiores, medrará e crescerá gradativamente, sob os impulsos construtivos do próprio homem.

Que temerária concepção a de um paraíso fácil!

6.3   Gúbio percebeu-me a posição mental e falou em socorro de minhas pobres reflexões íntimas:

— Sim, André, a coroa da sabedoria e do amor é conquistada por evolução, por esforço, por associação da criatura aos propósitos do Criador. A marcha da civilização é lenta e dolorosa. Formidandos atritos se fazem indispensáveis para que o espírito consiga desenvolver a luz que lhe é própria. O homem encarnado vive simultaneamente em três planos diversos. Assim como ocorre à árvore que se radica no solo, guarda ele raízes transitórias na vida física; estende os galhos dos sentimentos e desejos nos círculos de matéria mais leve, quanto o vegetal se alonga no ar; e é sustentado pelos princípios sutis da mente, tanto quanto a árvore é garantida pela própria seiva. Na árvore, temos raiz, copa e seiva por três processos diferentes de manutenção para a mesma vida, e, no homem, vemos corpo denso de carne, organização perispirítica em tipo de matéria mais rarefeita e mente, representando três expressões distintas de base vital, com vistas aos mesmos fins. Segundo observamos, o homem exige para sustentar-se, no quadro evolucionário, segurança relativa no campo biológico, alimento das emoções que lhe são próprias nas esferas de vida psíquica que se afinam com ele e base mental no mundo íntimo. A vida é patrimônio de todos, mas a direção pertence a cada um. A inteligência caída precipita-se, despenhadeiro abaixo, encontrando sempre, nos círculos inferiores que elege por moradia, milhões de vidas inferiores, junto às quais é aproveitada pela Sabedoria Celestial para maior glorificação da obra divina. Na economia do Senhor, coisa alguma se perde e todos os recursos são utilizados na química do infinito bem. Aqui mesmo, nesta cidade, tínhamos, a princípio, autêntico império de vidas primitivas que, pouco a pouco, se fez ocupado por extensas coletividades de almas vaidosas e cruéis. Entrincheiraram-se nestes sítios, guardando o louco propósito de hostilizar a Bondade Excelsa, e exercem funções úteis junto a enorme agrupamento de criaturas, ainda subumanas, não obstante atenderem a serviço que para nós outros seria presentemente insuportável. Usam a violência em largas doses; todavia, no curso dos anos, a influenciação intelectual delas trará grandes benefícios aos oprimidos de agora e estejamos convictos de que, apesar de blasonarem inteligência e poder, permanecerão nos postos que ocupam apenas enquanto perdurar o consentimento da Divina Direção, atenta ao princípio que determina tenha cada assembleia o governo que merece.

6.4 O instrutor confiou-se a pausa mais longa e concentrei minha atenção numa dupla feminina que conversava rente à grade.

Certa mulher já desencarnada dizia para a companheira, ainda presa à experiência física, parcialmente liberta nas asas do sono:

— Notamos que você, ultimamente, anda mais fraca, mais serviçal... Estará desencantada quanto aos compromissos assumidos?

A interpelada explicou um tanto confundida:

— Acontece que João se filiou a um círculo de preces, o que, de alguma sorte, nos vem alterando a vida.

A outra deu um salto à retaguarda, ao modo de um animal surpreendido, e gritou:

— Orações? Você está cega quanto ao perigo que isso significa? Quem reza cai na mansidão. É necessário espezinhá-lo, torturá-lo, feri-lo, a fim de que a revolta o mantenha em nosso círculo. Se ganhar piedade, estragar-nos-á o plano, deixando de ser nosso instrumento na fábrica.

A interlocutora, no entanto, observou ingênua:

— Ele se diz mais calmo, mais confiante...

— Marina — obtemperou a outra, intempestiva —, você sabe que não podemos fazer milagres e não é justo aceitar regras e intrujices de Espíritos acovardados que, a pretexto de fé religiosa, se arvoram em ditadores de salvação. Precisamos de seu marido e de muitas outras pessoas que a ele se agregam em serviço e em nosso nível. O projeto é enorme e interessante para nós. Já esqueceu quanto sofremos? Eu, de mim mesma, tenho duras lições por retribuir.

6.5   E, batendo-lhe esquisitamente nos ombros, acentuava:

— Não admita encantamentos espirituais. A realidade é nossa, e cabe-nos aproveitar o ensejo integralmente. Volte para o corpo e não ceda um milímetro. Corra com os apóstolos improvisados. Fazem-nos mal. Prenda João, controlando-lhe o tempo. Desenvolva serviço eficiente e não o liberte. Fira-o devagarzinho. O desespero dele chegará, por fim, e, com as forças da insubmissão que forem exteriorizadas em nosso favor, alcançaremos os objetivos a que nos propomos. Nada de transigência. Não se atemorize com promessas de inferno ou céu depois da morte. Em toda parte, a vida é aquilo que fazemos dela.

Boquiaberto com o que me era dado perceber, reparei que a entidade astuta e vingativa envolvia a interlocutora em fluidos sombrios, à maneira dos hipnotizadores comuns.

Enderecei olhar interrogativo ao nosso orientador, que, após haver atenciosamente acompanhado a cena, informou prestimoso:

— A obsessão desse teor apresenta milhões de casos. De manhãzinha, na esfera da crosta, essa pobre mulher, vacilante na fé, incapaz de apreciar a felicidade que o Senhor lhe concedeu num casamento digno e tranquilo, despertará no corpo, de alma desconfiada e abatida. Oscilando entre o "crer" e o "não crer", não saberá polarizar a mente na confiança com que deve enfrentar as dificuldades do caminho e aguardar as manifestações santificantes do Alto e, em face da incerteza íntima, em que se lhe caracterizam as atitudes, demorar-se-á imantada a essa irmã ignorante e infeliz, que a persegue e subjuga para conseguir deplorável vingança. Converter-se-á, por isso, em objeto de acentuada aflição para o esposo e suas conquistas incipientes periclitarão.

— Como se libertaria de semelhante inimiga? — perguntou Elói, interessado.

— Mantendo-se num padrão de firmeza superior, com suficiente disposição para o bem. Com esse esforço, nobre e contínuo, melhoraria intensivamente os seus princípios mentais, afeiçoando-os às fontes sublimes da vida e, em vez de converter-se em material absorvente das irradiações enfermiças e depressivas, passaria a emitir raios transformadores e construtivos em benefício de si mesma e das entidades que se lhe aproximam do caminho. Em todos os quadros do Universo, somos satélites uns dos outros. Os mais fortes arrastam os mais fracos, entendendo-se, porém, que o mais frágil de hoje pode ser a potência mais alta de amanhã, conforme nosso aproveitamento individual. Expedimos raios magnéticos e recebemo-los ao mesmo tempo. É imperioso reconhecer, todavia, que aqueles que se acham sob o controle de energias cegas, acomodando-se aos golpes e sugestões da força tirânica, emitidos pelas inteligências perversas que os assediam, demoram-se, longo tempo, na condição de aparelhos receptores da desordem psíquica. Muito difícil reajustar alguém que não deseja reajustar-se. A ignorância e a rebeldia são efetivamente a matriz de sufocantes males.

Ante o intervalo espontâneo, reparei, não longe de nós, como que ligadas às personalidades sob nosso exame, certas formas indecisas, obscuras. Semelhavam-se a pequenas esferas ovoides, cada uma das quais pouco maior que um crânio humano. Variavam profusamente nas particularidades. Algumas denunciavam movimento próprio, ao jeito de grandes amebas, respirando naquele clima espiritual; outras, contudo, pareciam em repouso, aparentemente inertes, ligadas ao halo vital das personalidades em movimento.

Fixei, demoradamente, o quadro, com a perquirição do laboratorista diante de formas desconhecidas.

6.6

6.7 Grande número de entidades, em desfile nas vizinhanças da grade, transportava essas esferas vivas, como que imantadas às irradiações que lhes eram próprias.

Nunca havia observado, antes, tal fenômeno.

Em nossa colônia de residência, ainda mesmo se tratando de criaturas perturbadas e sofredoras, o campo de emanações era sempre normal. E quando em serviço, ao lado de almas em desequilíbrio, na esfera da crosta, nunca vira aquela irregularidade, pelo menos quanto me fora, até ali, permitido observar.

Inquieto, recorri ao instrutor, rogando-lhe ajuda.

— André — respondeu ele, circunspecto, evidenciando a gravidade do assunto —, compreendo-te o espanto. Vê-se, de pronto, que és novo em serviços de auxílio. Já ouviste falar, decerto, numa "segunda morte"...

— Sim — acentuei —, tenho acompanhado vários amigos à tarefa reencarnacionista, quando, atraídos por imperativos de evolução e redenção, tornam ao corpo de carne. De outras vezes, raras aliás, tive notícias de amigos que perderam o veículo perispiritual,[16] conquistando planos mais altos. A esses missionários, distinguidos por elevados títulos na vida superior, não me foi possível seguir de perto.

Gúbio sorriu e considerou:

— Sabes, assim, que o vaso perispirítico é também transformável e perecível, embora estruturado em tipo de matéria mais rarefeita.

— Sim... — acrescentei, reticencioso, em minha sede de saber.

— Viste companheiros — prosseguiu o orientador —, que se desfizeram dele, rumo a esferas sublimes, cuja grandeza por enquanto não nos é dado sondar, e observaste irmãos que se submeteram a operações redutivas e desintegradoras dos

---

[16] Nota do autor espiritual: O perispírito, mais tarde, será objeto de mais amplos estudos das escolas espiritistas cristãs.

elementos perispiríticos para renascerem na carne terrestre. Os **6.8** primeiros são servidores enobrecidos e gloriosos, no dever bem cumprido, enquanto os segundos são colegas nossos, que já merecem a reencarnação trabalhada por valores intercessores, mas, tanto quanto ocorre aos companheiros respeitáveis desses dois tipos, os ignorantes e os maus, os transviados e os criminosos também perdem, um dia, a forma perispiritual. Pela densidade da mente, saturada de impulsos inferiores, não conseguem elevar-se e gravitam em derredor das paixões absorventes que por muitos anos elegeram em centro de interesses fundamentais. Grande número, nessas circunstâncias, mormente os participantes de condenáveis delitos, imanta-se aos que se lhes associaram nos crimes. Se o discípulo de Jesus se mantém ligado a Ele, por meio de imponderáveis fios de amor, inspiração e reconhecimento, os pupilos do ódio e da perversidade se demoram unidos, sob a orientação das inteligências que os entrelaçam na rede do mal. Enriquecer a mente de conhecimentos novos, aperfeiçoar-lhe as faculdades de expressão, purificá-la nas correntes iluminativas do bem e engrandecê-la com a incorporação definitiva de princípios nobres é desenvolver nosso corpo glorioso, na expressão do apóstolo Paulo, estruturando-o em matéria sublimada e divina. Essa matéria, André, é o tipo de veículo a que aspiramos, ao nos referirmos à vida que nos é superior. Estamos ainda presos às aglutinações celulares dos elementos físioperispiríticos, tanto quanto a tartaruga permanece algemada à carapaça. Imergimos nos fluidos carnais e deles nos libertamos, em vicioso vaivém, através de existências numerosas, até que acordemos a vida mental para expressões santificadoras. Somos quais arbustos do solo planetário. Nossas raízes emocionais se mergulham mais ou menos profundamente nos círculos da animalidade primitiva. Vem a foice da morte e sega-nos os ramos dos desejos terrenos; todavia, nossos vínculos guardam extrema vitalidade nas camadas inferiores e renascemos entre aqueles mesmos que se converteram em nossos associados de longas eras, através de lutas vividas em comum, e aos quais nos agrilhoamos pela comunhão de interesses da linha evolutiva em que nos encontramos.

6.9   As elucidações eram belas e novas aos meus ouvidos, e, em razão disso, calei as interrogações que me vagueavam no íntimo, para atenciosamente registrar as considerações do instrutor, que prosseguiu:

— A vida física é puro estágio educativo dentro da eternidade, e a ela ninguém é chamado a fim de candidatar-se a paraísos de favor, e sim à moldagem viva do céu no santuário do Espírito, pelo máximo aproveitamento das oportunidades recebidas no aprimoramento de nossos valores mentais, com o desabrochar e evolver das sementes divinas que trazemos conosco. O trabalho incessante para o bem, a elevação de motivos na experiência transitória, a disciplina dos impulsos pessoais, com amplo curso às manifestações mais nobres do sentimento, o esforço perseverante no infinito bem, constituem as vias de crescimento mental, com aquisição de luz para a vida imperecível. Cada criatura nasce na crosta da Terra para enriquecer-se por meio do serviço à coletividade. Sacrificar-se é superar-se, conquistando a vida maior. Por isto mesmo, o Cristo asseverou que o maior no Reino Celeste é aquele que se converter em servo de todos. Um homem poderá ser temido e respeitado no planeta pelos títulos que adquiriu à convenção humana, mas se não progrediu no domínio das ideias, melhorando-se e aperfeiçoando-se, guarda consigo mente estreita e enfermiça. Em suma, ir à matéria física e dela regressar ao campo de trabalho em que nos achamos presentemente é submetermo-nos a profundos choques biológicos, destinados à expansão dos elementos divinos que nos integrarão, um dia, a forma gloriosa.

E porque me visse na atitude do aprendiz que interroga em silêncio, Gúbio asseverou: 6.10

— Para fazer-me mais claro, voltemos ao símbolo da árvore. O vaso físico é o vegetal, limitado no espaço e no tempo, o corpo perispirítico é o fruto que consubstancia o resultado das variadas operações da árvore, depois de certo período de maturação, e a matéria mental é a semente que representa o substrato da árvore e do fruto, condensando-lhes as experiências. A criatura, para adquirir sabedoria e amor, renasce inúmeras vezes no campo fisiológico, à maneira da semente que regressa ao chão. E quantos se complicam, deliberadamente, afastando-se do caminho reto na direção de zonas irregulares em que recolhem experimentos doentios, atrasam, como é natural, a própria marcha, perdendo longo tempo para se afastarem do terreno resvaladiço a que se relegaram, ligados a grupos infelizes de companheiros que, em companhia deles, se extraviaram por meio de graves compromissos com a leviandade ou com o desequilíbrio. Compreendeste, agora?

Apesar da gentileza do orientador, que fazia o possível por clarear o seu pensamento, ousei indagar:

— E se consultarmos esses esferoides vivos? Ouvir-nos-ão? Possuem capacidade de sintonia?

Gúbio atendeu solícito:

— Perfeitamente, compreendendo-se, porém, que a maioria das criaturas, em semelhante posição nos sítios inferiores quanto este, dormita em estranhos pesadelos. Registram-nos os apelos, mas respondem-nos de modo vago, dentro da nova forma em que se segregam, incapazes que são, provisoriamente, de se exteriorizarem de maneira completa, sem os veículos mais densos que perderam, com agravo de responsabilidade, na inércia ou na prática do mal. Em verdade, agora se categorizam em conta de fetos ou amebas mentais, mobilizáveis, contudo, por entidades perversas ou rebeladas. O caminho de semelhantes companheiros é a reencarnação na crosta da Terra ou em setores outros de vida congênere, qual ocorre à semente destinada à cova escura para trabalhos de produção, seleção e aprimoramento. Claro que os Espíritos em evolução natural não assinalam fenômenos dolorosos em qualquer período de transição, como o que examinamos. A ovelha que prossegue, firme, na senda justa contará sempre com os benefícios decorrentes das diretrizes do pastor; no entanto, as que se desviam, fugindo à jornada razoável, pelo simples gosto de se entregarem à aventura, nem sempre encontrarão surpresas agradáveis ou construtivas.

6.11   O orientador silenciou por momentos e perguntou em seguida:
— Entendeste a importância de uma existência terrestre?

Sim, entendia, por experiência própria, o valor da vida corporal na crosta planetária; contudo, ali, diante dos esferoides vivos, tristes mentes humanas sem apetrechos de manifestação, meu respeito ao veículo de carne cresceu de modo espantoso. Alcancei, então, com mais propriedade, o sublime conteúdo das palavras do Cristo: "andai, enquanto tendes luz". O assunto era fascinante e tentei Gúbio a examiná-lo mais detidamente; todavia, o orientador, sem trair a cortesia que lhe era característica, recomendou-me esperasse o dia seguinte.

7
Quadro doloroso

7.1 De manhã, um emissário do sacerdote Gregório, com semblante mal-humorado, veio notificar-nos, em nome dele, que dispúnhamos de liberdade até as primeiras horas da tarde, quando nos receberia para entendimento particular.

Ausentamo-nos do cubículo, sinceramente desafogados.

A noite fora simplesmente aflitiva, pelo menos para mim, que não conseguira qualquer quietação no repouso. Não somente o ruído exterior se fizera contínuo e desagradável, mas também a atmosfera pesava, asfixiante. As alucinadoras conversações no ambiente me perturbavam e feriam.

Convidou-nos Gúbio a pequena excursão educativa, asseverando-me bondoso:

— Vejamos, André, se poderemos aproveitar alguns minutos estudando os "ovoides".

Elói e eu acompanhamo-lo satisfeitos.

Coalhava-se a rua de tipos característicos da anormalidade deprimente.

Aleijados de todos os matizes, idiotas de máscaras variadas e homens e mulheres de fisionomia torturada iam e vinham. Ofereciam a perfeita impressão de alienados mentais. Exceção de alguns que nos fixavam de olhar suspeitoso e cruel, com manifesta expressão de maldade, a maior parte, a meu ver, situava-se entre a ignorância e o primitivismo, entre a amnésia e o desespero. Muitos demonstravam-se irritadiços ante a calma de que lhes dávamos testemunho. Perante os desmantelos e detritos a transparecerem de toda parte, concluí que o esforço coletivo se mantinha ausente de qualquer serviço metódico, junto à matéria do plano. A conversação ociosa era, ali, o traço dominante.

7.2

O instrutor informou-nos, então, com muito acerto, de que as mentes extraviadas, de modo geral, lutam com ideias fixas, implacáveis e obcecantes, gastando longo tempo a fim de se reajustarem. Rebaixadas pelas próprias ações, perdem a noção do bom gosto, do conforto construtivo, da beleza santificante e se entregam a lastimável relaxamento.

Com efeito, a paisagem, sob o ponto de vista de ordem, deixava muito a desejar. As edificações, excetuados os palácios da praça governativa, onde se notava a movimentação de grande massa de escravos, desapontavam pelo aspecto e condições em que se mantinham. As paredes, revestidas de substância semelhante ao lodo, mostravam-se repelentes não só à visão, mas também ao olfato, pelas exalações desagradáveis.

A vegetação, em todos os ângulos, era escassa e mirrada.

Gritos humanos, filhos da dor e da inconsciência, eram frequentes, provocando-nos sincera piedade.

Fossem poucos os transeuntes infelizes e poder-se-ia pensar num serviço metódico de assistência individual, mas que dizer de uma cidade constituída por milhares de loucos declarados? Dentro de colmeia dessa natureza, o homem sadio que tentasse impor socorro ao espírito geral não seria efetivamente o alienado mental aos olhos alheios? Impraticável, por isso, qualquer organização beneficente visível, a não ser por serviço arriscado qual aquele de que o nosso instrutor se incumbira, tocado pela renúncia, na obra de santificação com o Cristo.

7.3 Além das perturbações reinantes, capazes de estabelecer a guerra de nervos nas criaturas mais equilibradas da crosta do mundo, pairava na atmosfera sufocante nevoeiro que mal nos deixava entrever o horizonte distanciado.

O Sol, através de espessa cortina de fumo, cuja procedência me não foi possível determinar, era visto por nós à semelhança de uma bola de sangue afogueado.

Elói, forçando o bom humor, perguntou, a propósito, se o inferno era um hospício de proporções assim tão vastas, ao que o nosso orientador respondeu aquiescendo e informando que o homem comum não possui senão vaga ideia da importância das criações mentais na própria vida.

— A mente estuda, arquiteta, determina e materializa os desejos que lhe são peculiares na matéria que a circunda — esclareceu Gúbio, atencioso —, e essa matéria que lhe plasma os impulsos é sempre formada por vidas inferiores inumeráveis, em processo evolutivo, nos quadros do Universo sem-fim.

Marcháramos, atravessando compridos labirintos, e achamo-nos diante de extensa edificação que, com boa vontade, nomearemos por asilo de Espíritos desamparados.

Enquanto encarnado, ser-me-ia extremamente difícil acreditar numa cena igual à que se nos desdobrou à visão inquieta. Nenhum sofrimento, depois da morte do corpo, me tocara tão fundo o coração.

A gritaria em torno era de espantar.

Varamos lodosa muralha e, depois de avançarmos alguns passos, o pavoroso quadro se abriu dilatadamente. Largo e profundo vale se estendia, habitado por toda espécie de padecimentos imagináveis.

Sentíamo-nos, agora, na extremidade de um planalto que se quebrava em abrupto despenhadeiro.

À frente, numa distância de dezenas de quilômetros, sucediam-se furnas e abismos, qual se nos situássemos perante imensa cratera de vulcão vivo, alimentado pela dor humana, porque, lá dentro, turbilhões de vozes explodiam ininterruptos, parecendo estranha mistura de lamentos de homens e animais.

Tremeram-me as fibras mais íntimas, e, não só em mim, mas igualmente no espírito de Elói, o movimento era de recuo instintivo.

O orientador, no entanto, estava firme.

Longe de endossar-nos a fraqueza, ignorou-a deliberadamente e asseverou, calmo:

— Amontoam-se aqui, como se fossem lenhos secos, milhares de criaturas que abusaram de sagrados dons da vida. São réus da própria consciência, personalidades que alcançaram a sobrevivência sobre as ruínas do próprio "eu", confinados em escuro setor de alienação mental. Esgotam resíduos envenenados que acumularam na esfera íntima, através de longos anos vazios de trabalho edificante no mundo físico, entregando-se, presentemente, a infindáveis dias de tortura redentora.

E, talvez porque nosso espanto crescesse à vista da tela aflitiva e tenebrosa, acrescentou sereno:

— Não estamos contemplando senão a superfície de trevosos cárceres a se confundirem com os precipícios subcrostais.

— Mas não haverá recurso a tanto desamparo? — indagou Elói, compungidamente.

Gúbio refletiu alguns momentos rápidos e aduziu em tom grave:

— Quando encontramos um morto de cada vez, é fácil conceder-lhe sepultura condigna, mas, se os cadáveres são contados por multidões, nada nos resta senão adotar a vala comum. Todos os Espíritos renascem nos círculos carnais para destruírem os ídolos da mentira e da sombra e entronizarem, dentro de si mesmos, os princípios da sublimação vitoriosa para a eternidade, quando não se encontram em simples estrada evolutiva; contudo, nas demonstrações de ordem superior que lhes cabem, preferem, na maioria das ocasiões, adorar a morte na ociosidade, na ignorância agressiva ou no crime disfarçado, olvidando a gloriosa imortalidade que lhes compete atingir. Em vez de estruturarem destino santificante, com vistas ao porvir infinito, menosprezam oportunidades de crescimento, fogem ao aprendizado salutar e contraem débitos clamorosos, retardando a obra de elevação própria. E se eles mesmos, senhores de preciosos dons de inteligência, com todo o acervo de revelações religiosas de que dispõem para solucionar os problemas da alma, se confiam voluntariamente a semelhante atraso, que nos resta fazer senão seguir nas linhas de paciência por onde se regula a influenciação dos nossos benfeitores? Sem dúvida, esta paisagem é inquietante e angustiosa, mas compreensível e necessária.

7.5 Perguntei-lhe se naqueles sítios purgatoriais não havia companheiros amigos, detentores da missão de consolar, ao que o nosso instrutor respondeu afirmativamente.

— Sim — disse —, esta imensa coletividade, dentro da qual preponderam individualidades que pelo sofrimento contínuo se caracterizam pelo comportamento subumano, não está esquecida. A renúncia opera com Jesus, em toda parte. Agora, todavia, não dispomos de ensejos para a identificação de missionários e servidores do bem. Vamos ao estudo que nos interessa de mais perto.

Descemos alguns metros e encontramos esquálida mulher estendida no solo.

Gúbio nela fixou os olhos muito lúcidos e, depois de alguns momentos, recomendou-nos seguir-lhe a observação acurada.

— Vês, realmente, André? — inquiriu, paternal.

Percebi que a infeliz se cercava de três formas ovoides, diferençadas entre si nas disposições e nas cores, que me seriam, porém, imperceptíveis aos olhos, caso não desenvolvesse, ali, todo o meu potencial de atenção.

— Reparo, sim — expliquei, curioso —, a existência de três figuras vivas, que se lhe justapõem ao perispírito, apesar de se expressarem por intermédio de matéria que me parece leve gelatina, fluida e amorfa.

Elucidou Gúbio, sem detença:

— São entidades infortunadas, entregues aos propósitos de vingança e que perderam grandes patrimônios de tempo, em virtude da revolta que lhes atormenta o ser. Gastaram o perispírito, sob inenarráveis tormentas de desesperação, e imantam-se, naturalmente, à mulher que odeiam, irmã esta que, por sua vez, ainda não descobriu que a ciência de amar é a ciência de libertar, iluminar e redimir.

Auscultamos, de mais perto, a desventurada criatura.

Assumiu Gúbio a atitude do médico ante a paciente e os aprendizes.

A mulher sofredora, envolvida num halo de "força cinzento-escura", registrou-nos a presença e gritou, entre a aflição e a idiotia:

— Joaquim! Onde está Joaquim? Digam-me, por piedade! Para onde o levaram? Ajudem-me! Ajudem-me!

O nosso orientador tranquilizou-a com algumas palavras e, não lhe conferindo maior atenção além daquela que o psiquiatra dispensa ao enfermo em crise grave, observou-nos:

— Examinem os ovoides! Sondem-nos, magneticamente, com as mãos.

Operei, expedito.

Toquei o primeiro e notei que reagia positivamente.

Liguei, num ato de vontade, minha capacidade de ouvir ao campo íntimo da forma e, assombrado, ouvi gemidos e frases, como que longínquos, pelo fio do pensamento:

7.7   — Vingança! Vingança! Não descansarei até o fim... Esta mulher infame me pagará...

Repeti a experiência com os dois outros e os resultados foram idênticos.

As exclamações "Assassina! Assassina!..." transbordavam de cada um.

Após afagar a doente com fraternal carinho, analisando-a, atencioso, o instrutor dirigiu-nos a palavra, esclarecendo:

— Joaquim será naturalmente o companheiro que a precedeu nas lides da reencarnação. Certo, já regressou à Terra mais densa, a fim de preparar-lhe lugar. A pobrezinha está esperando ensejo de retorno à luta benéfica. Vejo-lhe o drama cruel. Foi tirânica senhora de escravos no século que findou. Percebo-lhe as recordações da fazenda próspera e feliz, nos arquivos mentais. Foi jovem e bela, mas desposou, consoante o programa de provas salvadoras, um cavalheiro de idade madura, que, a seu turno, já assumira compromissos sentimentais com humilde filha do cativeiro. Embora a mudança natural de vida, à face do casamento, não abandonou ele o débito contraído. Em razão disso, a pobre mãe e escrava, ainda moça, penitente e desditosa, prosseguiu agregada à propriedade rural com os rebentos de seu amor menos feliz. Com a passagem do tempo, a esposa requestada e fascinante conheceu toda a extensão do assunto e revelou a irascibilidade que lhe povoava a alma. Dirigiu-se ao marido, colérica e violenta, dobrando-o aos caprichos que lhe exacerbavam a mente. A escrava sofredora foi separada de ambos os filhos que possuía e vendida para uma região palustre onde em breve encontrou a morte pela febre maligna. Os dois rapazes, metidos no tronco, padeceram vexames e flagelações em frente da senzala. Acusados de ladrões pelo capataz, a instâncias da senhora dominada de egoísmo terrificante, passaram a exibir pesada corrente no pescoço ferido. Viveram, no passado, sob humilhações incessantes.

No curso de reduzidos meses, caíram sem remissão, minados pela tuberculose que ninguém socorreu. Desencarnados, reuniram-se à genitora revoltada, formando um trio perturbador na organização ruralista que os expulsara, sustentando sinistros propósitos de desforço. Não obstante convidados à tolerância e ao perdão por amigos espirituais que os visitavam frequentemente, nunca cederam um til nos planos sombrios em que penhoraram o coração. Atacaram, desapiedados, a mulher que os tratara com dureza, impondo-lhe destrutivo remorso ao espírito vacilante e fraco. Dominando-lhe a vida psíquica, transformaram-se para ela em perigosos carrascos invisíveis, utilizando todos os processos de luta suscetíveis de acentuar-lhe as perturbações. Adoeceu ela, por isso, gravemente, desafiando conselhos e medidas de cura. Embora socorrida por médicos e padres diversos, não mais recobrou o equilíbrio orgânico. Arrasou-se-lhe o corpo físico, pouco a pouco. Incapaz de expandir-se mentalmente, no idealismo superior que corrige desvarios íntimos e facilita a cooperação vibratória das almas que respiram em esferas mais elevadas, a desditosa fazendeira sofreu, insulada no orgulho destrutivo que lhe assinalava o caminho, dez anos de mágoas constantes e indefiníveis. Claro que possuía, por sua vez, amigos prontos a lhe estenderem generosas mãos, por ocasião da morte do corpo que se tornou inevitável; contudo, quando nos enceguecemos no mal, inabilitamo-nos, por nós mesmos, à recepção de qualquer recurso do bem.

O instrutor fez ligeira pausa na narrativa e continuou: **7.8**
— Exonerada dos liames carnais, viu-se perseguida pelas vítimas de outro tempo, anulando-se-lhe a capacidade de iniciativa em virtude das emissões vibratórias do próprio medo perturbador. Padeceu muitíssimo, não obstante contemplada pela compaixão de benfeitores do Alto que sempre tentaram conduzi-la à humildade e à renovação pelo amor, mas o ódio permutado

é uma fornalha ardente, mantenedora de cegueira e sublevação. Desencarnado o esposo, veio semilouco encontrá-la no mesmo invencível abatimento, incapaz de socorrê-la em vista das próprias dores que o constrangiam a difíceis retificações. Os impiedosos adversários prosseguiram na obra deplorável e, ainda mesmo depois de perderem a organização perispirítica, aderiram a ela, com os princípios de matéria mental em que se revestem. A revolta e o pavor do desconhecido, com absoluta ausência de perdão, ligam-nos uns aos outros, quais algemas de bronze. A infeliz perseguida, na posição em que se encontra, não os vê, não os apalpa, mas sente-lhes a presença e ouve-lhes as vozes, por meio da inconfundível acústica da consciência. Vive atormentada, sem direção. Tem o comportamento de um ser quase irresponsável.

7.9 A infortunada criatura não parecia registrar as informações, ditas ali em voz alta, e que lhe diziam respeito. Clamava, amedrontada, pelo auxílio do companheiro.

Vali-me ainda do ensejo para algumas indagações.

— Diante deste quadro comovedor, como encarar a solução? — desfechei a pergunta direta.

Gúbio, todavia, observou muito calmo:

— Gastaremos tempo. A perturbação vem de inesperado, instala-se à pressa; entretanto, retira-se muito devagar. Aguardemos a obra paciente dos dias.

Após uma pausa expressiva, acentuou:

— Tudo me faz crer que os missionários da caridade já lhe reconduziram o esposo às correntes da reencarnação e é de supor que esta irmã se ache em vias de seguir-lhe as pegadas, a breve tempo. Naturalmente, renascerá em círculos de vida torturada, enfrentando obstáculos imensos para reencontrar o ex-esposo e partilhar-lhe as experiências futuras. Então...

— Os inimigos ser-lhe-ão filhos? — indaguei, ansioso, quebrando-lhe as reticências.

— Como não? Certamente, o caso já se encontra sob a jurisdição superior. Esta mulher retornará à carne, seguida pelas mentes dos adversários que aguardarão, junto dela, o tempo de imersão nos fluidos terrestres.

— Oh! — exclamei, profundamente espantado.— Não se separará dos perseguidores nem mesmo para o regresso? Tenho acompanhado reencarnações que invariavelmente se fazem seguidas de cautelas especiais...

— Sim, André — concordou o instrutor —, reparaste nos processos em que funcionaram elementos intercessores de vulto, atendendo-se à nobilitante missão dos interessados no futuro e, com o auxílio divino, semelhantes casos contam-se por milhões. Contudo, existem, ainda, nos setores da luta humana, milhões de renascimentos de almas criminosas que tornam ao mergulho da carne premidas pela compulsória do plano superior, de modo a expiarem delitos graves. Em ocorrências dessa ordem, a individualidade responsável pela desarmonia reinante converte-se em centro de gravitação das consciências desequilibradas por sua culpa e assume o comando dos trabalhos de reajustamento, sempre longos e complicados, de acordo com os ditames da Lei.

Compreendendo meu assombro, Gúbio considerou:

— Por que a estranheza? Os princípios de atração governam o Universo inteiro. Nos sistemas planetários e nos sistemas atômicos, vemos o núcleo e os satélites. Na vida espiritual, os ascendentes essenciais não diferem. Se os bons representam centros de atenção dos Espíritos que se lhes afinam pelos ideais e tendências, os grandes delinquentes se transformam em núcleos magnéticos das mentes que se extraviaram da senda reta, em obediência a eles. Elevamo-nos com aqueles que amamos e redimimos ou rebaixamo-nos com aqueles que perseguimos e odiamos.

7.11   As afirmativas inspiravam-me profundos pensamentos quanto à grandeza das leis que regem a vida e, atento à meditação daquele instante, evitei novas perguntas.

O instrutor acariciou a fronte da criatura desventurada, envolvendo-a, intencionalmente, numa bênção de fluidos divinos, e acrescentou:

— Pobre irmã, que o Céu a fortaleça na jornada por empreender! Seguida de perto pela influência dos seres que com ela se projetaram no abismo mental do ódio, terá infância dolorosa e sombria pelos pesares desconhecidos que se lhe acumularão, incompreensivelmente, na alma opressa. Conhecerá enfermidades de diagnose impossível, por enquanto, no quadro dos conhecimentos humanos, por se originarem da persistente e invisível atuação dos inimigos de outra época... Terá mocidade torturada por sonhos de maternidade e não repousará, intimamente, enquanto não oscular, no próprio colo, os três adversários convertidos, então, em filhinhos tenros de sua ternura sedenta de paz... Transportará consigo três centros vitais desarmônicos e, até que os reajuste na forja do sacrifício, recambiando-os à estrada certa, será, na condição de mãe, um ímã atormentado ou a sede obscura e triste de uma constelação de dor.

O estudo era, sem dúvida, absorvente e fascinante, mas a hora controlava-nos o serviço e era imperioso regressar.

8
Inesperada intercessão

8.1 A sala em que fomos recebidos pelo sacerdote Gregório semelhava-se a estranho santuário, cuja luz interior se alimentava de tochas ardentes.

Sentado em pequeno trono que lhe singularizava a figura no desagradável ambiente, a exótica personagem rodeava-se de mais de cem entidades em atitude adorativa. Dois áulicos,[17] extravagantemente vestidos, manejavam grandes turíbulos, em cujo bojo se consumiam substâncias perfumadas, de violentas emanações.

Trajava ele uma túnica escarlate e nimbava-se de halo pardo-escuro, cujos raios, inquietantes e contundentes, nos feriam a retina.

Fixou em nós o olhar percuciente e inquiridor e estendeu-nos a destra, dando-nos a entender que podíamos nos aproximar.

Fortemente empolgado, acompanhei Gúbio.

Quem seria Gregório naquele recinto? Um chefe tirânico ou um ídolo vivo, saturado de misterioso poder?

---

[17] N.E.: Aqueles que pertencem a uma corte; nobres.

Doze criaturas, ladeando-lhe o dourado assento, ajoelha- **8.2**
vam-se, humildes, atentas às ordens que lhe emanassem da boca.

Com um simples gesto determinou regime sigiloso para a conversação que entabularia conosco, porque, em alguns segundos, o recinto se esvaziou de quantos dentro dele se achavam, estranhos à nossa presença.

Compreendi que cogitaríamos de grave assunto e fitei nosso orientador para copiar-lhe os movimentos.

Gúbio, seguido por Elói e por mim, a reduzida distância, acercou-se do anfitrião que o contemplava de fisionomia rude, passando, de minha parte, a espreitar o esforço de nosso instrutor para contornar os obstáculos do momento, de modo a não classificar-se por mentiroso, à face da própria consciência.

Cumprimentou-o Gregório, exibindo fingida complacência, e falou:

— Lembra-te de que sou juiz, mandatário do governo forte aqui estabelecido. Não deves, pois, faltar à verdade.

Decorrida pequena pausa, acrescentou:

— Em nosso primeiro encontro, enunciaste um nome...

— Sim — respondeu Gúbio, sereno —, o de uma benfeitora.

— Repete-o! — ordenou o sacerdote, imperativo.

— Matilde.

O semblante de Gregório fez-se sombrio e angustiado. Dir-se-ia recebera naquele instante tremenda punhalada invisível. Dissimulou, no entanto, dura impassibilidade e, com a firmeza de um administrador orgulhoso e torturado, inquiriu:

— Que tem de comum comigo semelhante criatura?

Nosso orientador redarguiu sem afetação:

— Asseverou-nos querer-te com desvelado amor materno.

— Evidente engano! — aduziu Gregório, ferino. —Minha mãe separou-se de mim há alguns séculos. Ademais, ainda que me interessasse tal reencontro, estamos fundamentalmente divorciados um do outro. Ela serve ao Cordeiro, eu sirvo aos Dragões.[18]

8.3 Aquela particularidade da palestra bastava para que minha curiosidade explodisse, indômita. Quem seriam os Dragões a que se reportava? Gênios satânicos da lenda de todos os tempos? Espíritos caídos no caminho evolucionário, de inteligência voltada contra os princípios salutares e redentores do Cristo, que todos veneramos na condição do Cordeiro de Deus? Sem dúvida, não me equivocava; no entanto, Gúbio lançou-me significativo olhar, certamente depois de sondar-me, em silêncio, a perquirição íntima, convidando-me, sem palavras, a selar os lábios entreabertos de assombro.

Indiscutivelmente, aquele instante não comportava a conversação dum aprendiz e devia destinar-se às manifestações conscientes e seguras de um mestre.

— Respeitável sacerdote — obtemperou o nosso orientador, com grande surpresa para mim —, não te posso discutir os motivos pessoais. Sei que há uma ordem absoluta na Criação e não ignoro que cada Espírito é um mundo diferente e que cada consciência tem a sua rota.

— Criticas, porventura, os Dragões, que se incumbem da justiça? — perguntou Gregório, duramente.

— Quem sou para julgar? — comentou Gúbio, com simplicidade. — Não passo dum servidor na escola da vida.

— Sem eles — prosseguiu o hierofante, algo colérico —, que seria da conservação da Terra? Como poderia operar o amor que salva, sem a justiça que corrige? Os grandes juízes são temidos e condenados; entretanto, suportam os resíduos humanos, convivem com as nojentas chagas do planeta, lidam com os crimes do mundo, convertem-se em carcereiros dos perversos e dos vis.

---

[18] Nota do autor espiritual: Espíritos caídos no mal, desde eras primevas da criação planetária, e que operam em zonas inferiores da vida, personificando líderes de rebelião, ódio, vaidade e egoísmo; não são, todavia, demônios eternos, porque individualmente se transformam para o bem, no curso dos séculos, qual acontece aos próprios homens.

E, à maneira da pessoa culpada que estima longas justifica- **8.4**
ções, continuou, irritadiço:

— Os filhos do Cordeiro poderão ajudar e resgatar muitos. No entanto, milhões de criaturas,[19] como sucede a mim mesmo, não pedem auxílio nem liberação. Afirma-se que não passamos de transviados morais. Seja. Seremos, então, criminosos, vigiando-nos uns aos outros. A Terra pertence-nos, porque, dentro dela, a animalidade domina, oferecendo-nos clima ideal. Não tenho, por minha vez, qualquer noção de Céu. Acredito seja uma corte de eleitos, mas o mundo visível para nós constitui extenso reino de condenados. No corpo físico, caímos na rede de circunstâncias fatais; contudo, a teia que os planos inferiores nos prepararam servirá a milhões. Se é nosso destino joeirar o trigo do mundo, nossa peneira não se fará complacente. Experimentados que somos na queda, provaremos todos os que nos surgirem no caminho. Ordenam os grandes juízes que guardemos as portas. Temos, por isso, servidores em todas as direções. Subordinam-se-nos todos os homens e mulheres afastados da evolução regular, e é forçoso reconhecer que semelhantes individualidades se contam por milhões. Além disso, os tribunais terrestres são insuficientes para a identificação de todos os delitos que se processam entre as criaturas. Nós, sim, é que somos os olhos da sombra, para os quais os menores dramas ocultos não passam despercebidos.

Ante o intervalo que se fizera, contemplei o rosto de Gúbio, que não apresentava qualquer alteração.

Fitando Gregório, com humildade, considerou:

— Grande sacerdote, eu sei que o Senhor supremo nos aproveita em sua obra divina, segundo as nossas tendências e

---

[19] Nota do autor espiritual: Não devemos esquecer que a argumentação procede de um Espírito poderoso nos raciocínios e que ainda não aceitou a iluminação do Cristo, idêntico, pois, a muitos homens representativos do mundo, obcecados pelos desvarios da inteligência.

possibilidades de satisfazer-lhe os desígnios. Os fagócitos no corpo humano são utilizados na eliminação da impureza, do mesmo modo que a faísca elétrica irrompe, insofreável, a fim de sanar os desequilíbrios atmosféricos. Respeito, assim, o teu poder, porque se a Sabedoria Celeste conhece a existência das folhas tenras das árvores, sabe também a razão de teu extenso domínio; entretanto, não concordas em que a nossa interferência prevalece sobre a fatalidade, círculo fechado de circunstâncias que nós mesmos criamos? Não estou habilitado a apreciar o trabalho dos juízes que administram estes pousos de sofrimento reparador... Conheço, contudo, os quadros pavorosos que se desdobram ao teu olhar. Observo, de perto, os criminosos que se imantam uns aos outros; sondo, de quando em vez, os dramas sombrios daqueles que jazem nas furnas de dor, magnetizados ao mal que praticaram, e não ignoro que a justiça deve reinar, consoante as determinações soberanas. Todavia, respeitável Gregório, não admites que o amor, instalado nos corações, redimiria todos os pecados? Não aceitas, porventura, a vitória final da bondade, por meio do serviço fraterno que nos eleva e conduz ao Pai supremo? Se gastássemos nos cometimentos divinos do Cordeiro as mesmas energias que se despendem a serviço dos Dragões, não alcançaríamos, mais apressadamente, os objetivos do supremo triunfo?

8.5   O sacerdote ouviu, contrariado, e clamou com desagradável inflexão de voz:

— Como pude escutar-te, calado, tanto tempo? Somos aqui julgadores na morte de todos aqueles que malbarataram os tesouros da vida. Como inocular amor em corações enregelados? Não disse o Cordeiro, certa vez, que não se deve lançar pérolas aos porcos? Para cada pastor de rebanho na Terra, há mil porcos ostentando as insígnias da carne. E se o teu Mestre reclama pegureiros ao seu apostolado, que fazer, de nossa parte, senão constituir equipes de inteligências vigorosas, especializadas em corrigir as criaturas delinquentes que se colocam sob nossa vara diretiva? Os Dragões são os gênios conservadores do mundo físico e se esmeram em preservar a aglutinação dos elementos planetários. Coerentes com a lógica, não entendem o paraíso de imposição. Se o amor conquistasse a Terra, de um dia para outro, desintegrando-lhe os abismos escuros a fim de que a luz sublime aí brilhasse para sempre, fácil e instantânea, como acomodar nesse clima celestial as consciências de lobos e leões, panteras e tigres (pela extrema analogia que ainda guardam com essas feras), almas essas que habitam formas humanas aos milhares de milhares? Que seria dos Céus se não vigiássemos os infernos?

Gargalhada sarcástica e estrepitosa seguiu-lhe as palavras.

8.6

Gúbio, porém, não se perturbou.

Com simplicidade, tornou a considerar:

— Ouso lembrar, todavia, que, se nos lançássemos todos a socorrer os miseráveis, a miséria se extinguiria; se educássemos os ignorantes, a treva não teria razão de ser; se amparássemos os delinquentes, oferecendo-lhes estímulos à luta regenerativa, o crime seria varrido da face da Terra.

O sacerdote fez vibrar uma campainha, que me pareceu destinada a expandir-lhe as expressões de ira, e gritou, rouquenho:

— Cala-te! Insolente! Sabes que te posso punir!...

— Sim — concordou o nosso orientador, imperturbável —, suponho conhecer a extensão de tuas possibilidades. Eu e meus companheiros, à leve ordem de tua boca, podemos receber prisão e tortura e, se esta representa a vontade de teu coração, estamos prontos a recebê-las. Conhecíamos, de antemão, as probabilidades contra nós nesta aventura; entretanto, o amor nos inspira e confiamos no mesmo Poder soberano que te permite aplicar a justiça.

Gregório fitou Gúbio, assombrado, à vista de tamanha coragem e, decerto, aproveitando este a transformação psicológica do momento, enunciou com firmeza serena:

8.7   — Declarou-nos Matilde, a nossa benfeitora, que a tua nobreza não se esvaiu e que as tuas elevadas qualidades de caráter permanecem invioladas, não obstante a direção diferente que imprimiste aos passos; por isso mesmo, identificando-te o valor pessoal, chamo-te de "respeitável" nos apelos que te dirijo.

A cólera do sacerdote pareceu amainar-se.

— Não acredito em tuas informações — acentuou contrariado —, mas sê claro nas rogativas. Não disponho de tempo para falas inúteis.

— Venerável Gregório — pediu nosso instrutor, humilde —, serei breve. Ouve-me com tolerância e bondade. Não ignoras que tua mãe espiritual jamais se esqueceria de Margarida, ameaçada atualmente de loucura e morte, sem razão de ser...

Escutando o informe, o hierofante modificou-se visivelmente, expressando na fisionomia inquietação indisfarçável. A estranha auréola que lhe revestia a fronte revelou tonalidades mais escuras. Dureza singular transpareceu-lhe nos olhos felinos e os lábios se lhe contraíram num ricto de infinita amargura.

Tive a ideia de que ele nos fulminaria se pudesse, mas conteve-se, imóvel, apesar da expressão agressiva e rude.

— Não desconheces que Matilde possui na tua companheira de outras eras uma pupila muito amada ao coração. As preces dessa torturada filha espiritual atingem-lhe a alma abnegada e luminosa. Gregório, Margarida empenha-se em viver no corpo, faminta de redenção. Aspirações renovadoras banharam-lhe a meninice, e agora que o casamento, em plena juventude, lhe revigoriza as esperanças, deseja demorar-se no campo de luta benéfica, de modo a ressarcir o passado culposo. Certamente, fortes razões te obrigam a constrangê-la ao retorno, porque lhe armaste caprichoso caminho de morte. Não te reprovo nem te acuso, pois nada sou. E ainda que o Senhor me conferisse algum alto encargo representativo, não me competiria julgar-te, senão depois de haver vivido a tua própria tragédia, experimentando as tuas próprias dores. Sei, porém, que pelo amor e pelo ódio do pretérito ela permanece intensamente ligada aos raios de tua mente, e todos sabemos que os credores e os devedores se encontrarão, tarde ou cedo, face a face... Entretanto, a atual existência dela envolve largo serviço salvador. Desposou antigo associado de luta evolutiva que te não é estranho ao coração e reinará, maternalmente, num lar em que devotados benfeitores organizarão formoso ministério de trabalho iluminativo. Espíritos amigos da verdade e do bem se preparam a receber-lhe a ternura materna, quais flores abençoadas pelo orvalho celeste, em caminho de preciosa frutificação. Venho rogar-te, pois, seja suavizada a vindita cruel. Nossa alma, por mais impassível, modifica-se com as horas. O tempo tudo devasta e nos subtrai todos os patrimônios da inferioridade para que a obra de aperfeiçoamento permaneça. A matéria que nos serve às manifestações modifica-se com os dias. E, por mais invencíveis que fossem os poderosos juízes aos quais obedeces, não ultrapassariam eles, de nenhum modo, a autoridade soberana do Todo-Misericordioso, que lhes permite agir em nome da corrigenda, afeiçoando-lhes a tarefa ao bem comum.

Pesados minutos de expectação e silêncio caíram sobre nós. **8.8**

Nosso instrutor, no entanto, longe de desanimar, retomou a palavra, em voz súplice:

— Se ainda não consegues ouvir os recursos interpostos pela Lei do Cordeiro Divino que nos recomenda o amor recíproco e santificante, não te ensurdeças aos apelos do coração materno. Ajuda-nos a liberar Margarida, salvando-a da destrutiva perseguição. Não se faz imperioso o teu concurso pessoal. Bastar-nos-á tua indiferença, a fim de que nos orientemos com a precisa liberdade.

O hierofante riu-se contrafeito e acrescentou:

— Observo que conheces a justiça.

8.9 — Sim — concordou Gúbio, melancólico.

O anfitrião, contudo, falou sem rebuços:

— Quem lavra sentenças despreza a renúncia. Entre os que defendem a ordem, o perdão é desconhecido. Determinavam os legisladores da *Bíblia* que os arestos se baseassem no princípio da troca: "olho por olho e dente por dente". E já que te mostras tão bem informado acerca de Margarida, poderás, em sã consciência, suprimir as razões que me compelem a decretar-lhe a morte?

— Não discuto os motivos que te conduzem — exclamou nosso orientador, entre aflito e entristecido —; todavia, ouso insistir na súplica fraterna. Auxilia-nos a conservar aquela existência valiosa e frutífera. Ajudando-nos, quem sabe, pelos braços carinhosos da vítima de hoje, poderias, tu mesmo, voltar ao banho lustral da experiência humana, renovando caminhos para glorioso futuro.

— Qualquer ideia de volta à carne me é intolerável! — gritou Gregório, contrafeito.

— Sabemos, grande sacerdote — continuou Gúbio, muito calmo —, que sem a tua permissão, em vista dos laços que Margarida criou com a tua mente, poderosa e ativa, ser-nos-ia difícil qualquer atividade libertadora. Promete-nos independência de ação! Não te pedimos sustar a sentença, nem pretendemos inocentar Margarida. Quem assume compromissos diante das Leis Eternas é obrigado a encará-los, agora ou mais tarde, para resgate justo. Rogar-te-íamos, contudo, adiamento na execução de teus propósitos. Concede à tua devedora um intervalo benéfico, em homenagem aos desvelos de tua mãe e, possivelmente, os dias se encarregarão de modificar este processo doloroso.

Demonstrando expressão de surpresa, em face da imprevista solicitação de adiamento, quando, nós mesmos, esperávamos que o orientador se impusesse, reclamando revogação definitiva, Gregório considerou, menos contundente:

— Tenho necessidade do alimento psíquico que só a mente **8.10**
de Margarida me pode proporcionar.

Perguntou Gúbio, mais encorajado:

— E se reencontrasses o doce reconforto da ternura materna, sustentando-te a alma, até que Margarida te pudesse fornecer, redimida e feliz, o sublimado pão do espírito?

O sacerdote levantou-se pela primeira vez e clamou:

— Não creio...

— E se propuséssemos semelhante bênção em troca de tua neutralidade ante o nosso esforço de salvação? Permitir-nos-ias agir concomitantemente com os servidores que te obedecem às ordens? Não os inclinarias contra nós e deixar-nos-ias ombrear com eles, tentando a restauração? O tempo, dessa forma, daria o último retoque em tuas decisões...

Gregório refletiu alguns instantes e redarguiu:

— É muito tarde.

— Por quê? — indagou nosso instrutor, inquieto.

— O caso de Margarida — esclareceu o hierofante em tom significativo — está definitivamente entregue a uma falange de 60 servidores de meu serviço, sob a chefia de duro perseguidor que lhe odeia a família. A solução cabal poderia ter sido alcançada em poucas horas, mas não desejo que ela me volte às mãos com a revolta de vítima, em cuja fonte interior só me fosse possível recolher as águas turvas do desespero e do fel. Será torturada como me torturou em outra época; padecerá humilhações sem nome e desejará a morte como valioso bem. Atingida a rendição pelo sofrimento dilacerante, a mente dela me receberá por benfeitor, amoroso e providencial, envolvendo-me nas emissões de carinho que, há muitos anos, venho esperando... Seria infrutífera qualquer tentativa liberatória. Os raciocínios dela vão sendo conturbados, pouco a pouco, e o trabalho de imantação para a morte está quase terminado.

8.11   O nosso dirigente, no entanto, não se deu por vencido e insistiu:

— E se nos confundíssemos com a tua falange, tentando o serviço a que nos propomos? Compareceríamos junto à enferma como amigos teus e, sem te desrespeitarmos a autoridade, procuraríamos a execução do programa que nos trouxe até aqui, testemunhando a humildade e o amor que o Cordeiro nos ensina.

Gregório pensava maduramente, em silêncio, mas Gúbio prosseguia com simplicidade e firmeza:

— Concede!... Concede!... Dá-nos tua palavra de sacerdote! Lembra-te de que, um dia, ainda que não creias, enfrentarás, de novo, o olhar de tua mãe!

O interpelado, após longos minutos de reflexão, ergueu os braços e asseverou:

— Não creio nas possibilidades do tentame; todavia, concordo com a providência a que recorres. Não interferirei.

Em seguida, tilintando a campainha de modo particular, determinou que os auxiliares se reaproximassem. Como que semivencido na batalha em que se empenhara com a própria consciência, invocou a presença de um certo Timão, que nos surgiu pela frente surpreendendo-nos com seu semblante de carrasco. Dirigiu-lhe a palavra, indagando pelo andamento do "caso Margarida", ao que o preposto informou estar o processo de alienação mental quase pronto. Questão de poucos dias para a segregação em casa de saúde.

Indicando-nos, algo constrangido, determinou Gregório que o auxiliar de sinistro aspecto nos situasse junto da falange que operava, ativa, na execução gradual do seu decreto de morte.

9
Perseguidores invisíveis

9.1   No dia imediato, pela manhã, em companhia de entidades ignorantes e transviadas, dirigimo-nos para confortável residência, onde espetáculo inesperado nos surpreenderia.

O edifício de enormes dimensões denunciava a condição aristocrática dos moradores não só pela grandeza das linhas, mas também pelos admiráveis jardins que o rodeavam. Paramos junto à ala esquerda, notando-a ocupada por muitas personalidades espirituais de aspecto deprimente.

Rostos patibulares, carantonhas sinistras.

Indiscutivelmente, aquela construção residencial permanecia vigiada por carcereiros frios e impassíveis, a julgar pelas sombras que os cercavam.

Transpus o limiar, de alma opressa.

O ar jazia saturado de elementos intoxicantes. Dissimulei, a custo, o mal-estar, recolhendo impressões aflitivas e dolorosas.

Entidades inferiores, em grande cópia, afluíram à sala de entrada, sondando-nos as intenções. De posse, porém, das instruções do nosso orientador, tudo fazíamos para nos assemelharmos a delinquentes vulgares. Reparei que o próprio Gúbio se fizera tão escuro, tão opaco na organização perispirítica, que de modo algum se faria reconhecível, à exceção de nós que o seguíamos, atentos, desde a primeira hora.

Instado por Sérgio, um gaiato rapaz que nos introduziu com maneiras menos dignas, Saldanha, o diretor da falange operante, veio receber-nos. **9.2**

Pôs-se a fazer gestos hostis, mas, ante a senha com que Gregório nos favorecera, admitiu-nos na condição de companheiros importantes.

— O chefe deliberou apertar o cerco? — perguntou ao nosso instrutor, confidencialmente.

— Sim — informou Gúbio, de modo vago —, desejaríamos examinar as condições gerais do assunto e auscultar a doente.

— A jovem senhora vai cedendo devagarinho — esclareceu a singular personagem, indicando-nos vasto corredor atulhado de substâncias fluídicas detestáveis.

Acompanhou-nos, um tanto solícito, mas desconfiado, e, em seguida a breve pausa, deixou-nos livre a entrada da grande câmara de casal.

A manhã resplandecia, lá fora, e o sol visitava o quarto, através da vidraça cristalina.

Mulher ainda moça, mostrando extrema palidez nas linhas nobres do semblante digno, entregava-se a tormentosa meditação.

Compreendi que atingíramos a intimidade de Margarida, a obsidiada que o nosso orientador se propunha socorrer.

Dois desencarnados, de horrível aspecto fisionômico, inclinavam-se, confiantes e dominadores, sobre o busto da enferma, submetendo-a a complicada operação magnética. Essa particularidade do quadro ambiente dava para espantar. No entanto, meu assombro foi muito mais longe, quando concentrei todo o meu potencial de atenção na cabeça da jovem singularmente abatida. Interpenetrando a matéria espessa da cabeceira em que descansava, surgiam algumas dezenas de "corpos ovoides", de vários tamanhos e de cor plúmbea, assemelhando-se a grandes sementes vivas, atadas ao cérebro da paciente por meio de fios sutilíssimos, cuidadosamente dispostos na medula alongada.

9.3 A obra dos perseguidores desencarnados era meticulosa, cruel.

Margarida, pelo corpo perispirítico, jazia absolutamente presa não só aos truculentos perturbadores que a assediavam, mas também à vasta falange de entidades inconscientes, que se caracterizavam pelo veículo mental, a se lhe apropriarem das forças, vampirizando-a em processo intensivo.

Em verdade, já observara, por mim, grande quantidade de casos violentos de obsessão, mas sempre dirigidos por paixões fulminatórias. Entretanto, ali verificava o cerco tecnicamente organizado.

Evidentemente, as "formas ovoides" haviam sido trazidas pelos hipnotizadores que senhoreavam o quadro.

Com a devida permissão, analisei a zona física hostilizada. Reparei que todos os centros metabólicos da doente apareciam controlados. A própria pressão sanguínea demorava-se sob o comando dos perseguidores. A região torácica apresentava apreciáveis feridas na pele e, examinando-as, cuidadoso, vi que a enferma inalava substâncias escuras que não somente lhe pesavam nos pulmões, mas se refletiam, sobremodo, nas células e fibras conjuntivas, formando ulcerações na epiderme.

A vampirização era incessante. As energias usuais do corpo pareciam transportadas às "formas ovoides", que se alimentavam delas, automaticamente, num movimento indefinível de sucção.

Lastimei a impossibilidade de consulta imediata ao instrutor, porquanto Gúbio, naturalmente, se estivesse livre, nos forneceria esclarecimentos amplos, mas concluí que a infortunada senhora devia ter sido colhida por meio do sistema nervoso central, uma vez que os propósitos sinistros dos perseguidores se faziam patentes quanto à vagarosa destruição das fibras e células nervosas.

Margarida demonstrava-se exausta e amargurada. 9.4
Dominadas as vias do equilíbrio no cerebelo e envolvidos os nervos ópticos pela influência dos hipnotizadores, seus olhos espantados davam ideia dos fenômenos alucinatórios que lhe acometiam a mente, deixando perceber o baixo teor das visões e audições interiores a que se via submetida.

Interrompi, no entanto, as observações acuradas, a fim de verificar a atitude psicológica do nosso orientador, que se arriscara à aventura para socorrer aquela senhora doente a quem amava por filha muito querida ao coração.

Esforçava-se Gúbio por não trair a imensa piedade que o senhoreava, diante da enferma conduzida para a morte.

Dentro de minha condição de Humanidade, reconheci que, se a doente me fosse assim tão cara, não teria vacilado um momento. Movimentaria passes de libertação; ao longo do bulbo, retirar-lhe-ia aquela carga pesada e inútil de mentes enfermiças e, em seguida, lutaria contra os perseguidores, um a um.

Nosso instrutor, porém, assim não procedeu.

Fixou a paisagem aflitiva com inequívoca tristeza, mas, logo após, demorou o olhar bondoso em Saldanha, como a pedir-lhe impressões mais profundas.

Secretamente tocado pelo impulso positivo do nosso dirigente, o chefe da tortura se sentiu na obrigação de prestar-lhe informações espontâneas.

— Estamos em serviço mais ativo, há dez dias precisamente — elucidou, resoluto. — A presa foi colhida em cheio e, felizmente, não contamos com qualquer resistência. Se vieram colaborar conosco, saibam que, segundo acredito, não temos maior trabalho a fazer. Mais alguns dias e a solução não se fará esperar.

9.5   A meu ver, Gúbio conhecia todas as particularidades do assunto, mas, no propósito evidente de captar simpatia, interrogou:
— E o marido?
— Ora — esclareceu Saldanha com escarninho sorriso —, o infeliz não tem a menor noção de vida moral. Não é mau homem; todavia, no casamento foi apenas transferido de "gozador da vida" a "homem sério". A paternidade constituir-lhe-ia um trambolho, e filhinhos, se os recebesse, não passariam para ele de curiosos brinquedos. Hoje, conduzirá a esposa à igreja.

E, reforçando a inflexão sarcástica, acentuou:
— Vão à missa, na esperança de melhoras.

Mal acabara a informação, tristonho e simpático cavalheiro, em cuja expressão carinhosa identifiquei, de pronto, o esposo da vítima, entrou no aposento, com ela permutando palavras amorosas e confortantes.

Amparou-a, prestimoso, e ajudou-a a vestir-se com esmero.

Decorridos alguns minutos, notei, apalermado, que os cônjuges, acompanhados por extensa súcia de perseguidores, tomavam um táxi na direção dum templo católico.

Seguimo-los sem detença.

O veículo, a meu ver, transformara-se como que num carro de festa carnavalesca. Entidades diversas aboletavam-se dentro e em torno dele, desde os para-lamas até o teto luzente.

Minha curiosidade era enorme.

Descendo à porta de elegante santuário, observei estranho espetáculo. A turba de desencarnados em posição de desequilíbrio era talvez cinco vezes maior que a assembleia de crentes em carne e osso. Compreendi, logo, que em maior parte ali se achavam com o propósito deliberado de perturbar e iludir.

Saldanha encontrava-se excessivamente preocupado com as vítimas para dispensar-nos maior atenção e, intencionalmente,

Gúbio afastou-se um tanto, em nossa companhia, a fim de confiar-nos alguns esclarecimentos.

Penetramos o templo onde se comprimiam nada menos de sete a oito centenas de pessoas. 9.6

A algazarra dos desencarnados ignorantes e perturbadores era de ensurdecer. A atmosfera pesava. A respiração fizera-se-me difícil pela condensação dos fluidos semicarnais ali reinantes; todavia, ao fixar os altares, confortante surpresa aliviou-me o coração. Dos adornos e objetos do culto emanava doce luz que se espraiava pelos cimos da nave visitada de sol; fazia-se perceptível a nítida linha divisória entre as energias da parte inferior do recinto e as do plano superior. Dividiam-se os fluidos, à maneira de água cristalina e azeite impuro num grande recipiente.

Contemplando a formosa claridade dos nichos, perguntei ao nosso instrutor:

— Que vemos? Não reza o segundo mandamento, trazido por Moisés, que o homem não deve fazer imagens de escultura para representar a Paternidade Celeste?

— Sim — concordou o orientador —, e determina o Testamento que ninguém se deve curvar diante delas. Efetivamente, pois, André, é um erro criar ídolos de barro ou de pedra para simbolizar a grandeza do Senhor, quando nossa obrigação primordial é a de render-lhe culto na própria consciência; entretanto, a Bondade Divina é infinita e aqui nos achamos perante apreciável quantidade de mentes infantis.

E, sorrindo, acrescentou:

— Quantas vezes, meu amigo, a criança acalenta bibelôs, a fim de preparar-se convenientemente para as responsabilidades da vida madura? Ainda existem na Terra tribos primitivas que adoram o Pai na voz do trovão e coletividades vizinhas da taba que fazem de vários animais objeto de idolatria. Nem por isso o Senhor as abandona. Vale-se dos impulsos elevados que elas lhe oferecem e socorre-lhes as necessidades educativas. Nesta casa de oração, os altares recebem as projeções de matéria mental sublimada dos crentes. Há quase um século, as preces fervorosas de milhares deles aqui envolvem os nichos e apetrechos do culto. É natural que resplandeçam. Por intermédio de semelhante material, os mensageiros celestes distribuem dádivas espirituais com todos quantos sintonizem com o plano superior. A luz que oferecemos ao Céu serve sempre de base às manifestações do Céu para a Terra.

9.7 Ante ligeira pausa, alonguei o olhar pela multidão bem vestida.

Quase todas as pessoas, ainda aquelas que ostentavam nas mãos delicados objetos de culto, revelavam-se mentalmente muito distantes da verdadeira adoração à Divindade. O halo vital de que se cercavam definia pelas cores o baixo padrão vibratório a que se acolhiam. Em grande parte, dominavam o pardo-escuro e o cinzento-carregado. Em algumas, os raios rubro-negros denunciavam cólera vingativa que, a nossos olhos, não conseguiriam disfarçar. Entidades desencarnadas, em deplorável situação, espalhavam-se em todos os recantos, nas mesmas características.

Reconheci que os crentes elegantes, ainda mesmo que desejassem orar com sinceridade, precisariam despender imenso esforço.

A liturgia anunciou o início da cerimônia, mas, com grande assombro para mim, o sacerdote e os acólitos, não obstante se dirigirem para o campo de luz do altar-mor, envergando soberba vestimenta, jaziam em sombras, sucedendo o mesmo aos assistentes. Entretanto, procedendo de mais alto, três entidades de sublime posição hierárquica se fizeram visíveis à santa mesa, com o evidente propósito de ali semearem os benefícios divinos. Magnetizaram as águas expostas, saturando-as de princípios salutares e vitalizantes, como acontece nas sessões de Espiritismo Cristão, e, em seguida, passaram a fluidificar as hóstias, transmitindo-lhes energias sagradas à fina contextura.

9.8 Admirado, voltei a observar a plateia religiosa, mas os irmãos ignorantes que operavam no templo, sem corpo físico, tanto quanto ocorria aos encarnados, nem de longe registravam a presença dos nobres emissários espirituais que agiam em nome do infinito Bem.

Reparei, pelo halo de muita gente, que determinado número de frequentadores se esforçava por melhorar a atitude mental na oração. Reflexos arroxeados, tendendo a vacilante brilho, apareciam aqui e acolá; contudo, os malfeitores desencarnados propositadamente se postavam ao pé dos que se candidatavam à fé renovadora e reverente, buscando conturbá-los. Não longe, fixei a atenção numa senhora que acompanhava o sacerdote com o manifesto desejo de receber a bênção celestial; os olhos úmidos e os tênues raios de luz que se lhe projetavam da mente diziam da sincera aspiração à vida superior que, naquele instante, lhe banhava o pensamento devoto; entretanto, dois transviados da esfera inferior, percebendo-lhe a esperança construtiva, tentavam anular-lhe a atenção e, segundo o que me foi permitido verificar, lhe sugeriam reminiscências de baixo teor, inutilizando-lhe a tentativa.

Voltei-me para o orientador, que prestimosamente explicou:

— A história de gênios satânicos atacando os devotos de variados matizes é, no fundo, absolutamente verdadeira. As inteligências pervertidas, incapazes de receber as vantagens celestes, transformam-se em instrumentos passivos das inteligências rebeladas, que se interessam pela ignorância das massas, com lastimável menosprezo pela Espiritualidade superior que nos governa os destinos. A aquisição de fé, por isto mesmo, demanda trabalho individual dos mais persistentes. A confiança no bem e o entusiasmo de viver que a luz religiosa nos infunde modificam-nos a tonalidade vibratória. Lucramos infinitamente com a imersão das forças interiores no sublimado idealismo da crença santificante a que nos afeiçoamos; todavia, o serviço real que nos cabe não se resume só a palavras. A profissão de fé não é tudo. A experiência da alma no corpo denso destina-se, de maneira fundamental, ao aprimoramento do indivíduo. É nos atritos da marcha que o ser se desenvolve, se apura e ilumina. Não obstante, a tendência dos crentes, em geral, é a de fugir aos conflitos da senda. Pessoas existem que, depois de servirem ao ideal religioso durante dois anos, pretendem o repouso de vinte séculos. Em todas as casas de fé, os mensageiros do Senhor distribuem favores e bênçãos compatíveis com as necessidades de cada um; entretanto, é imprescindível que se prepare o coração nas linhas do mérito, a fim de recolhê-los. Entre emissão e recepção, prevalece o imperativo da sintonia. Sem esforço preparatório, é impossível ambientar o benefício. Embalde imporíamos, de imediato, ao homem selvagem a vida num palácio erguido pela cultura moderna. Aos acordes de nossa música, preferiria ele os ruídos da ventania, e um cabaz de flechas lhe pareceria mais valioso que um dos nossos mais perfeitos parques industriais. Portanto, para que alguém se coloque a caminho das eminências sociais, é indispensável seja educado, de boa vontade, aceitando as sugestões de melhoria e serviço.

9.9 Gúbio espraiou o olhar pela multidão que presenciava a cerimônia, aparentemente contrita, e acentuou:

— Em verdade, a missa é um ato religioso tão venerável quanto qualquer outro em que os corações procuram identificar-se com a Proteção Divina; no entanto, raros são aqueles que trazem até aqui o espírito efetivamente inclinado à assimilação do auxílio celestial. E para a formação de semelhante clima interior, cada crente, além do serviço de purificação dos sentimentos, necessitará também combater a influência dispersiva e perturbadora que procede dos companheiros desencarnados que lhe buscam arrefecer o fervor.

Continuava Gúbio a prestar-nos valiosos esclarecimentos alusivos à solenidade, enquanto a missa se encaminhava para a fase final.

As vozes do coro como que projetavam vibrações harmo- **9.10**
niosas e lúcidas ao longo da nave radiosa, e vi, num deslumbra-
mento, que muitos Espíritos sublimes penetraram o recinto, de
semblante glorificado, rumando para o altar, onde o celebrante
elevava o cálice, depois de abençoar a sagrada partícula.

Intensa luminosidade fluía do sacrário, envolvendo todo o
material do culto, mas, surpreendido, reparei que o sacerdote, ao
erguer a oferta sublime, apagou a luz que a revestia com os raios
cinzento-escuros que ele próprio expedia em todas as direções.
Logo após, quando se preparou a distribuir o alimento eucarístico
entre os 11 comungantes que se prosternavam, humildes, à mesa
adornada de alvo linho, notei que as hóstias, no prateado recipiente que as custodiava, eram autênticas flores de farinha, coroadas de
doce esplendor. Irradiavam luz com tanta força que o magnetismo
obscuro das mãos do ministro não conseguia inutilizá-las. Todavia, à frente da boca que se dispunha a receber o pão simbólico,
enegreciam como por encanto. Somente uma senhora, ainda jovem, cuja contrição era irrepreensível, recolheu a flor divina com
a pureza desejável. Vi a hóstia, qual foco de fluidos luminescentes,
atravessar a faringe, alojando-se-lhe a claridade em pleno coração.

Intrigado, procurei ouvir o instrutor, que, muito pondera-
do, elucidou sem delonga:

— Apreendeste a lição? O celebrante, apesar de consagrado
para o culto, é ateu e gozador dos sentidos, sem esforço interior
de sublimação própria. A mente dele paira longe do altar. Acha-
-se sumamente interessado em terminar a cerimônia com brevi-
dade, de modo a não perder uma alegre excursão em perspectiva.
Quanto aos que compareceram à mesa da eucaristia, cheios de
sentimentos rasteiros e sombrios, eles mesmos se incumbem de
anular as dádivas celestes, antes que lhes tragam benefícios ime-
recidos. Temos aqui grande quantidade de crentes titulares, mas
muito poucos amigos do Cristo e servidores do bem.

9.11 O *ite, missa est* [20] dispensou os fiéis que, ao fim da reunião, mais se assemelhavam a barulhento bando de passarinhos de bela plumagem.

Absorto em fundas reflexões, ante o que me fora dado observar, acompanhei o nosso orientador e Elói para junto da enferma e do esposo, que se retiraram, de regresso ao lar, cercados pelo mesmo séquito de entidades infelizes, sem a menor alteração.

---

[20] N.E.: Expressão latina, que significa "Ide, está terminada".

10
Em aprendizado

10.1   De retorno a casa, com indisfarçável estranheza reparei que o nosso instrutor não empreendia qualquer ataque em defesa da doente querida.

A jovem senhora, novamente metida no leito, semianiquilada, punha os olhos no ar vazio, absorvida de indefinível pavor.

Um dos insensíveis magnetizadores presentes, à insinuação de Saldanha, começou a aplicar energias perturbadoras ao longo dos olhos, torturando as fibras de sustentação. Não somente o cristalino, em ambos os órgãos visuais, denunciava fenômenos alucinatórios, mas também as artérias oculares revelavam-se sob fortes modificações.

Percebi a facilidade com que os seres perversos das sombras hipnotizam as suas vítimas, impondo-lhes os tormentos psíquicos que desejam.

Grossas lágrimas banhavam o rosto da enferma, traduzindo-lhe as agitações interiores.

Dilacerada, a mente aflita e sofredora tiranizava o coração que batia, precípite, imprimindo graves alterações em todo o cosmos orgânico.

Das complicadas operações sobre os olhos, o magnetizador passou a interessar-se pelas vias do equilíbrio e pelas células auditivas, carregando-as de substância escura, qual se estivesse doando combustível a um motor.

Margarida, ainda que o desejasse, agora não conseguiria erguer-se. Compacta emissão de fluidos tóxicos misturava-se à linfa dos canais semicirculares.

Terminada a esquisita intervenção, Saldanha dispensou os terríveis colaboradores, à exceção da dupla que se incumbia do hipnotismo, alegando que havia serviço em outra parte da cidade. Outros casos aguardavam a legião de Gregório, e Margarida, no parecer do chefe de tortura, já recebera suficiente material de prostração para trinta horas consecutivas.

Pouco a pouco, esvaziou-se a casa, semelhante agora a desprezada colmeia de marimbondos vorazes. Contudo, aí permaneciam Saldanha, os dois magnetizadores, nós três e a coleção de mentes, em "formas ovoides", ligadas ao cérebro da senhora flagelada.

A sós com o temível obsessor, Gúbio procurou sondar-lhe o íntimo, discretamente.

— Sem dúvida que a sua fidelidade aos compromissos assumidos — declarou o nosso orientador, atencioso — é bastante significativa.

E, enquanto Saldanha sorria envaidecidamente, continuou, de olhar penetrante e doce:

— Que razões teriam conduzido Gregório a conferir-lhe tão delicada missão?

— O ódio, meu amigo, o ódio! — explicou o interpelado decidido.

— À senhora? — aduziu Gúbio, indicando a doente.

— Não propriamente a ela, mas ao pai, juiz sem alma que me devastou o lar. Faz onze anos, precisamente, que a sentença cruel de um magistrado caiu sobre os meus descendentes, exterminando-os...

E, diante da expressão de real interesse que o nosso instrutor deixava perceber, o infeliz continuou:

— Tão logo abandonei o corpo físico, premido por uma tuberculose galopante, revoltado com a pobreza que me lançara à extrema penúria, não pude afastar-me do ambiente doméstico. Minha infortunada Iracema herdou-me um filho querido, a quem não pude legar qualquer recurso apreciável. Jorge e sua genitora passaram, desse modo, a enfrentar dificuldades e aflições que não posso relembrar sem imensa angústia. Operário em rude serviço braçal, meu filho não conseguia sustentar dignamente a casa, definhando-se-lhe a mãezinha em padecimentos continuados e sofridos em silêncio. Ainda assim, Jorge contraiu núpcias, muito cedo, com uma colega de trabalho, que, a seu turno, lhe deu uma filhinha atormentada e sofredora. A vida corria desesperadamente para o lar subalimentado e desprotegido, quando certo crime, constituído de roubo e assassínio, sobreveio na organização em que meu desventurado rapaz trabalhava, e toda a culpa, em face de circunstâncias inextricáveis, recaiu sobre ele. Acompanhei-lhe a prisão imerecida e, sem qualquer recurso para ampará-lo, segui os interrogatórios infernais a que foi submetido, como se fora homicida vulgar. Ora, eu que me anexara aos parentes, desde o instante horrível, para mim, da transição corporal, jamais me senti disposto à submissão. A experiência humana não me proporcionou tempo a estudos religiosos ou filosóficos. Habituei-me muito cedo à rebelião contra aqueles que gozam os benefícios do mundo em detrimento dos desfavorecidos da sorte e, reconhecendo que o túmulo não me revelara qualquer milagroso domínio, preferi a continuidade da vida em meu escuro pardieiro, onde a convivência de Iracema, por meio de profundos laços magnéticos, de algum modo me reconfortava... Assisti, por isso, com indescritível terror, aos detestáveis acontecimentos. Humilhado, na minha condição de homem invisível para os encarnados, visitei chefias e repartições, autoridades e guardas, tentando encontrar alguém que me auxiliasse a salvar Jorge, inocente. Identifiquei o verdadeiro criminoso que, ainda agora, desfruta posição social invejável, e tudo fiz, sem resultado, por clarear o processo oprobrioso. Meu filho sofreu todo o gênero de atrocidades morais e físicas, castigado por um delito que não cometeu. Desanimado, por minha vez, de algo recolher de útil junto aos carrascos policiais que chegaram a improvisar fantásticas confissões da vítima, procurei o juiz da causa, na esperança de interferir beneficamente. O magistrado, porém, longe de aceitar-me a inspiração, que o convidava à justiça e à piedade, preferiu ouvir pareceres de amigos influentes na política dominante, que vivamente se interessavam pela indébita condenação, na ânsia de exculpar o verdadeiro criminoso.

Saldanha fez pequeno intervalo, acentuando a expressão de profundo rancor, e prosseguiu:

— Descrever-lhe o que foi minha dor é alguma coisa de impraticável à capacidade verbal. Jorge recebeu dolorosa pena, quando seu corpo vacilava sob maus-tratos, e Irene, minha nora, conturbada pela necessidade e pelo infortúnio, esqueceu as obrigações de mãe, suicidando-se para imantar-se ao espírito de meu pobre filho, já de si mesmo tão infeliz. Torturada pelos sucessos aflitivos, minha esposa desencarnou num catre de indigência, reunindo-se, por sua vez, ao angustiado casal. Minha neta, hoje menina e moça, mas ameaçada por incerto porvir, atende a serviço doméstico, aqui mesmo nesta casa, onde tresloucado irmão de Margarida procura arrastá-la sutilmente a grave desvio moral. O juiz, que aqui preside à assembleia familiar, recebendo-me em sonho as promessas de vingança, buscou colocá-la junto aos próprios parentes, empenhado

Libertação | Capítulo 10

em reparar de algum modo o seu crime; no entanto, apesar disso, meu desforço não se fará menos enérgico.

10.5 Surpreendido, notei que o nosso orientador não ensaiava qualquer doutrinação. Pousando olhos cheios de simpatia no interlocutor, murmurou apenas:

— Realmente, a sementeira de dor é das que mais nos afligem...

Encorajado pelo tom amigo daquela frase, Saldanha prosseguiu:

— Muita gente convida-me à transformação espiritual, concitando-me ao perdão estéril. Não aceito, porém, qualquer alvitre desse jaez. Meu desventurado Jorge, sob a pressão mental de Irene, dilacerada, e de Iracema, oprimida, não resistiu e perturbou-se. Enlouquecendo no cárcere, foi transferido da cela úmida para misérrimo hospício, onde mais se assemelha a um animal encurralado. Acredita possa meu cérebro dispor de recursos para meditar em compaixão que não recebi de pessoa alguma? Enquanto esses quadros permanecerem sob meus olhos, não abrirei minha alma às sugestões religiosas. Estou simplesmente diante da vida. A sepultura apenas derruba o muro da carne, porquanto nossas dores continuam tão vivas e tão contundentes quanto em outra época, quando suportávamos a caixa dos ossos. Foi nesse estado que o sacerdote Gregório me encontrou e agradou-se de minhas disposições íntimas. Necessitava de alguém de alma suficientemente endurecida para presidir à retirada técnica desta moça que ele deseja arrebatar, devagarinho, à existência terrestre, e louvou-me o ânimo firme. Quase sempre dispomos de servidores em massa para os cometimentos retificadores. Mas não é fácil encontrar um companheiro decidido a perseverar na vingança até o fim, com o mesmo ódio do princípio. Observou que eu lhe atendia a exigência e confiou-me a tarefa.

Passeando colérico olhar pelos ângulos da câmara de repouso, acentuou:

— Todos aqui pagarão. Todos...

Admirado, fitei Gúbio que se mantinha imperturbável, silencioso.

Fora eu e talvez me desbordasse em comentários extensos e tirânicos com referência à lei do amor que nos governa os destinos; reclamaria, com ênfase, a atenção do perseguidor para os ensinamentos de Jesus e, se possível, dobrar-lhe-ia a língua indisciplinada e insolente.

O instrutor, contudo, assim não procedeu.

Sorriu, mudo, buscando disfarçar a própria tristeza.

Dois ou três minutos rolaram, longos, entre nós.

Mostrava o relógio um quarto para meio-dia, quando alguns passos se fizeram ouvidos.

— É o médico — elucidou Saldanha, com manifesta expressão de sarcasmo —; debalde, porém, procurará lesões e micróbios...

Quase no mesmo instante, um cavalheiro de idade madura penetrou o recinto, em companhia de Gabriel, o esposo da vítima.

Abeirou-se da enferma, afagou-a gentil e pronunciou algumas palavras de encorajamento.

Margarida, em vão, buscou sorrir. Faltavam-lhe forças para tanto.

A conversação ia em meio, quando uma entidade, evidentemente bem-intencionada, compareceu. Viu-nos e demonstrou compreender-nos a posição, porque fixou em nós cauteloso olhar sem dizer palavra, acercando-se do médico, solicitamente, qual se lhe fora dedicado enfermeiro.

O especialista não parecia profundamente interessado no caso, mas, ao auscultar Margarida, entregue a torpor inquietante, conversou com o marido da vítima de maneira superficial. Declarou que a jovem senhora, em sua opinião, certamente se mantinha sob o império da epilepsia secundária e que, em última análise, se socorreria da colaboração de colegas eminentes para submetê-la a exame particularizado da lesão cérebromeníngea, seguido, possivelmente, de intervenção cirúrgica aconselhável.

Em seguida, porém, observei que a entidade espiritual recém-chegada e que o assistia com desvelo pousou a destra em sua fronte, como se desejasse transmitir-lhe algum alvitre providencial.

O médico relutou bastante, mas, ao cabo de alguns minutos, constrangido por sugestão exterior que não saberia compreender exatamente, convidou Gabriel a um dos ângulos do quarto e lembrou:

— Por que não tenta o Espiritismo? Conheço ultimamente alguns casos intrincados que vão sendo resolvidos, com êxito, pela psicoterapia...

E para não dar ideia de uma capitulação científica, ante o idealismo religioso, acrescentava:

— Segundo sabemos hoje, à saciedade, a sugestão é uma força misteriosa, quase desconhecida.

O esposo da enferma recebeu o conselho com simpatia e perguntou:

— Poderá orientar-me suficientemente?

O psiquiatra recuou, de algum modo, e obtemperou:

— Bem, não disponho de maior trato com os expoentes do assunto; todavia, segundo acredito, não terá dificuldades para experimentar.

Logo após, deixou ali algumas indicações escritas, relacionando drogas e injeções, e dispôs-se a sair, sob o riso escarninho de Saldanha, que dominava amplamente a situação.

Gúbio conversou qualquer coisa com o inquisidor desencarnado e, em seguida, dirigiu-se a mim, esclarecendo:

— André, combinamos que, para observações, deves seguir o médico. Dentro de algumas horas, porém, volta ao nosso posto.

Compreendi que o nosso orientador me proporcionava a recolta[21] de novos ensinamentos e acompanhei o especialista em moléstias nervosas, cauteloso e contente.

Distanciado agora do lugar em que nosso instrutor travava batalha singular, acerquei-me da personalidade que assistia o médico de perto e entabulamos amistoso diálogo.

O novo amigo atendia pelo nome de Maurício, fora enfermeiro do esculápio que protegia e recebera, com satisfação, a tarefa de ampará-lo nos empreendimentos profissionais.

— Todos os médicos — asseverou-me, convicto —, ainda mesmo quando materialistas de mente impermeável à fé religiosa, contam com amigos espirituais que os auxiliam. A saúde humana é dos mais preciosos dons divinos. Quando a criatura, por relaxamento ou indisciplina, delibera menosprezá-la, faz-se difícil o socorro aos seus centros de equilíbrio, porque, em todos os lugares, o pior surdo é aquele que não quer ouvir. Todavia, por parte de quantos ajudam a marcha humana, da esfera espiritual, há sempre medidas de proteção à harmonia orgânica, para que a saúde das criaturas não seja prejudicada. Claro que há erros tremendos em Medicina e que não podemos evitar. Nossa colaboração não pode ultrapassar o campo receptivo daquele que se interessa pela cura alheia ou pelo próprio reajustamento. Entretanto, realizamos sempre em favor da saúde geral quanto nos é possível.

E, numa expressão profundamente significativa, acentuou:

— Ah, se os médicos orassem!

Nesse instante, alcançamos o ponto de destino, antecipando-nos, de algum modo, ao amigo encarnado sob minha observação.

A residência confortável, não obstante o formoso jardim que a circundava, permanecia transbordante de fluidos desagradáveis.

O clima doméstico era perturbador.

Maurício elucidou, sem preâmbulos:

---

[21] N.E.: Colheita.

0.9   — Estamos sumamente interessados em que o nosso amigo se enfronhe no trato com as magnas questões da alma, a fim de aperfeiçoar-se na tarefa junto à mente enferma, por isso encaminhamos até aqui, por vias indiretas, livros e publicações acerca do assunto; entretanto, contra o nosso desejo, não somente preponderam os preconceitos da classe médica, mas também a influência perniciosa que a segunda esposa exerce sobre ele. Homem inteligente, mas muitíssimo arraigado à remuneração dos sentidos, o nosso amigo não suportou a viuvez e desposou, há cinco anos, uma jovem que lhe exige pesado tributo à maturidade respeitável. Acontece, também, que a esse problema acresce questão muito grave: a primeira esposa desencarnada deixou dois rapazes e permanece ligada à organização doméstica, que considera sua propriedade exclusiva. Por mais que o nosso trabalho se acentue, ainda não conseguimos retirá-la, com proveito, da casa, porque o pensamento dos filhos, em conflito com o pai e com a madrasta, lhe invoca a atuação de minuto a minuto. O duelo mental nesta casa é enorme. Ninguém cede, ninguém desculpa e o combate espiritual permanente transforma o recinto numa arena de trevas.

Calou-se o informante enquanto entramos, e pude notar que, efetivamente, a ex-dona da casa, sem o corpo físico, em singular posição de revolta ali se achava, abraçada a um dos filhos, moço de seus 18 anos presumíveis, que fumava nervosamente numa espreguiçadeira. Via-se-lhe perfeitamente a condição de vaso receptivo da sublevada mente materna.

Ideias inquietantes e delituosas povoavam-lhe a cabeça.

Fios tenuíssimos de força magnética ligavam-no à mãezinha infeliz.

Tinha as mãos crispadas e o olhar absorto, maquinando planos diabólicos e, por mais que o envolvesse o socorro de Maurício, nem ele nem aquela que lhe fora ciumenta genitora se mostravam suscetíveis de receber-nos a influenciação restauradora.

— Tenho trabalhado tanto quanto me é possível — explicou 10.
o novo companheiro — a fim de ambientar aqui o espiritualismo
de ordem superior. Achamo-nos, entretanto, num campo imensamente refratário.

Nesse instante, o médico transpôs o limiar e Maurício colocou sobre a fronte dele a destra generosa, buscando fornecer-lhe intuições exatas, referentes ao caso de Margarida. O especialista, num átimo, começou a articular o aparelhamento mental para exame do assunto que lhe era sugerido, lembrando certa publicação técnica, única maneira pela qual conseguia registrar os pensamentos do companheiro espiritual. Mesmo assim, o esforço não logrou êxito.

O filho atacou o genitor com recriminações acerbas, em vista de se haver demorado excessivamente para o almoço.

O esculápio depressa desligou a mente de nossos fios invisíveis, precipitando-a no torvelinho das vibrações antagônicas.

A esposa desencarnada veio igualmente sobre ele, furiosamente. Reparei que o dono da casa não lhe assinalou os punhos ativos no rosto, mas o sangue concentrou-se-lhe na região das têmporas, tingindo-se-lhe a máscara fisionômica de cólera indisfarçável. Resmungou algumas palavras, saturadas de indignação, e perdeu, de todo, o contato espiritual conosco.

Maurício indicou-o com insofreável tristeza e acentuou:

— É sempre assim. Muito difícil aproximarmo-nos, na esfera física, daqueles a quem nos propomos auxiliar. Surgem ensejos valiosos de realização espiritual, como presentemente nos ocorre, diante do problema de Margarida. No entanto, nossas tentativas redundam em rematada frustração. Um homem, intelectualizado pela responsabilidade acadêmica, por si mesmo deveria sentir santa curiosidade perante a vida, abstendo-se de certo comércio mais intenso com a satisfação egoística da experiência no corpo. Porém, a criatura costuma persegui-la até o desgaste completo da forma carnal de que se serve. Por mais que a convoquemos à preciosa viagem da periferia para o centro, a fim de que ela se amolde aos imperativos da vida que a espera, além do sepulcro, nosso esforço é quase sempre considerado adiável e inútil.

Sorriu, enigmático, e ajuntou:

— E observemos que nos achamos à frente de um homem chamado pelo campo social ao ministério da cura.

Nesse ínterim, a pequena família se reuniu ao redor da mesa posta, e a segunda esposa do médico me impressionou pelo apuro da apresentação. A pintura do rosto, sem dúvida, era admirável. O traje elegante e sóbrio, as joias discretas e o penteado harmonioso realçavam-lhe a profundez do olhar, mas rodeava-se ela de substância fluídica deprimente. Halo plúmbeo denunciava-lhe a posição de inferioridade. Socialmente, aquela dama devia ser das de mais fino trato; contudo, terminado o repasto, deixou positivamente evidenciada sua deplorável condição psíquica. Depois de uma discussão menos feliz com o marido, a jovem mulher buscou o sono da sesta, num divã largo e macio.

Intencionalmente, Maurício convidou-me a espreitar-lhe o repouso e, com enorme surpresa, aturdido mesmo, não lhe vi os mesmos traços fisionômicos na organização perispiritual que abandonava a estrutura carnal, entregue ao descanso. Alguma semelhança era de notar-se, mas, afinal de contas, a senhora tornara-se irreconhecível. Estampava no semblante os sinais das bruxas dos velhos contos infantis. A boca, os olhos, o nariz e os ouvidos revelavam algo de monstruoso.

A própria esposa desencarnada, ali presente em clamorosa revolta, não se animou a enfrentá-la. Recuou semiespavorida, tentando ocultar-se junto do filho.

Lembrei-me, então, do livro em que Oscar Wilde nos conta a história do retrato de Dorian Gray, que adquiria horrenda expressão à medida que o dono se alterava, intimamente, na prática do mal e, endereçando a Maurício olhar indagador, dele recebi sensata elucidação:

— Sim, meu amigo — disse, tolerante —, a imaginação de Wilde não fantasiou. O homem e a mulher, com os seus pensamentos, atitudes, palavras e atos, criam, no íntimo, a verdadeira forma espiritual a que se acolhem. Cada crime e cada queda deixam aleijões e sulcos horrendos no campo da alma, tanto quanto cada ação generosa e cada pensamento superior acrescentam beleza e perfeição à forma perispirítica, dentro da qual a individualidade real se manifesta, mormente depois da morte do corpo denso. Há criaturas belas e admiráveis na carne e que, no fundo, são verdadeiros monstros mentais, do mesmo modo que há corpos torturados e detestados, no mundo, escondendo Espíritos angélicos, de celestial formosura.

E, designando a infeliz que se ausentava de casa, semiliberta do veículo material, acentuou:

— Esta irmã desventurada permanece sob o império de Espíritos gozadores e animalizados que, por muito tempo, a reterão em lastimáveis desequilíbrios. Acreditamos que ela, sem fé renovadora, sem ideais santificantes e sem conduta digna, não se precatará tão cedo dos perigos que corre e somente se lembrará de chorar, aprender e transformar-se para o bem quando se afastar, em definitivo, do vaso de carne, na condição de autêntica bruxa.

O assunto era realmente fascinante e a lição era imensa. Entretanto, meu tempo disponível esgotara.

O minuto exigia pronto regresso.

11
Valiosa experiência

1.1   Atento à sugestão do médico amigo, no dia imediato pela manhã dispôs-se Gabriel a conduzir a esposa ao exame de afamado professor em ciências psíquicas, no intuito de conseguir-lhe cooperação benfazeja.

Pude reparar, então, que a liberdade dos homens, no terreno da consulta, é quase irrestrita, porquanto, de nosso lado, Gúbio demonstrou profundo desagrado, asseverando-me, discreto, que tudo faria por impedir a providência que somente seria profícua e aconselhável, a seu parecer, por intermédio de autoridade diferente no assunto.

O professor indicado era, segundo a opinião do nosso desvelado orientador, admirável expoente de fenômenos, portador de dons medianímicos notáveis, mas não oferecia proveito substancial aos que se acercassem dele, por guardar a mente muito presa aos interesses vulgares da experiência terrestre.

— Fazer psiquismo — falou-me o instrutor, em voz quase imperceptível — é atividade comum, tão comum quanto qualquer outra. O essencial é desenvolver trabalho santificante. Visitar medianeiros de reconhecida competência no trato entre os dois mundos, senhores de faculdades magníficas no setor informativo, é o mesmo que entrar em contato com os donos de soberba fortuna. Se o detentor de tão grandes bens não se acha interessado em gastar os recursos de que dispõe a favor da felicidade dos semelhantes, o conhecimento e o dinheiro apenas lhe agravarão os compromissos no egoísmo praticado, na distração inoperante ou na perda lamentável de tempo.

Apesar da oportuna observação, notamos que o esposo da obsidiada não oferecia receptividade mental que nos favorecesse a modificação desejável.

Todo o nosso esforço sutil para colocá-lo noutro caminho redundou em fracasso. Gabriel não sabia cultivar a meditação.

Embora visivelmente preocupado, comentou o orientador:

— De qualquer modo, aqui nos achamos para ajudar e servir. Acompanharemos o casal nessa nova aventura.

Em breve tempo, entraríamos em contato com o psiquista lembrado.

Com muito interesse, como quem sabia, de antemão, os sucessos que se desdobrariam, Saldanha acompanhou as mínimas providências, sem desagarrar-se da jovem senhora.

Alguns minutos antes das onze do dia, encontrávamo-nos todos em vasto salão de espera, aguardando a chamada.

Mais três grupos de pessoas ali se congregavam em ansiosa espera.

Demorava-se o professor em gabinete isolado, atendendo a enfermo mental que se revelava, de longe, pelas frases desconexas que proferia em alta voz.

Reparei que os presentes se faziam seguidos de grande número de desencarnados. Para definir corretamente, a casa inteira mais se assemelhava a larga colmeia de trabalhadores sem corpo físico.

11.3   Entidades de reduzida expressão evolutiva iam e vinham, prestando pouca atenção à nossa presença.

Em vista da férrea disposição de Saldanha, no sentido de manter Margarida sob severa custódia pessoal, o nosso instrutor, alegando interesse na sondagem do ambiente, afastou-se um tanto, em nossa companhia, detendo-se no exame acurado dos consulentes.

Acercamo-nos de acolhedora poltrona, em que um cavalheiro de idade madura, dando mostras de evidente moléstia nervosa, permanecia ladeado por dois rapazes. Suor frio lhe banhava a fronte e extrema palidez, com traços de terror, lhe exteriorizava a lipotimia.[22] Revelava-se torturado por visões pavorosas no campo íntimo, somente acessíveis a ele mesmo. Registrei-lhe as perturbações cerebrais e vi, sob forte assombro, as várias formas ovoides, escuras e diferençadas entre si, aderindo-lhe à organização perispirítica. Achava-me interessado em que o nosso instrutor se pronunciasse. Gúbio observava-o meticulosamente, decerto nos preparando valiosos ensinamentos. Transcorridos alguns instantes, falou-nos em voz sumida:

— Vejamos a que calamidades fisiológicas podem os distúrbios da mente conduzir um homem. Temos sob nosso olhar um investigador da polícia em graves perturbações. Não soube deter o bastão da responsabilidade. Dele abusou para humilhar e ferir. Durante alguns anos, conseguiu manter o remorso a distância; todavia, cada pensamento de indignação das vítimas passou a circular-lhe na atmosfera psíquica, esperando ensejo de fazer-se sentir. Com a maneira cruel de proceder, atraiu não só a ira de muita gente, mas também a convivência constante de entidades de péssimo comportamento, que mais lhe arruinaram o teor de vida mental. Chegado o tempo de meditar sobre os caminhos percorridos, na intimidade dos

---

[22] N.E.: Perda súbita da consciência.

primeiros sintomas de senectude corporal, o remorso abriu-lhe grande brecha na fortaleza em que se entrincheirava. As forças acumuladas dos pensamentos destrutivos que provocou para si mesmo, pela conduta irrefletida a que se entregou levianamente, libertadas de súbito pela aflição e pelo medo, quebraram-lhe a fantasiosa resistência orgânica, quais tempestades que se sucedem furiosas, esbarrondando a represa frágil com que se acredita conter o impulso crescente das águas. Sobrevindo a crise, energias desequilibradas da mente em desvario vergastaram-lhe os delicados órgãos do corpo físico. Os mais vulneráveis sofreram consequências terríveis. Não apenas o sistema nervoso padece tortura incrível: o fígado traumatizado inclina-se para a cirrose fatal.

Sentindo-nos as interrogações silenciosas do olhar, quanto à solução possível naquele enigma doloroso, o orientador acentuou:

— Este amigo, no fundo, está perseguido por si mesmo, atormentado pelo que fez e pelo que tem sido. Só a extrema modificação mental para o bem poderá conservá-lo no vaso físico; uma fé renovadora, com esforço de reforma persistente e digna da vida moral mais nobre, conferir-lhe-á diretrizes superiores, dotando-o de forças imprescindíveis à autorrestauração. Permanece dominado pelos quadros malignos que improvisou em gabinetes isolados e escuros, pelo simples gosto de espancar infelizes, a pretexto de salvaguardar a harmonia social. A memória é um disco vivo e milagroso. Fotografa as imagens de nossas ações e recolhe o som de quanto falamos e ouvimos... Por intermédio dela, somos condenados ou absolvidos, dentro de nós mesmos.

O assunto era sedutor, mas, talvez para não acordar demasiada atenção em Saldanha e em outros Espíritos menos educados que nos contemplavam curiosamente, Gúbio passou a reparar conosco outro caso.

11.5   Abeiramo-nos de um divã, em que respeitável senhora se sentava ao lado de jovem clorótica,[23] parecendo-me avó e neta. Dois Espíritos de aspecto sinistro rodeavam a menina, qual se devesse estar custodiada por guardas tirânicos.

A matrona aflitivamente aguardava o instante da consulta. A jovem, que proferia disparates, não falava por si. Fios tênues de energia magnética ligavam-lhe o cérebro à cabeça do irmão infeliz que se lhe mantinha à esquerda. Achava-se absolutamente controlada pelos pensamentos dele, à maneira de magnetizado e magnetizador. A doente ria sem propósito e conversava a esmo, reportando-se a projetos de vingança, com todas as características de idiotia e inconsciência.

Gúbio examinou-a com a atenção habitual e informou:

— Encontramos aqui doloroso drama do passado. A vida não pode ser considerada na conta estreita de uma existência carnal. Abrange a eternidade. É infinita nos séculos infinitos. Esta menina comprometeu-se gravemente no pretérito. Desposou um homem e desviou-lhe o irmão para vicioso caminho. O primeiro suicidou-se e o segundo asilou-se no fundo vale da loucura. Ei-los, presentemente, ao lado dela para deplorável vindita. Na atualidade, a avozinha preparou-lhe um casamento nobre, receando deixá-la no mundo entregue a si própria; entretanto, em vésperas de concretização do plano benéfico, ambas as vítimas de outro tempo, mentalmente cristalizadas no propósito de desforra, buscam impedir-lhe a união esponsalícia. O ex-marido ultrajado, em fase primária de evolução, ainda não conseguiu esquecer-lhe a falta e ocupa-lhe os centros da fala e do equilíbrio. Enche-lhe a mente de ideias dele, subjuga-a e requisita-lhe a presença na esfera em que se encontra. Permanece a pobrezinha saturada de fluidos que lhe não pertencem. Certamente já peregrinou por diversos consultórios de psiquiatria, sem resultado, e vem até aqui procurando socorro.

---

[23] N.E.: Que apresenta clorose, anemia. Por extensão de sentido: muito pálida.

— Encontrará remédio adequado? — interrogou Elói, sob forte impressão. 11.6

— Não me parece muito bem encaminhada — elucidou o nosso dirigente, sem presunção. — Exige renovação interior e, ao que acredito, não obterá nesta casa senão ligeiro paliativo. Em casos de obsessão como este, em que a paciente ainda pode reagir com segurança, faz-se indispensável o curso pessoal de resistência. Não adianta retirar a sucata que perturba um ímã, quando o próprio ímã continua atraindo a sucata.

Efetivamente, seríamos singularmente favorecidos por ensinamentos novos se persistíssemos no estudo em foco; todavia, Saldanha, de longe, nos endereçava olhar indagador e era preciso seguir adiante.

Buscamos o recanto mais escuro do salão, onde dois homens, em idade madura, se mantinham em silêncio. De imediato, reconhecemos que um deles guardava indiscutível desequilíbrio orgânico. Muito pálido e abatido, demonstrava sinais de profunda inquietação.

Junto deles se encontrava uma entidade desencarnada de humilde aspecto. Tomei-a por parte integrante da vasta coleção de Espíritos perturbados que ali funcionava; entretanto, com agradável surpresa para mim, dirigiu-se a Gúbio, exclamando de maneira discreta:

— Já lhes identifiquei, pelo tom vibratório, a posição de amigos do bem.

Indicando o enfermo, acentuou:

— Venho aqui na defesa deste amigo. Segundo estarão informados, dispomos no recinto de vigoroso operador mediúnico, sem iluminação interior de maior vulto. Assalariou ele algumas dezenas de Espíritos desencarnados, de educação incipiente, que lhe absorvem as emanações e trabalham cegamente sob suas ordens, tanto para o bem quanto para o mal.

11.7   Sorrindo, acrescentou:

— Nesta casa, o enfermo não é amparado pelo socorrista de que se vem valer, e sim pela assistência espiritual edificante de que possa desfrutar.

E porque eu indagasse com respeito ao doente, explicou gentil:

— Este companheiro é austero administrador de serviços públicos. Na condição de mordomo e disciplinador, incapaz de usar o algodão da ternura em feridas alheias, adquiriu ódios gratuitos e silenciosas perseguições que lhe vergastam a mente, sem cessar, desde muitos anos, com perigosos reflexos no sistema circulatório, zona menos resistente do seu cosmos físico. Lutando, desassombrado, por reajustar a concepção de funcionários relapsos, mas sem armas de amor na própria defensiva, apresenta consideráveis prejuízos nas veias coronárias. Semelhantes ataques de forças imponderáveis visaram-lhe igualmente o fígado e o baço, que se revelam em lamentáveis condições. Acontece, porém, que a grande corrente de perseguidores, despertados por sua ação enérgica e educativa, conseguiu insinuar nos médicos que o assistem a necessidade de uma intervenção na vesícula biliar, preparando-se-lhe, com isso, um choque operatório, que lhe imporá a morte inesperada do corpo. O plano foi admiravelmente bem delineado. Entretanto, pelo bem que existe no fundo da severidade com que o nosso companheiro tem agido, buscaremos socorrê-lo por meio do médium que deliberou visitar. Recebi instruções no sentido de obstar a operação cirúrgica e confio na vitória de minha tarefa.

Francamente, eu gostaria de levar a efeito um exame no paciente, para verificar até que ponto havia sofrido os golpes mentais em serviço, mas o olhar de Gúbio se fizera imperativo.

Cabia-nos a execução de deveres importantes e precisávamos retornar ao Saldanha. O problema de Margarida era complexo e competia-nos enfrentar-lhe a solução, de ânimo firme.

11.8 O obsessor da infortunada senhora, sentindo-nos o concurso espontâneo, acolheu-nos sem desconfiança.

Assumindo ares de pessoa superinteligente, comunicou ao nosso instrutor que resolvera solicitar a neutralidade dos servos espirituais do professor operante. Com fina sagacidade, asseverou que era necessário evitar a piedade do médium e confundir-lhe as observações, por meio de todos os recursos possíveis.

Em seguida à elucidação que me surpreendeu, rogou a presença de um dos colaboradores mais influentes e apareceu diante de nós a esquisita figura de um anão de semblante enigmático e expressivo.

Expedito, Saldanha pediu-lhe cooperação sem rebuços, esclarecendo que o operador da casa não deveria penetrar o problema de Margarida na intimidade. Prometia-lhe, em troca do favor, não só a ele, mas também a outros auxiliares no assunto, excelente remuneração em colônia não distante. E descreveu-lhe, com largas promessas, quanto lhe poderia proporcionar em regalo e prazeres no cortiço de entidades perturbadas e ignorantes, onde conhecêramos Gregório.

O serviçal manifestou indisfarçado contentamento e assegurou que o médium não perceberia patavina.

Com justificada curiosidade, acompanhei o desenrolar dos acontecimentos.

Logo à entrada do gabinete, percebi que a oficina não inspirava segura confiança.

O professor pôs-se imediatamente a combinar o preço do trabalho de que se encarregaria, exigindo adiantadamente de Gabriel significativo pagamento. O intercâmbio ali, entre as duas esferas, se resumia a negócio tão comum quanto outro qualquer.

Sem detença, reconheci que o médium, se podia controlar, de algum modo, os Espíritos que se alimentavam de seu esforço, era também facilmente controlado por eles.

11.9 O recinto jazia repleto de entidades em fase primária de evolução.

Saldanha, excessivamente atarefado, anunciou-nos que presidiria, de perto, aos trâmites da ação mediúnica, notificando-nos, prazeroso, que lhe fora hipotecada plena ajuda das entidades ali dominantes.

Em razão disso, podíamos analisar os fatos, em companhia de Gúbio, recolhendo preciosa lição.

Depois de visivelmente satisfeito no acordo financeiro estabelecido, colocou-se o vidente em profunda concentração e notei o fluxo de energias a emanarem dele, por todos os poros, mas muito particularmente da boca, das narinas, dos ouvidos e do peito. Aquela força, semelhante a vapor fino e sutil, como que povoava o ambiente acanhado, e reparei que as individualidades de ordem primária ou retardadas, que coadjuvavam o médium em suas incursões em nosso plano, sorviam-na a longos haustos, sustentando-se dela, quanto se nutre o homem comum de proteína, carboidratos e vitaminas.

Examinando a paisagem, Gúbio esclareceu-nos em voz imperceptível aos demais:

— Esta força não é patrimônio de privilegiados. É propriedade vulgar de todas as criaturas, mas entendem-na e utilizam-na somente aqueles que a exercitam por meio de acuradas meditações. É o *spiritus subtilissimus* de Newton, o "fluido magnético" de Mesmer e a "emanação ódica" de Reichenbach. No fundo, é a energia plástica da mente que a acumula em si mesma, tomando-a ao fluido universal em que todas as correntes da vida se banham e se refazem, nos mais diversos reinos da Natureza, dentro do Universo. Cada ser vivo é um transformador dessa força, segundo o potencial receptivo e irradiante que lhe diz respeito. Nasce o homem e renasce, centenas de vezes, para aprender a usá-la, desenvolvê-la, enriquecê-la, sublimá-la, engrandecê-la e divinizá-la. Entretanto, na maioria das vezes, a criatura foge à luta que interpreta por sofrimento e aflição, quando é inestimável recurso de autoaprimoramento, adiando a própria santificação, caminho único de nossa aproximação do Criador.

Vendo a cena que se desenrolava, ponderei:

— É forçoso convir, porém, que este vidente é vigoroso na instrumentalidade. Permanece em perfeito contato com os Espíritos que o assistem e que encontram nele sólido sustentáculo.

— Sim — confirmou o orientador, sereno —, mas não vemos aqui qualquer sinal de sublimação na ordem moral. O professor de relações com a nossa esfera, inabordável, por enquanto, ao homem comum, sintoniza-se com as emissões vibratórias das entidades que o acompanham em posição primitivista, pode ouvir-lhes os pareceres e registrar-lhes as considerações. Entretanto, isto não basta. Desfazer-se alguém do veículo de carne não é iniciar-se na divindade. Há bilhões de Espíritos em evolução que rodeiam os homens encarnados, em todos os círculos de luta, muito inferiores, em alguns casos, a eles mesmos e que, facilmente, se convertem em instrumentos passivos dos seus desejos e paixões. Daí, o imperativo de muita capacidade de sublimação para quantos se consagram ao intercâmbio entre os dois mundos, porque, se a virtude é transmissível, os males são epidêmicos.

Nesse ínterim, reparamos que o médium, desligado do corpo físico, se punha a ouvir, atencioso, justamente a argumentação do assalariado mais inteligente, cuja cooperação Saldanha requisitara.

— Volte, meu amigo — asseverava, jactancioso, ao médium desdobrado —, e diga ao esposo de nossa irmã doente que o caso orgânico é simples. Bastar-lhe-á o socorro médico.

— Não é uma obsidiada vulgar? — inquiriu o médium, algo hesitante.

— Não, não, isto não! Esclareça o problema. O enigma é de medicina comum. Sistema nervoso em frangalhos. Esta senhora é candidata aos choques da casa de saúde. Nada mais.

1.11   — Não seria lícito algo tentar em favor dela?! — tornou o psiquista, sensibilizado.

O interpelado riu-se numa tranquilidade de pasmar e rematou:

— Ora, ora, você deve saber que, individualmente, cada criatura tem o seu próprio destino. Se nosso concurso fosse eficiente, não teria gosto para tergiversações. Não há tempo a perder.

A essa altura, Saldanha endereçava-lhe um sorriso de satisfação, aprovando o alvitre e fazendo-nos sentir como é possível enganar a muitos, quando o homem apenas confia na estreiteza da sua própria observação.

Perante o quadro que nos era dado apreciar, ousei dirigir-me discretamente a Gúbio, indagando:

— Não nos achamos diante de autêntica manifestação espiritista?

— Sim — confirmou em tom grave —, à frente de legítimo fenômeno dentro do qual uma individualidade encarnada recebe os pareceres de outra, ausente do envoltório carnal. Entretanto, André, os companheiros de ideal cristão, corporificados na crosta da Terra, vão compreendendo agora que o fenômeno em si é tão rebelde quanto o rio encachoeirado que rola a esmo, sem comportas, sem disciplina. Jamais endossaremos um Espiritismo dogmático e intolerante. É imprescindível, porém, que o clima da prece, da renúncia edificante, do espírito de serviço e fé renovadora, por meio de padrões morais nobilitantes, constitua a nota fundamental de nossas atividades no psiquismo transformador, a fim de que nos encontremos, realmente, num serviço de elevação para o supremo Pai. Temos aqui um médium de possibilidades ricas e extensas, que, pelo simples comércio vulgar a que reduziu a movimentação de suas faculdades, não acorda impressões construtivas naqueles que o buscam. Pode ser um cooperador valioso em certas circunstâncias, mas não é o trabalhador ideal, suscetível de provocar o interesse dos grandes benfeitores da vida superior. Estes não se animariam a comprometer grandes instruções por intermédio de servidores, bem-intencionados embora, que não vacilam em vender as essências divinas em troca de recursos amoedados da luta comum. O caminho da oração e do sacrifício é, portanto, indispensável ainda a quantos se propõem dignificar a vida. A prece sentida aumenta o potencial radiante da mente, dilatando-lhe as energias e enobrecendo-as, enquanto a renúncia e a bondade educam a todos os que se lhes acercam da fonte, enraizada no sumo bem. Não basta, dessa maneira, exteriorizar a força mental de que todos somos dotados e mobilizá-la. É indispensável, acima de tudo, imprimir-lhe direção divina. É por esta razão que pugnamos pelo Espiritismo com Jesus, única fórmula de não nos perdermos em ruinosa aventura.

11.1 Compreendi os preciosos argumentos do instrutor, pronunciados à meia voz, e, extremamente impressionado, guardei respeitoso silêncio.

O vidente retomou a gaiola física, finalizando a operação simplesmente técnico-mecânica de contato com a nossa esfera, sem qualquer resultado no capítulo de elevação espiritual que lhe melhorasse o ambiente. Abriu os olhos, reajustou-se na cadeira e informou a Gabriel que o problema seria solucionado com a colaboração da Psiquiatria. Comentou a situação precária dos nervos da doente e chegou a indicar um especialista de seu conhecimento para que novo método de cura fosse tentado.

O casal agradeceu comovidamente, e, enquanto se articulavam as despedidas, o professor recomendou à enferma resistência e cautela, ante os estados mentais depressivos.

A jovem senhora recebeu as observações com o desencanto e a dor de quem se sente alvejado pelo sarcasmo e partiu.

1.13   Saldanha, à nossa vista, abraçou os cooperadores, que tão bem haviam desempenhado a deplorável tarefa, combinou ocasião de encontro amistoso, a fim de comemorarem o que se lhes figurava significativo triunfo e, em seguida, notificou-nos em voz firme:

— Vamos, amigos! Quem começa a vingança deve marchar seguro até o fim.

Endereçou-lhe Gúbio triste sorriso, com que disfarçava a aflição extrema, e acompanhou-o humildemente.

12
Missão de amor

12.1   Voltando a casa, algumas horas transcorreram tocadas para nós de singular expectativa; entretanto, à noitinha, Saldanha manifestou o propósito de visitar o filho hospitalizado.

Com espanto, reparei que o nosso instrutor lhe pedia permissão para que o acompanhássemos.

O perseguidor de Margarida, algo surpreso, acedeu, indagando, porém, quanto ao móvel de semelhante solicitação:

— Quem sabe se poderemos ser úteis? — respondeu Gúbio, otimista.

Não houve relutância.

Guardadas rigorosas precauções por parte de Saldanha, que se fez substituir, junto à doente, por Leôncio, um dos dois implacáveis hipnotizadores, rumamos para o hospício.

Entre variadas vítimas da demência, relegadas a reajuste cruel, a posição de Jorge era de lamentar. Encontramo-lo de bruços no cimento gelado de cela primitiva. Mostrava as mãos feridas, coladas ao rosto imóvel.

O genitor, que até ali se nos afigurara impermeável e endurecido, contemplou o filho com visível angústia nos olhos velados de pranto e elucidou com infinita amargura na voz:

— Está, certamente, repousando depois de crise forte.

Não era, contudo, o rapaz tresloucado e abatido quem mais inspirava compaixão. Agarradas a ele, ligadas ao círculo vital que lhe era próprio, a mãezinha e a esposa desencarnadas absorviam-lhe os recursos orgânicos. Jaziam igualmente estiradas no chão, letárgicas quase, como se houvessem atravessado violento acesso de dor.

Irene, a suicida, trazia a destra jungida à garganta, apresentando o quadro perfeito de quem vivia sob dolorosa aflição de envenenamento, ao passo que a genitora enlaçava o enfermo, de olhos parados nele, exibindo ambas sinais iniludíveis de atormentada introversão. Fluidos semelhantes a massa viscosa cobriam-lhes todo o cérebro, desde a extremidade da medula espinhal até os lobos frontais, acentuando-se nas zonas motoras e sensitivas.

Concentradas nas forças do infeliz, como se a personalidade de Jorge representasse a única ponte de que dispunham para a comunicação com a forma de existência que vinham de abandonar, revelavam-se integralmente subjugadas pelos interesses primários da vida física.

— Estão loucas — informou Saldanha, na intenção evidente de ser agradável —, não me compreendem, nem me reconhecem, embora me fixem. Guardam o comportamento de crianças quando fustigadas pela dor. Corações de porcelana, quebrados facilmente.

E, franzindo o sobrecenho, transtornado agora por insofreável rancor, acrescentou:

— Raras mulheres sabem conservar a fortaleza nas guerras de revide. Em geral, sucumbem rapidamente, vencidas pela ternura inoperante.

12.3   Nosso orientador, desejando anular as vibrações de cólera no companheiro, cortou-lhe o rumo das impressões destrutivas, confirmando, pesaroso:

— Demoram-se, efetivamente, em profunda hipnose. Nossas irmãs não conseguiram, por enquanto, ultrapassar o pesadelo do sofrimento, no transe da morte, qual acontece ao viajante que inicia a travessia de vasta corrente de águas turvas sem recursos para alcançar a outra margem. Ligadas ao filho e esposo, objeto que lhes centralizou, nas horas finais do corpo denso, todas as preocupações afetivas, combinaram as próprias energias com as forças torturadas dele e aquietam-se, aflitivamente, no centro dos fluidos que lhes constituem criação individual, como acontece ao *Bombyx mori*[24] imobilizado e dormente sob os fios, tecidos por ele mesmo.

O obsessor de Margarida registrou as observações, demonstrando indisfarçável surpresa no olhar, e acentuou, mais calmo:

— Por mais que eu me procure insinuar, gritando-lhes meu nome aos ouvidos, não conseguem entender-me. Em verdade, movem-se e se lastimam, por meio de longas frases desconexas, mas a memória e a atenção parecem mortas. Se insisto, carregando-as, a custo, ansioso por infundir-lhes vida nova com que me possam auxiliar na vingança, vejo baldado todo esforço, porquanto regressam imediatamente para Jorge, logo que as suponho livres, num impulso análogo ao das agulhas que um ímã recolhe a distância.

— Sim — corroborou o nosso diretor —, mostram-se temporariamente esmagadas de pavor, desânimo e sofrimento. Pela ausência de trabalho mental contínuo e bem coordenado, não expeliram as "forças coagulantes" do desalento, que elas mesmas produziram, inconformadas, ante os imperativos da luta normal na Terra e entregaram-se, com indiferença, a deplorável torpor, dentro do qual se alimentam das energias do enfermo. Drenado

---
[24] N.E.: Bicho-da-seda.

incessantemente nas reservas psíquicas, o doente, hipnotizado por ambas, vive entre alucinações e desesperos, naturalmente incompreensíveis para quantos o rodeiam.

Com sincera disposição de servir, Gúbio sentou-se no piso cimentado e, num gesto de extrema bondade, acomodou no regaço paternal as cabeças das três personagens daquela cena comovente de dor e, endereçando olhar amigo ao algoz da mulher que pretendia salvar, que o observava espantadiço, indagou: **12.4**

— Saldanha, permite-me algo fazer em benefício dos nossos?

A fisionomia do perseguidor modificou-se.

Aquele gesto espontâneo do nosso orientador desarmava-lhe o coração, emocionando-o nas fibras mais íntimas, a julgar pelo sorriso que lhe inundou o semblante até então desagradável e sombrio.

— Como não? — falou quase gentil. — É o que procuro realizar inutilmente.

Impressionado com a lição que recebíamos, contemplei a paisagem ao redor, cotejando-a com a da câmara em que Margarida experimentava aflição e tortura. Os impedimentos aqui eram muito mais difíceis de vencer. O cubículo transbordava imundície. Nas celas contíguas, entidades de repugnante aspecto se arrastavam a esmo. Mostravam algumas características animalescas, de pasmar. A atmosfera para nós se fizera sufocante, saturada de nuvens de substâncias escuras, formadas pelos pensamentos em desequilíbrio de encarnados e desencarnados que perambulavam no local, em deplorável posição.

Confrontando as situações, monologava mentalmente: por que motivo singular não operara nosso orientador no quarto da simpática senhora, que amava por filha espiritual, para entregar-se, ali, sem reservas, ao trabalho de assistência cristã? Vendo-lhe, porém, a solicitude na solução do problema afetivo que atormentava o adversário, entendi, pouco a pouco, por intermédio da ação do mentor magnânimo, a beleza emocionante e sublime do ensinamento evangélico: "Ama o teu inimigo, ora por aqueles que te perseguem e caluniam, perdoa setenta vezes sete".

2.5 Gúbio, sob nosso olhar comovido, afagava a fronte das três entidades sofredoras, parecendo liberar cada uma dos fluidos pesados que as entorpeciam, em profundo abatimento. Decorrida meia hora na evidente operação magnética de estímulo, endereçou novo olhar ao verdugo de Margarida, que lhe analisava os mínimos gestos com dobrada atenção, e interrogou:

— Saldanha, não te agastarias se eu orasse em voz alta?

A pergunta obteve os efeitos de um choque.

— Oh! Oh!... — fez o interpelado, surpreendido. — Acreditas em semelhante panaceia?

Mas, sentindo-nos, de pronto, a infinita boa vontade, aduziu, confundido:

— Sim... Sim... Se querem...

Nosso instrutor valeu-se daquele minuto de simpatia e, alçando o pensamento ao Alto, deprecou, humilde:

Senhor Jesus!
Nosso Divino Amigo...
Há sempre quem peça pelos perseguidos,
Mas raros se lembram de auxiliar os perseguidores!
Em toda parte, ouvimos rogativas
Em benefício dos que obedecem;
Entretanto, é difícil
Surpreendermos uma súplica
Em favor dos que administram.
Há muitos que rogam pelos fracos
Para que sejam, a tempo, socorridos;
No entanto, raríssimos corações

Imploram concurso divino para os fortes,
A fim de que sejam bem conduzidos.
Senhor, Tua justiça não falha.
Conheces aquele que fere e aquele que é ferido.
Não julgas pelo padrão de nossos desejos caprichosos,
Porque o Teu amor é perfeito e infinito...
Nunca Te inclinaste tão somente
Para os cegos, doentes e desalentados da sorte,
Porque amparas, na hora justa,
Os que causam a cegueira, a enfermidade e o desânimo...
Se salvas, em verdade, as vítimas do mal,
Buscas, igualmente, os pecadores, os infiéis e os injustos.

Não menoscabaste a jactância dos doutores   **12.**
E conversaste amorosamente com eles
No templo de Jerusalém.
Não condenaste os afortunados, e sim
abençoaste-lhes as obras úteis.

Em casa de Simão, o fariseu orgulhoso,
Não desprezaste a mulher transviada,
Ajudaste-a com fraternas mãos.
Não desamparaste os malfeitores,
Aceitaste a companhia de dois ladrões,
no dia da cruz.

Se Tu, Mestre,
O Mensageiro imaculado,
Assim procedeste na Terra,
Quem somos nós,
Espíritos endividados,
Para amaldiçoarmo-nos, uns aos outros?

Acende em nós a claridade dum entendimento novo!
Auxilia-nos a interpretar as dores do próximo
por nossas próprias dores.

2.7 *Quando atormentados,*
Faze-nos sentir as dificuldades
daqueles que nos atormentam
Para que saibamos vencer os obstáculos em teu nome.

Misericordioso amigo,
Não nos deixes sem rumo,
Relegados à limitação dos nossos próprios sentimentos...
Acrescenta-nos a fé vacilante,
Descortina-nos as raízes comuns da vida,
A fim de compreendermos, finalmente,
Que somos irmãos uns dos outros.
Ensina-nos que não existe outra lei,
Fora do sacrifício,
Que nos possa facultar o anelado crescimento
Para os mundos divinos.

Impele-nos à compreensão do drama redentor
A que nos achamos vinculados.
Ajuda-nos a converter o ódio em amor,
Porque não sabemos,
Em nossa condição de inferioridade,
Senão transformar o amor em ódio,
Quando os teus desígnios se modificam, a nosso respeito.

Temos o coração chagado e os pés feridos
Na longa marcha, através das incompreensões
que nos são próprias,

E nossa mente, por isto,
Aspira ao clima da verdadeira paz,
Com a mesma aflição
Por que o viajor extenuado no deserto
Anseia por água pura.

Senhor,
Infunde-nos o dom
De nos ampararmos mutuamente.
Beneficiaste os que não creram em Ti,
Protegeste os que te não compreenderam,
Ressurgiste para os discípulos que te fugiram,
Legaste o tesouro
Do conhecimento divino
Aos que te crucificaram e esqueceram...

Por que razão, nós outros,
Míseros vermes do lodo ante uma estrela celeste,
Quando comparados contigo,
Recearíamos estender dadivosas mãos
Aos que nos não entendem ainda?!...

O instrutor imprimira tocante inflexão aos últimos lances da rogativa.

Elói e eu tínhamos os olhos turvos de lágrimas, tanto quanto Saldanha, que recuara, aterrado, para um dos ângulos escuros da cela triste.

Gúbio transformara-se gradualmente. As vibrações vigorosas daquela súplica, que arrancara ao próprio coração, expulsaram as partículas obscuras de que se havia tocado, quando penetrávamos a colônia penal em que conhecêramos Gregório, e sublimada luz brilhava-lhe agora no semblante que o pranto de amor e compunção irisava com intraduzível beleza. Parecia ocultar desconhecido lampadário no peito e na fronte, os quais despediam raios luminosos de intenso azul, ao mesmo tempo que formoso fio de claridade incompreensível o ligava com o Alto, perante nosso aturdido olhar.

2.9 Findo o intervalo, fez incidir toda a luminosidade que o envolvia sobre as três criaturas que asilava no regaço e exorou:

É para eles, Senhor,
Para os que repousam aqui em densas sombras,
Que Te suplicamos a bênção!
Desata-os, Mestre da caridade e da compaixão,
Liberta-os para que se equilibrem e se reconheçam...
Ajuda-os
A se aprimorarem nas emoções do amor santificante,
Olvidando as paixões inferiores para sempre.
Possam eles sentir-Te
O desvelado carinho,
Porque também Te amam e Te buscam,
Inconscientemente,
Embora permaneçam supliciados
No vale fundo
De sentimentos escuros e degradantes...

Nesse ponto, o orientador interrompeu-se. Intensos jorros de luz projetavam-se em torno dele, atirados por mãos invisíveis aos nossos olhos. Com perceptível emotividade, Gúbio aplicou passes magnéticos em cada um dos três infelizes e, em seguida, falou ao rapaz encarnado:

— Jorge, levanta-te! Estás livre para o necessário reajustamento.

O interpelado arregalou os órgãos visuais, parecendo acordar de pesadelo angustioso. Inquietação e tristeza desapareceram-lhe do rosto, celeremente. Num impulso maquinal, obedeceu à ordem recebida, erguendo-se com absoluto controle do raciocínio.

A interferência do benfeitor quebrara os elos que o prendiam às parentas desencarnadas, liberando-lhe a economia psíquica.

Presenciando o acontecimento, Saldanha gritou, em lágrimas:

— Meu filho! Meu filho!

O doente não registrou as exclamações nascidas do entusiasmo paterno, mas procurou o leito singelo onde se aquietou com inesperada serenidade.

Vencido nos melhores sentimentos de que era detentor, o algoz de Margarida aproximou-se do nosso dirigente, com as maneiras de uma criança humilhada que reconhece a superioridade do mestre, mas antes que pudesse tomar-lhe as mãos, para osculá-las talvez, pediu-lhe Gúbio, sem afetação:

— Saldanha, acalma-te. Nossas amigas despertarão agora.

Afagou a cabeça de Iracema e a infortunada mãe de Jorge voltou a si, gemendo:

— Onde estou?!...

Reparando, no entanto, a presença do marido, ao lado, nomeou-o por apelido carinhoso de família e bradou, desvairada de emoção:

— Socorre-me! Onde está nosso filho? Nosso filho?

Passou, logo após, para a fraseologia particular de quem reencontra um ser amado, depois de ausência longa.

O obsessor da doente que nos interessava de mais perto, tangido nas fibras recônditas do ser, derramava agora abundantes lágrimas e buscava o olhar de Gúbio, instintivamente, rogando-lhe, sem palavras, medidas salvacionistas.

— Em que mau sonho me demorei? — indagava a desventurada irmã, chorando convulsivamente. — Que cela imunda é esta? Será verdade que já atravessamos o túmulo?

E, em crise de desespero, acrescentava:

— Temo o demônio! Temo o demônio! Ó Deus meu! Salva-me, salva-me!...

Nosso instrutor dirigiu-lhe palavras encorajadoras e indicou-lhe o filho que descansava bem ao nosso lado.

Recompondo-se gradualmente, ela perguntou a Saldanha por que emudecera, faltando à palavra amorosa e confiante de outro tempo, ao que o verdugo de Margarida respondeu significativamente:

— Iracema, eu ainda não aprendi a ser útil... Não sei confortar ninguém.

A essa altura, a sofredora mãe, então desperta, passou a interessar-se pela companheira de infortúnio, que fazia a mão direita movimentar-se sobre a garganta. Crendo a custo tratar-se da nora, que se lhe fizera irreconhecível, apelou aflita:

— Irene! Irene!

Interveio Gúbio, com o poder de *despertamento* que lhe era peculiar, distribuindo vigorosas energias aos centros cerebrais da criatura que continuava abatida.

Transcorridos alguns instantes, a nora de Saldanha ergueu-se, num grito terrível.

Sentia dificuldade em articular a voz. Sufocava-se ruidosamente, presa de angústia infinita.

Nosso orientador, vigilante, segurou-lhe ambas as mãos com a destra e com a mão esquerda ministrou-lhe recursos magnético-balsâmicos sobre a glote e, sobretudo, ao longo das papilas gustativas, acalmando-a, de alguma sorte.

Embora despertada, a suicida não mostrava a relativa consciência de si mesma. Não guardava a menor ideia de que seu corpo físico se desfizera no túmulo. Era o tipo da sonâmbula perfeita, acordando de súbito.

Adiantou-se na direção do esposo, reintegrado nas próprias faculdades, e exclamou estentórica:

— Jorge, Jorge! Ainda bem que o veneno não me matou! Perdoa-me o gesto impensado... Curar-me-ei para vingar-te! Assassinarei o juiz que te condenou a tão cruéis padecimentos!

Observando, ao contrário do que esperava, que o esposo não reagia, implorou:

— Ouve! Atende-me! Onde dormi tanto tempo? Nossa filha! Onde está?

O interpelado, todavia, que se lhe desligara da influência direta nos centros perispirituais, prosseguiu na mesma atitude fleumática e impassível de quem ajuizava com dificuldade a própria situação.

Foi ainda Gúbio quem se abeirou de Irene, elucidando:

— Aquieta-te, minha filha!

— Sossegar-me? Eu? — protestou a infortunada. — Não posso! Quero tornar a casa... Esta grade me asfixia... Cavalheiro, por quem é, reconduza-me ao lar. Meu esposo permanece encarcerado injustamente... Estará por certo dementado... Não me escuta, não me atende. Por minha vez, sinto a garganta carcomida de veneno mortal... Quero minha filha e um médico!

Nosso orientador, contudo, respondeu-lhe com voz triste, não obstante acariciar-lhe a fronte assustadiça:

— Filha, as portas de tua casa no mundo cerraram-se para tua alma com os olhos do corpo que perdeste. Teu esposo jaz liberado dos compromissos do matrimônio carnal, e tua filha, desde muito, foi acolhida em outro lar. É indispensável, pois, que te refaças, de modo a prestar-lhes todo o serviço que desejas.

A desditosa criatura rojou-se de joelhos, soluçando.

— Então, morri? A morte é uma tragédia pior que a vida? — clamou desesperada.

— A morte é simples mudança de veste — elucidou Gúbio, sereno —; somos o que somos. Depois do sepulcro, não encontramos senão o paraíso ou o inferno criados por nós mesmos.

13.   E, adoçando a voz para conversar na condição de um pai, prosseguiu comovido:

— Por que atiraste fora o remédio salvador, esfacelando o vaso sagrado que o continha? Nunca ouviste o choro dos que padeciam mais que tu mesma? Jamais te inclinaste para registrar as aflições que vinham de mais fundo? Por que não auscultaste o silencioso martírio daqueles que não possuem mãos para reagir, pernas para andar, voz para suplicar?

— A revolta consumiu-me... — explicou a desventurada.

— Sim — confirmou o instrutor, solícito —, um momento de rebeldia põe um destino em perigo, como diminuto erro de cálculo ameaça a estabilidade dum edifício inteiro.

— Infeliz de mim! — suspirou Irene, aceitando a amargosa realidade. — Onde estava Deus que me não socorreu a tempo?

— A pergunta é inoportuna — esclareceu nosso dirigente bondosamente. — Procuraste saber, antes, onde te encontravas a ponto de te esqueceres tão profundamente de Deus? A bondade do Senhor nunca se ausenta de nós. Se transparecia da bendita oportunidade terrena que te conduzia à vitória espiritual, reside também agora nas lágrimas de contrição que te encaminham à regeneração salutar. Admito que possas, em breve, alcançar semelhante bênção; entretanto, cavaste enorme precipício entre a tua consciência e a harmonia divina que precisarás transpor, efetuando a própria recomposição. Por algum tempo, experimentarás a consequência do ato impensado. Colher fruto imaturo é praticar violência. Intoxicaste a matéria delicada sobre a qual se estruturam os tecidos da alma e poucas circunstâncias te atenuam a gravidade da falta. Não percas, porém, a esperança e dirige os passos na direção do bem. Se o horizonte, por vezes, se faz mais longínquo, nunca se torna inatingível.

E, encorajando-a paternalmente, acentuou:

— Vencerás, Irene; vencerás.

A interlocutora, entre o desapontamento e a rebelião, não parecia interessada em reter os elevados conceitos ouvidos. Desviando a atenção da verdade que a feria fundo, identificou a presença de Saldanha, passando a gritar medrosamente.

Gúbio interferiu, acalmando-a.

A companheira de Jorge, todavia, dominado o temor infantil, regressou à intemperança mental, pousou no sogro os olhos atormentados e inquiriu:

— Sombra ou fantasma, que procuras aqui? Por que não vingaste o filho infeliz? Não te dói tanta infâmia inútil? Não disporás, acaso, de armas com que possas ferir o juiz desalmado que nos conspurcou a vida? Cessa, então, com a morte o devotamento dos pais? Descansarás, porventura, em algum céu, contemplando Jorge, assim, reduzido a frangalhos? Ou ignoras a realidade cruel? Que razões te compelem à mudez das estátuas? Por que não buscaste, sem repouso, a justiça de Deus, que não se encontra na Terra?

As perguntas semelhavam-se a golpes de ferro em brasa.

O perseguidor de Margarida recebia-as por vergastadas no íntimo, porquanto extrema indignação lhe empalideceu o semblante. Hesitava quanto à atitude a assumir, mas, reconhecendo-se diante de um condutor amoroso e sábio, procurou o olhar de Gúbio, rogando-lhe cooperação em silêncio, e o nosso instrutor tomou, por ele, a palavra.

— Irene — exclamou, melancólico —, a certeza da vida vitoriosa, acima da morte, não te infunde respeito ao coração? Supões estejamos subordinados a um poder que nos desconhece? Perante a verdade nova que te surpreende a alma, não percebes a infinita sabedoria de um supremo Doador de todas as bênçãos? Onde se encontra a felicidade da vingança? O sangue e as lágrimas de nossos inimigos apenas aprofundam as chagas que nos abriram nos corações. Acreditas que a legítima consagração de um pai deva traduzir-se por meio da dilaceração ou do homicídio, da perseguição ou da cólera? Saldanha veio até este cárcere, por amor, e eu creio que as mais nobres conquistas dele lhe retornam à superfície da personalidade, triunfantes e renascentes!... Não lhe precipites a ternura paterna no abismo do desespero, de cujas trevas procuras inutilmente fugir.

A desditosa mulher silenciou, soluçante, enquanto o sogro enxugava as lágrimas que as observações generosas de Gúbio lhe haviam arrancado.

Foi então que Iracema se declarou exausta e suplicou a dádiva dum leito.

O nosso orientador convidou Saldanha a se pronunciar.

Se Jorge melhorara, ambas as senhoras desencarnadas exigiam socorro urgente. Não seria lícito abandoná-las àquele clima de desintegração das melhores energias morais.

— Perfeitamente — concordou o obsessor de Margarida, sob intensa modificação —, conheço os celerados que aqui se reúnem, e agora que Iracema e Irene tornaram à consciência que lhes é própria, preocupa-me a gravidade do assunto.

Nosso dirigente explicou-lhe que poderíamos abrigá-las numa organização socorrista, não distante, mas, para levarmos a efeito semelhante medida, não poderíamos olvidar-lhe a permissão.

Saldanha aceitou contente e agradeceu desapontado. Sentia-se estimulado ao bem, por conta da palavra cordial de nosso orientador, e revelava-se disposto a não perder o mínimo ensejo de corresponder-lhe à dedicação fraterna.

Depois de alguns minutos, ausentávamo-nos do hospício conduzindo as irmãs enfermas a recolhimento adequado, onde Gúbio as internou com todo o prestígio de suas virtudes celestes, ante o visível espanto de Saldanha, que não sabia como exprimir-se no reconhecimento a extravasar-lhe da alma.

Ao retornarmos, o perseguidor de Margarida, cabisbaixo e humilhado, perguntou, timidamente, quais eram as armas justas num serviço de salvação, ao que o nosso orientador retrucou atenciosamente:

— Em todos os lugares, um grande amor pode socorrer o amor menor, dilatando-lhe as fronteiras e impelindo-o para o Alto, e, em toda parte, a grande fé, vitoriosa e sublime, pode auxiliar a fé pequenina e vacilante, arrebatando-a às culminâncias da vida.

Saldanha não voltou à palavra e fizemos a maior parte do caminho em significativo silêncio.

13
Convocação familiar

13.1   Alcançando a grande residência em que Margarida descansava, antes de nos instalarmos de novo junto à enferma, Gúbio, assistido agora pelo enorme respeito de Saldanha, dirigiu-lhe a palavra, examinando a oportunidade de conversarmos com o juiz e analisar a situação da filhinha de Jorge, ali refugiada.

O magistrado residia com os parentes na ala central do vasto edifício de que Gabriel e a esposa usavam pequena dependência. Até então, não lhe havíamos atingido a zona domiciliar.

— É possível — informou o nosso instrutor — promovermos benéfica reunião, convocando alguns encarnados a possível ajuste. O juiz, certamente, dispõe de alguma peça em que possamos permanecer congregados por alguns minutos.

Saldanha concordou, por monossílabos, ao modo do aprendiz que se vê na obrigação de aderir indiscriminadamente ao mestre.

— A noite é propícia — prosseguiu o instrutor, prestativo e simples — e atravessamos os primeiros minutos da madrugada.

Entramos, respeitosos, mas confesso que o sono do magistrado não poderia ser tão calmo quanto desejaria, em virtude do grande número de entidades sofredoras que lhe batiam às portas internas. Algumas rogavam socorro em altos brados. A maioria reclamava justiça.

Dispúnhamo-nos a visitar os aposentos particulares do dono da casa, quando um rapaz encarnado nos surge à frente, cauteloso, deslocando-se a caminho do pavimento inferior.

Saldanha tocou, de leve, o braço de Gúbio e notificou:

— Este é Alencar, irmão de Margarida e perseguidor de minha neta.

— Vejamo-lo — exclamou o interpelado, alterando-nos a direção.

Seguimos o jovem, que nem de longe conseguiria registrar-nos a presença, e observamos que, após descer alguns degraus, se postava à entrada de compartimento modesto, tentando forçá-la.

Em torno, inalava-se-lhe o hálito viciado, percebendo-se que o jovem procedia de grandes libações.

— Todas as noites — comentou Saldanha, preocupado — procura abusar de nossa pobre menina. Não tem o mínimo respeito a si mesmo. Reparando a resistência de Lia, estende os processos de perseguição, com ameaças diversas, e acredito que, se ainda não atingiu os fins indignos para os quais se orienta, é porque permaneço a postos, agindo na defesa com a brutalidade que me é característica.

Notamos, admirados, o tom de humildade que transparecia das palavras do vigoroso verdugo.

Saldanha ressurgia visceralmente transfigurado. A consideração que dispensava a Gúbio dava-nos conhecimento da súbita transformação que nele se operara. Mostrava compreensão e doçura nos gestos reverentes.

Ouvindo-o, nosso orientador, sem qualquer alarde de superioridade, concordou:

Libertação | Capítulo 13

3.3 — Efetivamente, Saldanha, este rapaz se revela possuído de forças degradantes e precisa colaboração enérgica que o auxilie a buscar higiene mental.

Em seguida, atentamente, ministrou-lhe passes magnéticos nos órgãos visuais.

Escoados alguns minutos, Alencar retirou-se, algo cambaleante, para a câmara de dormir, de pálpebras semicerradas, acreditando Saldanha que alguma enfermidade inofensiva, por alguns dias, a partir daquela hora, o ajudaria a meditar nos deveres do homem de bem.

O obsidente de Margarida demonstrava indisfarçável contentamento.

Logo após, em companhia de nosso devotado orientador, passamos ao apartamento privado do juiz.

O magistrado se mantinha de corpo repousado sobre o colchão macio, mostrando, contudo, a mente inquieta, flagelada.

Permitiu Gúbio que eu lhe tocasse a fronte, auscultando-lhe os pensamentos mais profundos.

Naquela hora avançada da noite, o encanecido cavalheiro meditava: "Onde estariam centralizados os supremos interesses da vida? Onde a ambicionada paz espiritual que não conquistara em mais de meio século de experiência ativa na Terra? Por que arquivava no coração os mesmos sonhos e necessidades do homem de 15 anos, quando ultrapassara já os 60? Crescera, estudara, casara-se. Todas as lutas, no fundo, não lhe haviam modificado a personalidade. Conquistara os títulos que assinalam no mundo os sacerdotes do direito e, por centenas de vezes, envergara a toga para julgar processos difíceis. Proferira sentenças inúmeras e tivera nas mãos, sob o próprio desígnio, a destinação de muitos lares e de coletividades inteiras. Recebera homenagens de pobres e ricos, grandes e pequenos, no transcurso da viagem pelo encapelado mar da experiência terrestre em face da posição que desfrutava no ataviado barco do tribunal. Respondera a milhares de consultas em casos de harmonia social, mas, na vida íntima, singular deserto lhe povoava a alma toda. Sentia sede de fraternidade com os homens; todavia, a posse do ouro e a eminência na atividade pública impunham-lhe grandes obstáculos para ler a verdade na máscara dos semelhantes. Experimentava intraduzível fome de Deus. No entanto, os dogmas das religiões sectárias e as discórdias entre elas afastavam-lhe o espírito de qualquer acordo com a fé atuante no mundo. Por outro lado, a ciência comum, negativista e impenitente, ressecara-lhe o coração. Toda a existência se resumiria a simples fenômenos mecânicos dentro da Natureza? Adotada essa hipótese, toda a vida humana seria tão importante como a bolha d'água a desfazer-se ao vento. Sentia-se dilacerado, oprimido, exausto. Ele que esclarecera a muitos, quanto às mais elevadas normas de conduta pessoal, como elucidaria, agora, a si mesmo? Defrontado pelos primeiros sintomas da velhice do corpo de carne, reagia, magoado, contra a extinção gradual das energias orgânicas. Por que as rugas do rosto, o alvejar dos cabelos, o enfraquecimento da visão e o empobrecimento do celeiro vital, se a mocidade lhe vibrava na mente ansiosa por renovação? Seria a morte simplesmente a noite sem alvorada? Que misterioso poder dispunha, assim, da vida humana, conduzindo-a a objetivos inesperados e ocultos?".

Retirei a destra, percebendo que o respeitável funcionário tinha os olhos úmidos.

Aproximou-se Gúbio e colocou-lhe as mãos sobre a fronte, comunicando-nos que prepará-lo-ia para a conversação próxima, dirigindo-lhe a intuição para as reminiscências do processo em que Jorge fora implicado.

Daí a instantes, notei que os olhos do juiz exibiam modificada expressão. Dir-se-ia contemplarem cenas distanciadas, com indizível tortura. Mostravam-se angustiados, doridos...

13.5   O instrutor recomendou-me tornar à auscultação psíquica e voltei a pousar a mão direita sobre o cérebro dele.

Com as minhas percepções gerais algo desenvolvidas, ouvi-lhe os pensamentos novos.

"Por que razão se detinha" — meditava o pai de Margarida — "naquele processo liquidado, a seu ver, desde muito, ferindo o próprio coração? Anos haviam transcorrido sobre o crime obscuro; entretanto, o assunto lhe revivia na cabeça, qual se a memória lho impusesse, tirânica e desapiedada, por disco de estranho padecimento moral. Que motivos o levavam a rememorar semelhante peça judiciária com tanta força? Via Jorge, mentalmente, esquecido no abismo da inconsciência e lembrava-lhe as palavras veementes, afirmando inocência. Não conseguia explicar por que fortes razões lhe recolhera a filha, introduzindo-a no próprio lar. Debalde procurava o móvel secreto que o induzia a demorar-se no assunto, naquela madrugada de inexplicável insônia. Recordou que o sentenciado perdera a assistência dos melhores amigos e a própria esposa suicidara-se em pleno desespero... No entanto, por que reter-se naquele caso *sem importância*? Ele, o juiz, chamado a processos incontáveis, apreciara enigmas muito mais intrincados e importantes. Não conseguia, pois, justificar-se quanto às reminiscências do humilde condenado, réu de crime comum..."

Nesse comenos, o instrutor recomendou a Elói e a mim o trazimento de Jorge, fora do veículo carnal, ao domicílio do magistrado, e prepararia a este último o desligamento parcial do corpo por meio do sono.

Voltamos, o companheiro e eu, ao cubículo do obsidiado que se achava ausente do vaso físico, em grande prostração.

Administrei-lhe ao organismo perispiritual recursos fluídicos reparadores e transportamo-lo à residência indicada.

A essa altura, o dono da casa e a neta de Saldanha, provisoriamente libertos das teias fisiológicas, já se encontravam ao lado de Gúbio, que recebeu Jorge com desvelado carinho, e, unindo os três como que identificando-os a uma corrente magnética de forte expressão, emprestou-lhes forças à mente, por intermédio de operações fluídicas, para que o ouvissem acordados, em espírito, tanto quanto possível. Notei, então, que o *despertamento* não era análogo para os três. Variava de acordo com a posição evolutiva e condições mentais de cada um. O magistrado era mais lúcido pela agilidade dos raciocínios; a jovem Lia colocava-se em segundo lugar pelas singulares qualidades de inteligência; situava-se Jorge em posição inferior, em face do esgotamento em que se encontrava.

Vendo-se à frente do antigo réu e da filha, que identificou, de pronto, o categorizado expoente da justiça, perguntou a esmo, absorvido de insofreável espanto:

— Onde estamos? Onde estamos?

Nenhum de nós se atreveu à resposta.

Gúbio, no entanto, orava em silêncio; e quando formosa luz se lhe irradiou do tórax e do cérebro, dando-nos a entender que o sentimento e a razão se achavam nele irmanados em claridade celeste, exclamou para o assombrado interlocutor, tocando-lhe afavelmente os ombros:

— Juiz, o lar do mundo não é tão somente um asilo de corpos que o tempo transformará. É igualmente o ninho das almas, onde o espírito pode entender-se com o espírito, quando o sono sela os lábios de carne, suscetíveis de mentir. Congregamo-nos em teu próprio abrigo para uma audiência com a realidade.

O chefe daquele santuário doméstico escutava perplexo.

— O homem encarnado na Terra — continuou Gúbio empolgante — é uma alma eterna usando um corpo perecível, alma que procede de milenários caminhos para a integração com a verdade divina, à maneira do seixo que desce, rolando nos séculos, do cimo do monte para o seio recôndito do mar. Somos, todos, atores do drama sublime da evolução universal, por intermédio do amor e da dor... Indébita é a nossa interferência nos destinos uns dos outros, quando nossos pés trilham retos caminhos. Todavia, se nos desviamos da rota adequada, é razoável o apelo do amor para que a dor diminua.

13.7   O magistrado ligou os conceitos ouvidos à presença de Jorge, na sala, e inquiriu aflito:

— Apelam, porventura, em favor deste condenado?

— Sim — respondeu nosso instrutor, sem hesitar. — Não acreditas que esta vítima aparente de inconfessável erro judiciário já tenha esgotado o cálice do martírio oculto?

— O caso dele, porém, permanece liquidado.

— Não, juiz, nenhum de nós chegou ao fim dos processos redentores que nos dizem respeito. Não seria Jorge, acusado penitente, o único sentenciado indigno de uma pausa nas dores da remissão.

O interlocutor arregalou os olhos, mostrando certo orgulho ferido e retorquiu, quase sarcástico:

— Mas eu fui o juiz da causa. Consultei os códigos necessários, antes de emitir a sentença. O crime foi averiguado, os laudos testemunhais condenaram o réu. Não posso, em sã consciência, aceitar intromissões, mesmo tardias, sem argumentação ponderosa e cabível.

Gúbio contemplou-o compadecidamente e considerou:

— Compreendo-te a negativa. Os fluidos da carne tecem um véu pesado demais para ser facilmente rompido pelos que se não afeiçoam, ainda, diariamente, ao contato da Espiritualidade superior. Invocas a tua condição de sacerdote da lei para esmagares o destino de um trabalhador que já perdeu tudo quanto possuía, a fim de que resgatasse, intensivamente, os erros do passado distante. Referes-te ao título que a convenção humana te conferiu, certamente atendendo a injunções do Poder Divino; entretanto, não me pareces amoldado aos sublimes fundamentos de tua elevada missão no mundo, porquanto o homem que aceitou a mordomia no quadro dos bens materiais ou espirituais do planeta nunca alardeia superioridade, quando consciente das obrigações que lhe cabem, por entender na administração fiel um caminho de aprimoramento, mesmo por meio de extremo sofrimento moral. Distribuir amor e justiça, simultaneamente, na atualidade da Terra, em que a maioria das criaturas menospreza semelhantes dádivas, é crivar-se de dores. Admites que o homem viverá sem contas, ainda mesmo aquele que se supõe capacitado para julgar o próximo, em definitivo? Acreditas haja o teu raciocínio acertado em todos os enigmas da senda? Terás agido imparcialmente em todas as decisões? Não creias... O Justo Juiz foi crucificado num madeiro de linhas retas por devotar-se no mundo à extrema retidão. Todos nós, na estrada multissecular do conhecimento edificante, muita vez colocamos o desejo acima do dever e o capricho a cavaleiro dos princípios redentores que nos compete observar. Em quantas ocasiões já se te inclinou o mandato às contrafações da política desintegrante dos homens, ávidos de transitório poder? Em quantos processos permitiste que os teus sentimentos se turvassem no personalismo delinquente?!

13.8 O homem, em cuja presença identificava Saldanha perigoso inimigo, revelava-se infinitamente confundido. Palidez cadavérica lhe cobria o semblante, sobre o qual grossas lágrimas principiaram a correr.

— Juiz — continuou Gúbio, em voz firme —, não fosse a compaixão divina que te concede ao ministério diversos auxiliares invisíveis, amparando-te as ações, por amor à Justiça que representas, as vítimas dos teus erros involuntários e das paixões obcecantes daqueles que te cercam não te permitiriam a permanência no cargo. Teu palácio residencial mostra-se repleto de sombras. Muitos homens e mulheres, dos que já sentenciaste em mais de vinte anos nas lides do direito, arrebatados pela morte, não conseguiram seguir adiante, colados que se acham aos efeitos de tuas decisões e demoram-se em tua própria casa, aguardando-te explicações oportunas. Missionário da lei, sem hábitos de prece e meditação, únicos recursos pelos quais poderias abreviar o trabalho de esclarecimento que te assiste, grandes surpresas te reserva o transe final do corpo.

13.9 Verificando-se pausa mais longa, o magistrado exteriorizou nos olhos indefinível terror, caiu de joelhos e rogou:

— Benfeitor ou vingador, ensina-me o caminho! Que devo fazer em benefício do condenado?

— Facilitarás a revisão do processo e restituí-lo-ás à liberdade.

— Ele é, então, inocente? — indagou o interlocutor, exigindo bases sólidas a futuras conclusões.

— Ninguém sofre sem necessidade à frente da Justiça Celeste, e tão grande harmonia rege o Universo que os nossos próprios males se transubstanciam em bênçãos. Explicaremos tudo.

E, dando-nos a perceber que precisava gravar na mente do juiz quanto se lhe pedia da ação providencial, continuou:

— Não te circunscreverás à mencionada medida. Amparar-lhe-ás a filha, hoje internada por favor em tua casa, em estabelecimento condigno, onde possa receber a necessária educação.

— Mas — interveio o jurista — esta menina não é minha filha.

— Não serias, entretanto, convocado por nós a semelhante encargo, se não pudesses recebê-lo. Crês, porém, que o dinheiro em disponibilidade deva satisfazer tão somente as exigências daqueles que se reuniram a nós, dentro dos laços consanguíneos? Liberta o coração, meu amigo! Respira em mais alto clima. Aprende a semear amor no chão em que pisas. Quanto mais eminentemente colocada na experiência humana, mais intensivo pode tornar-se o esforço da criatura na própria elevação. Na Terra, a justiça abre tribunais para examinar o crime em seus aspectos variados, especializando-se na identificação do mal; todavia, no Céu, a harmonia descerra santuários, apreciando-nos a bondade e a virtude, consagrando-se à exaltação do bem, na totalidade dos seus ângulos divinos. Enquanto é tempo, faze de Jorge um amigo e da filha dele uma companheira de luta que te afague, um dia, os cabelos brancos e te ofereça, mais tarde, a luz da prece, quando teu espírito for compelido a transpor o escuro portal do túmulo.

O juiz, em pranto, interrogou:

— Como agir, porém?

— Amanhã — informou o instrutor, calmo e persuasivo — te erguerás do leito sem a lembrança integral do nosso entendimento de agora, porque o cérebro de carne é um instrumento delicado, incapaz de suportar a carga de duas vidas, mas ideias novas surgir-te-ão formosas e claras, com respeito ao bem que necessitas praticar. A intuição, contudo, que é o disco milagroso da consciência, funcionará livremente, retransmitindo-te as sugestões desta hora de luz e paz, qual canteiro de bênçãos ofertando-te flores perfumosas e espontâneas. Chegado esse momento, não permitas que o cálculo te abafe o impulso das boas obras. No coração hesitante, o raciocínio vulgar luta contra o sentimento renovador, turvando-lhe a corrente límpida, com o receio de ingratidão ou com ruinosa obediência aos preconceitos estabelecidos.

Diante de Saldanha que acompanhava a cena demonstrando indizível bem-estar, Jorge e a filha trocavam olhares de alegria e esperança.

O magistrado contemplou-os, pensativo, notando-se-lhe o propósito de endereçar ao nosso instrutor novas interpelações. Dominado, no entanto, pelas emoções do minuto, calou-se, resignado e humilde.

3.11   Gúbio, entretanto, perscrutando-lhe os pensamentos, tocou-lhe a fronte, de leve, com ambas as mãos e falou em voz firme:

— Gostarias que me expressasse a respeito da culpabilidade do réu, a fim de que a tua consciência de julgador consolide certos pontos de vista, já esposados no processo a que nos reportamos. Em verdade, quanto ao delito de que é presentemente acusado, Jorge tem as mãos limpas. Entretanto, a existência humana é como precioso tecido de que os olhos mortais apenas enxergam o lado avesso. Nos sofrimentos de hoje, solvemos os débitos de ontem. Com isto, não desejamos dizer que nossas falhas, muita vez oriundas da ociosidade ou da impenitência de agora, gerando resultados ruinosos para nós mesmos e para outrem, sejam recursos providenciais ao pagamento de alheias dívidas, porque assim consagraríamos a fatalidade por soberana do mundo, quando, em todas as horas, criamos causas e consequências com os nossos atos cotidianos. As entidades que pranteiam às tuas portas não choram sem razão e, mais dia menos dia, a toga que envergas temporariamente acertará contas com todos aqueles que, em torno dela, se lastimam. Jorge, porém, que aqui não se encontra em reclamações, e sim trazido por nós para benéfico entendimento, liberou certa parte do pretérito doloroso.

Gúbio, a essa altura, fez grande pausa em suas elucidações, fixou o interlocutor mais profundamente e prosseguiu, com grave entono:

— Juiz, pessoas e sucessos que nos afetam a consciência de maneira particular não constituem objeto vulgar na marcha reveladora da vida. Por agora, trazes a mente subjugada pelo choque biológico do retorno à carne e não poderias seguir-nos na exumação do passado recente. Já te auscultei, no entanto, os arquivos mentais e vejo os quadros que o tempo não destrói. No século findo, guardavas o título de posse sobre extensa faixa de terra e orgulhavas-te da posição de senhor de dezenas de escravos que, em maioria reencarnados, atualmente te integram a falange de colaboradores nos trabalhos comuns a que te sentes constrangido pela máquina funcional. A todos eles, deves assistência e carinho, auxílio e compreensão. Nem todos os servos do passado, porém, se confundem no mesmo naipe de relações com o teu espírito. Alguns se salientaram no drama que viveste e volvem ao teu caminho, impressionando-te o coração. Jorge de hoje era ontem teu escravo, embora nascesse quase sob o mesmo teto que te assinalou os primeiros vagidos. Era teu servidor, perante os códigos terrestres, e irmão consanguíneo, ante as Divinas Leis, não obstante afagado por outra mãe. Nunca lhe perdoaste semelhante aproximação, considerada em tua casa por aviltante ultraje ao nome familiar. Chegados ambos à tarefa da paternidade, teu filho de ontem e de hoje lhe transviou a filha do pretérito e de agora e, quando semelhante amargura sobreveio, com escárnio supremo para um lar cativo e triste, determinaste medidas condenáveis que culminaram no insofreável desespero de Jorge em outros tempos, o qual, desarvorado e semilouco, não somente roubou a vida ao corpo de teu filho que lhe invadira o santuário doméstico, mas também a própria existência, suicidando-se em dramáticas circunstâncias. Todavia, nem a dor nem a morte apagam as aflições da responsabilidade que só o regresso à oportunidade de reconciliação consegue remediar. E aqui te encontras, de novo, diante do condenado, junto do qual sempre te inclinaste à antipatia gratuita, e ao lado da jovem a quem prometeste amparar por filha muito querida ao coração. Trabalha, meu amigo! Vale-te dos anos, porque Alencar e tua pupila serão atraídos à bênção do matrimônio. Age enquanto podes. Todo bem praticado felicitará a ti mesmo, porquanto outro caminho para Deus não existe, fora do entendimento construtivo, da bondade ativa, do perdão redentor. Jorge, humilhado e desiludido, apagou o desvario deplorável, suportando inominável martírio moral em poucos anos de acusação indébita e prisão tormentosa, com viuvez, enfermidades e privações de toda espécie.

3.13 O nosso orientador fitou-o compadecido, na pausa mais ou menos longa que se fizera, e rematou:

— Não te dispões, por tua vez, aos testemunhos salvadores?

Abalo salutar, oculto à nossa apreciação, certamente sulcava, fundo, o espírito do magistrado, que mostrava o semblante extremamente transformado. Vimo-lo levantar-se, em lágrimas, cambaleante. A força magnética do nosso instrutor alcançara-lhe as fibras mais íntimas, porquanto os olhos dele pareciam iluminados de súbita determinação.

Abeirou-se de Jorge, estendeu-lhe a destra em sinal de fraternidade, que o filho de Saldanha beijou igualmente em pranto, e, em seguida, acercou-se da jovem, abriu-lhe os braços acolhedores e exclamou comovido:

— Serás minha filha doravante, para sempre!...

Indescritível contentamento marcou-nos o inolvidável minuto.

Gúbio ajudou-os a partir na direção do interior doméstico, e, quando nos dispúnhamos a reconduzir Jorge ao presídio de cura onde o corpo em repouso o esperava, Saldanha, plenamente modificado por uma alegria misteriosa que lhe refundia as expressões fisionômicas, avançou para o nosso instrutor e, tentando oscular-lhe as mãos, murmurou:

— Nunca pensei encontrar noite tão gloriosa quanto esta!

Ia desmanchar-se em palavras de reconhecimento, mas Gúbio, com naturalidade, obrigou-o a reajustar-se, acrescentando:

— Saldanha, nenhum júbilo, depois do amor de Deus, é tão grande quanto aquele que recolhemos no amor espontâneo de um amigo. Semelhante alegria, neste momento, é nossa, porque te sentimos a amizade nobre e sincera no coração.

E um abraço de carinhosa fraternidade coroou a tocante e inesquecível cena.

14
Singular episódio

14.1   Penetrando o compartimento em que Margarida descansava, lá nos aguardavam os dois hipnotizadores em função ativa.

Gúbio pousou significativo olhar em Saldanha e pediu-lhe em tom discreto:

— Meu amigo, chegou a minha vez de rogar. Releva-me a identificação, talvez tardia aos teus olhos, com relação aos objetivos que nos prendem aqui.

E, denunciando imensa comoção na voz, esclareceu:

— Saldanha, esta senhora doente é filha de meu coração desde outras eras. Sinto por ela o enternecimento com que cuidaste, até agora, do teu Jorge, defendendo-o com as forças de que dispões. Eu sei que a luta te impôs acerbos espinhos ao coração, mas também guardo sentimentos de pai. Não te merecerei, porventura, simpatia e ajuda? Somos irmãos no devotamento aos filhos, companheiros da mesma luta.

Observei, então, cena comovedora que, minutos antes, se me figuraria inacreditável.

O perseguidor da enferma contemplou o nosso instrutor com o olhar dum filho arrependido. Grossas lágrimas brotaram-lhe dos olhos antes frios e impassíveis. Parecia inabilitado a responder, diante da emotividade que lhe dominava a garganta; todavia, Gúbio, enlaçando-lhe fraternalmente o busto, acrescentou:

— Passamos horas sublimes de trabalho, entendimento e perdão. Não desejarás desculpar os que te feriram, libertando, enfim, quem me é tão querida ao espírito? Chega sempre um instante no mundo em que nos entediamos dos próprios erros. Nossa alma se banha na fonte lustral do pranto renovador e esquecemos todo o mal a fim de valorizar todo o bem. Noutro tempo, persegui e humilhei, por minha vez. Não acreditava em boas obras que não nascessem de minhas mãos. Supunha-me dominador e invencível, quando não passava de infeliz e insensato. Considerava inimigos quantos me não compreendessem os caprichos perigosos e me não louvassem a insânia. Experimentava diabólico prazer quando o adversário esmolasse piedade ao meu orgulho, e gostava de praticar a generosidade humilhante daquele que determina sem concorrentes. Mas a vida, que faz caminhos na própria pedra, usando a gota d'água, retalhou-me o coração com o estilete dos minutos, transformando-me devagar, e o déspota morreu dentro de mim. O título de irmão é, hoje, o único de que efetivamente me orgulho. Dize-me, Saldanha amigo, se o ódio está igualmente morto em teu espírito; fala-me se devo contar com o abençoado concurso de tuas mãos!

Eu e Elói tínhamos lágrimas ardentes, diante daquela doutrinação emocionante e inesperada.

Saldanha enxugou os olhos, fixou-os, humilde, no interlocutor bondoso e asseverou, comovendo-nos:

— Ninguém me falou ainda como tu... Tuas palavras são consagradas por uma força divina que eu não conheço, porque chegam aos meus ouvidos, quando já me encontro confundido pelos teus atos convincentes. Faze de mim o que desejares. Adotaste, nesta noite, por filhos de teu coração todos os parentes em cuja memória ainda vivo. Amparaste-me o filho demente, ajudaste-me a esposa alucinada, protegeste-me a nora infeliz, socorreste-me a neta indefesa e repreendeste os que me perturbavam sem motivo justo... Como não enlaçar, agora, as minhas mãos com as tuas na salvação da pobre mulher que amas por filha? Ainda que ela própria me houvesse apunhalado mil vezes, teu pedido, após o bem que me fizeste, redimi-la-ia ao meu olhar...

14.3 E, detendo a custo o pranto que lhe manava espontâneo, o ex-perseguidor acentuou, com expressão respeitosa:

— Poderoso Espírito e bom amigo, que me procuraste na condição do servo apagado para acordar-me as forças enrijecidas no gelo da vingança, estou pronto a servir-te! Sou teu de ora em diante!

— Seremos de Jesus para sempre! — corrigiu Gúbio, sem afetação.

E, abraçando-o efusivamente, conduziu-o a pequeno aposento próximo, naturalmente para organizar plano de ação eficiente e rápido.

Somente aí me lembrei de que nos achávamos na presença de ambos os hipnotizadores em função ativa junto ao casal em repouso. Um deles se revelava inquieto e demonstrava-se francamente compreensivo; notava que algo de extraordinário se passava, mas, talvez compelido por votos de disciplina, não se animava a dirigir-nos palavra. O outro, todavia, não acusava qualquer emoção. Continuava alheio ao drama que vivíamos. Figurava-se um autômato em serviço, impressionando-me particularmente pela impassibilidade do olhar.

Alguns minutos transcorreram pesados, quando Gúbio e Saldanha retornaram à cena.

O ex-obsessor de Margarida mostrava-se mudado, quase imponente. Via-se-lhe no porte a renovação de rumo interior.

Certo, estabelecera novo programa de luta, em companhia **14.4** do nosso dirigente, porque chamou o hipnotizador mais vivo a conversação particular.

Próximos de mim, a palestra desdobrou-se clara.

— Leôncio — disse Saldanha, entusiasmado —, nosso projeto mudou e conto com a tua colaboração.

— Que houve? — indagou curiosamente o interpelado.

— Um grande acontecimento.

E prosseguiu, transformado:

— Temos aqui um mago da luz divina.

Em traços rápidos, narrou-lhe os sucessos da noite, em comovedora síntese, terminando por apelar:

— Poderemos contar contigo?

— Perfeitamente — esclareceu o companheiro —, sou amigo dos amigos, não obstante os riscos da empresa.

E, designando com um golpe de olhar o outro magnetizador que prosseguia operando ao lado de Margarida, em serviço automático, objetou:

— É indispensável, porém, todo o cuidado com Gaspar, que não se acha em condições de aderir.

— Tranquiliza-te — esclareceu Saldanha, mais atencioso —, providenciaremos tudo.

Mostrou Leôncio estranho brilho nos olhos e, dirigindo-se ao ex-chefe de tortura, falou súplice:

— Escuta! Conheces meu problema. Já que foste socorrido pelo mago, não poderei receber contribuição dele por minha vez? Tenho na Terra a esposa seduzida e o filho à morte.

Imprimindo inolvidável acento à voz, observou:

— Saldanha, não desconheces que sou criminoso, mas sou pai ainda... Se eu pudesse livrar o filhinho da revolta e da sepultura enquanto é tempo, considerar-me-ia sumamente feliz. Sabes que um condenado não deseja igual sorte para os rebentos do coração!

14.5   Ante o choroso apelo, Saldanha não hesitou:

— Bem — tornou um tanto embaraçado —, procura o benfeitor Gúbio e expõe-lhe o caso com franqueza.

Leôncio não se fez rogado.

Acercou-se, respeitoso, de nosso instrutor e explicou-se simplesmente, sem rebuços:

— Amigo, acabo de saber com que devotamento mobilizas tua força em benefício de criaturas desviadas do bem, como nós, que nos sentimos desprezíveis diante de todos. É por isso que também venho implorar-te auxílio imediato.

— Em que poderemos ser úteis? — indagou o orientador, cortês.

— Passei para cá, há longos sete anos, e deixei no mundo minha mulher e um filhinho recém-nato. Voltei, moço ainda, sufocado no esgotamento pelo trabalho excessivo em busca do dinheiro fácil. Obtive, realmente, o que intentara, com a provisão de vastos depósitos bancários com que a esposa ainda se mantém, até hoje, a coberto de todas as necessidades. O desespero, a ânsia inútil por retomar o corpo que abandonara, a vaidade ferida converteram-me no colaborador desumano de que Gregório, o nosso chefe, tanto se orgulha... Ai de mim, porém, que me sentia dono exclusivo dos encantos da mulher que eu adorava! De dois anos para cá, minha infortunada Avelina passou a escutar as fantasiosas propostas de um enfermeiro que se aproveitou da fragilidade orgânica de meu filhinho para insinuar-se sobre o ânimo da pobre mãe, viúva e jovem. Chamado a prestar socorro ao menino, depois de um incidente sem importância, o profissional percebeu as preciosidades materiais da presa cobiçada. Desde então, assediou-me a esposa sem descanso e passou a envenenar meu pequeno, pouco a pouco, à força de entorpecentes, administrados por ele, seguindo um plano cruel. No decurso do tempo, conseguiu de Avelina quanto queria: dinheiro, ilusões, prazeres e promessa de casamento. Acredito que o consórcio se realizará dentro de breves dias, e já me resignei a semelhante acontecimento, porque a alma encarnada respira sob teia grossa de pesadelos e exigências, mas o perseguidor embuçado, sentindo em meu filho um concorrente forte aos bens que amontoei, procura aniquilá-lo sem pressa, roubando-lhe, calculado e ingrato, o ensejo de viver para um futuro digno e feliz.

Interrompeu-se por alguns momentos e prosseguiu, comovido:

— Francamente, envergonho-me de suplicar um favor que não mereço, mas o espírito pervertido, como eu, que pede recursos salvadores para os entes amados, guarda consciência do próprio infortúnio no mal que elegeu para inspirar-lhe o caminho... Benfeitor, por piedade! Meu desventurado Ângelo permanece à beira do túmulo... Admito que o fim do corpo esteja marcado para breves dias, se mãos amigas e devotadas não nos socorrerem à altura de nossa indigência. Já fiz tudo quanto se achava ao alcance de nossas possibilidades, porém sou parte integrante de uma falange de seres malvados, e o mal não salva nem melhora ninguém.

Gúbio ia responder, mas Elói tomou a dianteira e, com imensa surpresa para nós, perguntou sem cerimônia:

— E o nome do enfermeiro? Quem é esse quase infanticida?

— É Felício de...

Quando o nome de família foi pronunciado, nosso companheiro apoiou-se em mim para não cair.

— É meu irmão! — bradou. — É meu irmão...

Forte emotividade empalideceu-lhe o rosto e expectativa inquietante desabou sobre nós.

Mas Gúbio, com a serenidade sublime que lhe assinalava a fronte, abraçou Elói e inquiriu calmo:

— Onde está o infeliz que não seja nosso irmão necessitado?

A frase inteligente e bondosa sossegou o colega deprimido e ofegante.

14.7 Desejoso talvez de desfazer as nuvens que se adensavam naquele reduto doméstico e de o transformar em abençoado santuário, nosso instrutor convidou-nos a visitar o menino enfermo, sem perda de tempo.

Saldanha indicou a figura estranha de Gaspar, que parecia surdo e insensível ao que se passava, e lembrou:

— Deixá-lo-emos sozinho por algumas horas. Aliás, precisamos, pelo menos, de um dia, a fim de fortificarmos a defensiva. A falange de Gregório não nos perdoará.

Nosso instrutor sorriu em silêncio e ausentamo-nos.

Soprava brando e fresco vento da madrugada e pesada quietude reinava nas vias suburbanas que cruzávamos a passo rápido.

Leôncio, à frente, mostrou-nos confortável vivenda e informou:

— Aqui mesmo.

Entramos.

Em aposentos diversos, a dona da casa e o enfermeiro dormiam à solta, enquanto um pequeno simpático gemia, quase imperceptivelmente, demonstrando angústia e mal-estar.

Notava-se nele a devastação operada pelos tóxicos insistentes. Profunda melancolia estampava-se-lhe no olhar.

Leôncio, o temido hipnotizador, abraçou-o e esclareceu:

— Os venenos sutis, que ingere em doses diminutas e sistemáticas, invadem-lhe o corpo e a alma.

Fios magnéticos e invisíveis ligavam, ali, pai e filho, porque o menino, num lance comovedor, embora a prostração em que se achava, contemplou, embevecido, o retrato grande do paizinho, suspenso da parede, e falou, súplice, baixinho:

— Papai, onde está o senhor?... Tenho medo, muito medo...

Lágrimas ardentes seguiram-lhe a prece inesperada e o hipnotizador de Margarida, que até então se nos afigurara um gênio horrível, prorrompeu em pranto emocionante.

Gúbio ausentou-se por momentos e regressou trazendo 14.8 Felício, o enfermeiro, provisoriamente desligado do aparelho fisiológico. O rapaz, não obstante semi-inconsciente, ao avistar Elói junto ao doentinho, procurou recuar, num impulso de evidente pavor, mas nosso dirigente conteve-o, sem aspereza.

Meu colega abeirou-se dele, já de fisionomia transfigurada, buscando dirigir-lhe a palavra.

O instrutor, no entanto, afagou-o com a destra e avisou:

— Elói, não interfiras. Não te encontras em condições sentimentais de operar com êxito. A indignação afetiva denunciar-te-ia a inabilidade provisória para atenderes a este gênero de serviço. Atuarás no fim.

Em seguida, Gúbio aplicou passes de *despertamento* em Felício para que a mente dele acompanhasse a lição daquela hora, dentro do mais alto estado de consciência que lhe fosse possível, notando-se que o paciente passou a fixar-nos com mais clareza, envergonhado e espantadiço. Fitou Elói, positivamente amedrontado, e reparando Leôncio a chorar sobre o filhinho, fez novo movimento de recuo, interrogando embora:

— Quê? Pois este monstro chora?

Gúbio aproveitou a pergunta brutalmente desfechada e interveio sereno:

— Não concedes a um pai o direito de emocionar-se ante o filhinho perseguido e doente?

— Sei apenas que ele é para mim um inimigo implacável — comentou o irmão de Elói, com insofreável animosidade —, e reconheço-o, de perto. É o marido de Avelina... A princípio, via-o nos odiosos retratos que povoam esta casa... Depois passou a flagelar-me nas horas de sono...

— Escuta! — disse-lhe o orientador, com inflexão de carinho. — Quem terá assumido a posição de adversário, em primeiro lugar? O coração dele, humilhado e ferido nos sentimentos mais altos que possui, ou o teu que urdiu deplorável projeto de conquista sentimental ante uma viúva indefesa? O dele que padece nos zelos inquietantes de pai ou o teu que comparece neste lar com o escuro propósito de assassinar-lhe o filhinho?!

14.9 — Mas Leôncio é um "morto"! — suspirou o enfermeiro, desapontado.

— E não hás de sê-lo, um dia — tornou o nosso dirigente —, quando houveres restituído o corpo de carne ao inventário de pó?

E porque o interlocutor não pudesse prosseguir, conturbado pelas forças desintegrantes da culpa, o instrutor continuou:

— Felício, por que insistes no condenável enredo com que preparas tão calculado crime? Não te compadeces, porventura, de uma criança enferma e sem pai visível? Tens Leôncio na conta dum monstro, por defender o frágil rebento do coração, tal como a ave que ataca, ainda que impotente, na ânsia de preservar o ninho... Que dizer, porém, de ti, meu irmão, que não vacilas em devassar este santuário, tão somente com o instinto de gozo e poder? Como interpretar-te o gesto lastimável de enfermeiro que se vale do divino dom de aliviar e curar para perturbar e ferir? Felício, a experiência humana, confrontada com a eternidade em que se movimentará a consciência, é simples sonho ou pesadelo de alguns minutos. Por que comprometer o futuro ao preço do conforto ilusório de alguns dias? Os que plantam espinhos colhem espinhos na própria alma e compareçem perante o Senhor de mãos convertidas em garras abomináveis. Os que espalham pedras em derredor dos pés alheios serão surpreendidos, mais tarde, pelo endurecimento e paralisia do próprio coração. Guardas, porventura, suficiente noção da responsabilidade que assumes? Possuis ainda no coração evidentes restos de bondade igual à daqueles que se acolhem no âmbito de uma família abençoada e grande, em cujo seio a solidariedade é cultivada desde os primórdios da luta. Vejo que o entusiasmo juvenil não se extinguiu, de todo, em tua mente. Por que ceder às sugestões do crime? Não te comove a prostração deste menino a quem procuras impor a morte vagarosa? Repara! O drama de Leôncio não se resume ao conflito de um "morto", como supões em teu perturbado raciocínio. Ausculta-lhe o coração de pai amoroso e dedicado! Encontrarás dentro dele a afeição doce e pura, à maneira do brilhante oculto no cascalho rijo e contundente.

O irmão de Elói pousava em nosso instrutor os olhos medrosos e espantados.

Depois de leve pausa, Gúbio continuou:

— Aproxima-te. Vem a nós. Perdeste a capacidade de amar? Leôncio é teu amigo, nosso irmão.

Felício gritou com visível expressão de angústia:

— Quero ser bom, mas não posso... Tento melhorar-me e não consigo...

De voz entrecortada pelos soluços, acrescentou:

— E o dinheiro? Como resgatarei os débitos contraídos? Sem o casamento com Avelina, a solução é impraticável!

Nosso dirigente abraçou-o e aduziu:

— E acreditas solver compromissos financeiros provocando dívidas morais que te atormentarão por tempo indeterminado? Ninguém te proíbe o casamento, nem Leôncio, o organizador dos bens materiais de que pretendes dispor, discricionariamente, te poderia induzir à abstenção nesse sentido. Os atos de cada homem e de cada mulher arquitetam-lhes os destinos. Somos responsáveis por todas as deliberações que perfilharmos ante os programas do Eterno e não poderíamos interferir em teu livre-arbítrio, mas te pedimos concurso em benefício desta vida frágil que deve continuar... Queres dinheiro, recursos que te façam respeitado ou temido pelos outros homens. Convence-te, porém, de que a fortuna é uma coroa pesada demais para a cabeça que não sabe sustentá-la e costuma arrojar à poeira, por meio do cansaço e da desilusão, todos aqueles que a senhoreiam sem horizontes largos de trabalho e benemerência. Não importa, pois, que comandes os valiosos depósitos de prata e ouro que Leôncio amontoou, inadvertidamente, porque aprenderás, com os anos, que a felicidade não está metida em cofres que a ferrugem consome. Todavia, Felício, interessamo-nos por tua promessa em favor desta criança, extenuada de sofrimento. Poupa-lhe o corpo tenro e aguarda o futuro! Não tragas para o reino da morte semelhante delito, que te confinaria o espírito a furnas trevosas de expiação regeneradora.

.11   Ante a interrupção que se impusera natural, Felício quis dizer qualquer coisa para justificar-se, mas não pôde.

Gúbio, todavia, prosseguiu, sereno:

— Casa-te, esbanja as reservas preciosas deste lar se não souberes entender a tempo a sagrada missão do dinheiro, sobe aos píncaros da vida social transitória, adorna-te com os títulos convencionais com que o mundo inferior se habituou a premiar as criaturas sagazes que sobem a ladeira da dominação inútil ou ruinosa, sem ferir-lhe publicamente os preconceitos, porque o tempo te esperará sempre, com lições de mestre; sem embargo, ajuda o pequenino a restabelecer-se.

E, endereçando compassivo olhar ao hipnotizador de Margarida, acentuou:

— Não é bem isto, Leôncio, quanto desejamos?

— Sim — confirmou o pobre pai em lágrimas enternecidas —, o dinheiro não importa e agora reconheço que Avelina é tão livre quanto eu mesmo. Mas se meu filhinho continuar na Terra, tenho esperanças em minha própria regeneração. Terei nele um companheiro e um amigo, ligado à minha memória, em cuja capacidade de servir poderei encontrar bendito campo de serviço espiritual. Este menino, por enquanto, é o único meio de que disponho para retomar a crença no bem de que me havia afastado.

Reconhecendo-lhe o doloroso esforço para falar e rogar naquela hora, Gúbio abraçou-o, ergueu-o e disse:

— Leôncio, Jesus crê na cooperação dos homens, tanto assim que nos tolera as imperfeições renitentes até que aceitemos o imperativo de nossa conversão pessoal ao supremo bem. Por que havíamos então de descrer? Confio na renovação de Felício. De hoje em diante, o teu filhinho não será mais vigiado por um perseguidor, e sim protegido por desvelado benfeitor, digno de nosso concurso fraterno!

O enfermeiro, vencido por semelhantes palavras, ajoelhou-se diante de nós e jurou:

— Em nome da Justiça Divina, prometo amparar esta criança como verdadeiro pai!

Em seguida, reergueu-se e tentou beijar as mãos de Gúbio, mas o nosso instrutor, abstendo-se delicadamente de receber a homenagem, recomendou a Elói e a mim conduzíssemos o paciente ao corpo físico, enquanto ele mesmo aplicaria passes de fortalecimento ao doentinho.

Felício abraçou-se a nós ambos e, depois de nosso auxílio por reajustar-se no aparelho carnal, acordou no leito em copiosas lágrimas.

O lance, porém, não terminou aí.

Forçando a situação de algum modo, Elói inoculou-lhe intensa energia magnética à esfera ocular e o irmão, apalermado, viu-nos ambos por alguns segundos.

Boquiaberto, assombrado, não sabia que dizer, mas Elói acercou-se dele e, com benéfica indignação a resplandecer-lhe nos olhos, exortou-o francamente:

— Se assassinares este menino, eu mesmo te punirei.

O enfermeiro proferiu grito terrível e deixou cair no travesseiro a cabeça desfalecente, perdendo-nos de vista.

Nesse instante, acreditei com sinceridade que a promessa de Felício seria cumprida integralmente.

15
Finalmente, o socorro

5.1   Entusiasmado com a atuação do nosso instrutor, Saldanha entregou-se a gestos de humildade quase ingênua, e tanto ele quanto Leôncio passaram a cooperar ativamente conosco nos preparativos em benefício da solução que buscávamos.

Ambos solicitaram continuidade do mesmo quadro ambiente, para não acordarmos, contra nós, desavisadamente, a fúria das entidades ignorantes que se mantinham em posição contrária à nossa. Poderiam organizar-se em legião ameaçadora e estragar-nos os melhores projetos. Conheciam processos de auxílio, iguais àquele em que funcionávamos, e permaneciam informados quanto ao potencial da zona inimiga, do centro da qual poderiam surgir, de imediato, centenas de adversários, em massa, contra aquela instituição doméstica menos preparada a resistir a um cerco de semelhante jaez.

Ouvindo-lhes os pareceres, atentei para a situação de Gaspar, sem dissimular minha justificada estranheza. O hipnotizador, de presença desagradabilíssima pelos fluidos menos simpáticos que emitia, continuava ausente de nossas conversações. O próprio olhar, quase vítreo, incapaz de fixar-nos, dava ideia de paralisia da alma, de petrificação do pensamento.

Não podendo sofrear a curiosidade por mais tempo, indaguei de Gúbio quanto ao que lhe ocorria. Que significava aquela máscara psicológica do magnetizador das sombras? Jazia surdo, quase cego, plenamente insensível. Respondia às mais longas e importantes perguntas por meio de monossílabos, de modo vago, e demonstrava insistência irredutível no setor de flagelação à vítima.

O orientador, agora liberto de cuidados, esclareceu prestimoso:

— André, há obsessores marcadamente endurecidos de coração que se petrificam quando sob a influência de perseguidores ainda mais fortes e mais perversos que eles mesmos. Inteligências temíveis das trevas absorvem certos centros perispiríticos de determinadas entidades que se revelam pervertidas e ingratas ao bem e utilizam-nas como instrumentalidade na extensão do mal que elegeram por sementeira na vida. Gaspar encontra-se nessa situação. Hipnotizado por senhores da desordem, anestesiado pelos raios entorpecentes, perdeu transitoriamente a capacidade de ver, ouvir e sentir com elevação. Demora-se em aflitivo pesadelo, à maneira do homem comum, dentro do qual a dilaceração de Margarida se lhe torna a ideia fixa, obcecante.

— Mas não poderá reintegrar-se na posse dos sentidos naturais? — inquiri, sob forte impressão.

— Perfeitamente. O magnetismo é uma força universal que assume a direção que lhe ditarmos. Passes contrários à ação paralisante restituí-lo-ão à normalidade. Tal operação, contudo, exige momento adequado. Há necessidade, no feito, de recursos regeneradores intensivos, suscetíveis de serem encontrados junto a serviços de grupo, em que a colaboração de muitos se entrosa a favor de um só, quando necessário.

5.3   Nesse instante, Saldanha abeirou-se de nós e pediu instruções, sem rebuços.

— Meu benfeitor — disse a Gúbio, com reverência —, compreendo que demonstrar, de pronto, a nova situação seria atrair sobre nosso esforço terrível reação de quantos passarão a vigiar-nos desapiedadamente. Com franqueza, vejo-me num campo novo e desconheço o caminho por onde recomeçar.

O interpelado anuiu com bondade:

— Sim, Saldanha, permaneces bem inspirado. Estamos fracos para batalhar em conjunto. É indispensável que Margarida alcance melhoras positivas, antes de tudo. Aguardemos a noite. Espero situar o caso em algum núcleo de amor fraternal. Até lá, convém guardarmos o ambiente doméstico sem alterações, mesmo porque Gaspar é outro doente, exigindo especial atenção: traz o veículo perispirítico enfermiço e viciado, reclamando caridoso concurso.

Mal não havia terminado a observação e Gabriel entrou no aposento e abeirou-se da esposa, desalentada e abatida.

Gúbio, agora, senhor da situação, aproximou-se do rapaz, sem alarde, e colocou sobre a fronte dele a destra paternal, dominando-lhe, no cérebro, as zonas diretas da inspiração, dando curso, naturalmente, a forças magnéticas suscetíveis de inclinar o problema de assistência a solução favorável.

Reparei que o esposo de Margarida, sob a influência renovadora, passou a contemplar a companheira enternecidamente. Tomou-lhe as mãos com sincera ternura e falou espontâneo:

— Margarida, dói-me ver-te assim, sob desânimo tão profundo.

Pequena pausa pesou sobre ambos; contudo, ao cabo de alguns momentos, tornou o marido de olhos iluminados por indefinível esperança:

— Ouve! Uma ideia súbita me brotou no pensamento. Desde muitos dias estamos atropelados por remédios violentos e medidas drásticas que não te socorreram com a eficiência precisa. Consentes em que eu peça, em nosso favor, o concurso de algum amigo interessado em Espiritismo Cristão?

Tocada por aquela onda de abençoado carinho que fluía imperceptivelmente de Gúbio, por intermédio de Gabriel, a doente abriu os olhos, cheios de interesse novo, como quem encontrara inesperada senda salvadora e concordou, feliz:

— Estou pronta. Aceitarei qualquer recurso que consideres por tua vez justo e digno.

O esposo, num transporte de esperança, saiu precipitadamente, acompanhado de Gúbio, que nos recomendou a permanência ao lado de Saldanha, em preparativos de serviço para a noite próxima.

Na intimidade do ex-perseguidor, não perdi tempo.

Internara-me em atividade absolutamente nova para mim e desejava ampliar conhecimentos e recursos. Considerei que um trabalhador incompleto, em minha posição, precisa estudar sempre, e, aproximando-me do verdugo transformado em amigo, interroguei:

— Saldanha, como explicar tamanho temor de nosso lado, perante os companheiros retardados?

Ele fixou em mim o olhar espantado e observou:

— Meu caro, conheço suficientemente este capítulo. Se nos dispusermos a lutar abertamente, conservando conosco esta jovem senhora enferma em padrão físico de menor resistência, o malogro em nossos objetivos de socorro a ela será questão de alguns minutos. Nos círculos inferiores em que nos encontramos, a maldade é força dominante em quase toda parte, contando com intérpretes que nos vigiam por todos os flancos e não nos é fácil escapar. Para combater o mal e vencê-lo, urge possuir a prudência e a abnegação dos anjos. De outro modo é perder o tempo e cair, sem defesa, em perigosas armadilhas das trevas.

15.5　　O novo aliado relanceou o olhar pelo quarto, a fim de certificar-se de que não vínhamos sendo ouvidos por adversários comuns, e prosseguiu:

— Eu mesmo, logo depois de minha vinda, tudo fiz por fugir ao mal, mas em vão. Velhas orações por mim aprendidas nos recessos do lar, que o tempo não consumiu de todo em meu espírito, articuladas então por minha boca, mereceram sarcasmo cruel dos inimigos do bem. Em verdade, pensamentos menos dignos me povoavam a cabeça, mas a vontade de melhorar-me era sincera em meu coração. Esforcei-me de alguma sorte, reagi quanto pude; todavia, meu impulso para o bem legítimo era, no fundo, um sopro frágil à frente de um tufão. Ao contato dessa gente desencarnada, infeliz e vingativa, perdi o resto da compostura moral que procurava debalde sustentar. Se a alma, liberta do corpo de carne, não se encontra amparada em princípios robustos de virtude santificante, sentida e vivida, é quase impossível sair vitoriosa das ciladas escuras que nos armam.

— Entretanto — objetei —, não será essa atitude mero reflexo da ignorância insustentável?

— Admito que sim — elucidou o obsessor modificado, surpreendendo-me pela clareza de argumentação —; todavia, não desconheces que a maior dificuldade não nasce da ignorância em si mesma, mas de nossa dureza contrária à capitulação indispensável. A sabedoria golpeia a insciência, a bondade humilha a perversidade, o amor verdadeiro sitia o ódio num círculo de ferro; no entanto, aqueles que são surpreendidos no campo da inferioridade manobram contra o bem, deliberadamente, mil armas de despeito, calúnia, inveja, ciúme, mentira e discórdia, provocando perturbação e desânimo.

Assinalando-lhe a palavra tão fortemente esclarecida, cuja desenvoltura e acerto me assombravam, ponderei:

— Teu próprio caso é um exemplo vivo. Espanta-me o cabedal de teus comentários inteligentes. De nenhum modo poderias ser um ignorante.

— Ah, sim! — replicou o ex-verdugo, sorrindo. — Inteligência não me falta. Leitura, idem. Estou positivamente informado com relação aos deveres de ordem geral que me competem. Faltava-me, contudo, a companhia de alguém que conseguisse mostrar-me a eficiência e a segurança do bem, no meio de tantos males. Imagina um esfomeado a ouvir discursos. Acreditas que as palavras lhe satisfaçam as exigências do estômago? Isso foi precisamente o que me ocorreu. Preocupado com a esposa e a nora, desencarnadas em terrível desequilíbrio, atormentado pelo filho louco e pela neta em perigo, não havia "espaço mental" em minha cabeça para simplesmente louvar teorias salvadoras. O benfeitor Gúbio, no entanto, demonstrou-me que o bem é mais poderoso que o mal. Isto para mim bastou, à saciedade. Nas dúvidas, o esclarecimento benéfico traduz verdadeira caridade.

Reparou em derredor, com extrema desconfiança no olhar, e acentuou:

— Sei, porém, de experiência própria, quem são os revoltados em cuja equipe trabalhei até ontem. Francamente, ainda não sei com certeza que será de mim mesmo. Perseguir-me-ão sem tréguas. Se puderem, conduzir-me-ão ao vale de miséria e penúria. Noto, contudo, que transformação salutar me possui agora o espírito. Convenci-me de que o bem pode vencer o mal e espero que o nosso instrutor não me abandone. Ainda que eu sofra, a ele acompanharei. Não pretendo regressar ao repugnante caminho percorrido.

Leôncio, que nos fitava atencioso, registrando-nos a conversação, asseverou por sua vez:

— Eu também não mais posso servir nas fileiras da vingança. Estou farto...

15.7   Hipotequei aos dois nossa simpatia e prometi-lhes, em nome de nosso orientador, que lhes não faltaria acolhimento em plano superior.

Sorriam satisfeitos, quando Gúbio retornou ao compartimento da enferma, notificando que o problema fora resolvido. Margarida e o esposo compareceriam na noite próxima a uma reunião familiar, importante setor de socorro mediúnico.

A doente encarnada e Gaspar, o hipnotizador traumatizado, receberiam recursos eficientes.

Com ansiedade, aguardamos o anoitecer.

De quando em quando, Gúbio colocava a destra sobre a fronte da enferma, como a acentuar-lhe a resistência geral.

Por volta de vinte horas, um automóvel recebia o casal, que se fez acompanhado por nós e pelo grande número de "ovoides", ainda ligados à cabeça da enferma, sob processo de *imantação*.

Saldanha tivera o cuidado de despistar todos os companheiros perturbadores que intentavam seguir-nos. Tranquilizou-os com palavras amigas, afirmando, aliás com muita razão, que o assunto vinha sendo bem tratado.

Alcançando confortadora vivenda, fomos admiravelmente recebidos.

O senhor Silva, dono da casa, acolheu Gabriel e a esposa com inequívocas demonstrações de carinho, e Sidônio, o diretor espiritual dos trabalhos que se realizariam, estendeu-nos braços fraternais.

Lá dentro, quatro cavalheiros e três senhoras, os componentes habituais do círculo doméstico, ao que fomos informados, passaram a trocar ideias com os visitantes, reanimando-os e instruindo-os, até que o relógio indicasse o momento exato para os serviços da noite.

À indagação de Gúbio, Sidônio esclareceu, muito seguro:

— Nosso agrupamento produz satisfatoriamente; entretanto, poderia levar a efeito mais ampla colheita de bênçãos se a confiança no bem e o ideal de servir fossem mais dilatados em nossos colaboradores no plano físico. Sabemos que a instrumentalidade é essencial em qualquer serviço. O braço é intérprete do pensamento, o operário é complemento do administrador, o aprendiz é veículo do mestre. Sem companheiros encarnados que nos correspondam aos objetivos na ação santificante, como estabelecer a Espiritualidade superior na crosta da Terra? Efetivamente, encontramos irmãos dispostos ao concurso fraternal, embora, forçoso é dizer, a maioria espere a mediunidade espetacular a fim de cooperar conosco. Não procuram saber que todos somos médiuns de alguma força boa ou má, em nossas faculdades receptivas. Não aceitam as necessidades do serviço que nos aconselham a buscar desenvolvimento substancial na autoiluminação, por meio do serviço aos nossos semelhantes, e tocam a exigir dons medianímicos, quais se fossem dádivas milagrosas a serem transmitidas graciosamente àqueles que se lhes candidatam aos benefícios, por intermédio da antiga "varinha de condão". Esquecem-se de que a mediunidade é uma energia peculiar a todos, em maior ou menor grau de exteriorização, energia essa que se encontra subordinada aos princípios de direção e à lei do uso, tanto quanto a enxada que pode ser mobilizada para servir ou ferir, conforme o impulso que a orienta, melhorando sempre, quando em serviço metódico, ou revestindo-se de ferrugem asfixiante e destrutiva, quando em constante repouso. Nossos amigos não percebem o valor de uma atitude desassombrada e permanente de fé positiva, dentro do caminho louvável, haja o que houver, e, não obstante cuidarmos devotadamente da crença deles, com a mesma ternura consagrada pelo lavrador vigilante à plantinha tenra que encerra a esperança do porvir, basta que Espíritos perturbadores ou maliciosos os visitem, sutis, à maneira de melros num arrozal, e lá se vão os germens superiores que lhes confiamos, incessantemente, ao solo do coração. De um instante para outro, duvidam de nosso esforço, desconfiam de si mesmos, cerram os olhos ante a grandeza das leis que os cercam nos ângulos da Natureza terrestre, e as energias mentais que deveriam centralizar em construção ativa e santificante, com vistas ao aprimoramento próprio, são desbaratadas quase que diariamente pela argumentação mentirosa de Espíritos ingratos e menos permeáveis ao bem.

15.9 Verificando-se espontânea parada, aventurei-me a considerar:

— A referência abrange um grupo assim tão harmoniosamente constituído quanto este? Será crível que o conjunto organizado sobre propósitos tão sadios dê guarida fácil às forças deprimentes?

O diretor da casa sorriu bem-humorado e respondeu com franqueza:

— Sim, coletivamente considerando, reúnem-se agora, sob este teto amigo, e procuram-nos a companhia espiritualizante. Isto, porém, acontece por seis horas, nas 168 horas de cada semana. Enquanto conosco, deixam-se envolver nas suaves irradiações da paz e da alegria, do bom ânimo e da esperança, registrando-nos as vibrações edificantes das quais desejávamos fossem eles nossos portadores permanentes e seguros na esfera vulgar da luta humana. Todavia, tão logo se encontram a pequena distância de nossas portas, aceitam ou provocam milhares de sugestões sutis, diferentes das nossas. Choques de pensamentos adversos ao nosso programa, nascidos da mente de encarnados e desencarnados, vergastam-nos sem piedade. Raros se capacitam de que a fé representa bênção suscetível de ser aumentada indefinidamente e fogem ao serviço que a conservação, a consolidação e o crescimento desse dom nos oferecem a todos. Além disso, quando esse ou aquele irmão revela disposições mais avançadas para servir a bem de todos, em favor do império da luz, costuma ser imediatamente visitado, nas horas de sono físico, por entidades renitentes na prática do mal, interessadas na extensão do domínio das sombras, que lhe desintegram convicções e propósitos nascentes com insinuações menos dignas, quando o espírito do trabalhador não está convenientemente apoiado no desejo robusto de progredir, redimir-se e marchar para a frente.

A exposição era muito interessante e tudo faria em benefício de mais amplas elucidações ao assunto, mas o relógio marcava o momento de nossa cooperação ativa e pusemo-nos em forma.

Para os trabalhos da reunião que congregava nove pessoas terrestres, 21 colaboradores espirituais se movimentaram em nosso círculo de ação.

Gúbio e Sidônio, em esforço conjugado, efetuaram operações magnéticas ao redor de Margarida, desligando finalmente os "corpos ovoides", que foram entregues a uma comissão de seis companheiros que os conduziram, cuidadosamente, a postos socorristas.

Logo após, enquanto a prece e os estudos evangélicos se faziam ouvir, dentro das contribuições de nosso círculo, grande cópia de força nêurica, com a devida compensação em fluidos revigoradores de nossa esfera, foi extraída pela boca, narinas e mãos dos assistentes encarnados, força essa que Gúbio e Sidônio aplicaram sobre Margarida e Gaspar, no evidente intuito de restaurar-lhes as energias perispiríticas.

A jovem senhora passou a demonstrar abençoados sinais de alívio, e Gaspar, de impassível que se achava, pôs-se a gemer, qual se houvera acordado de intenso e longo pesadelo.

A essa altura, nosso orientador preparou dona Isaura, senhora daquele santuário doméstico e médium do culto familiar, adestrando-lhe a faculdade de incorporação, por intermédio de passes magnéticos sobre a laringe e, em particular, sobre o sistema nervoso. Quando a hora de amor cristão aos desencarnados começou a funcionar, os orientadores trouxeram Gaspar à organização mediânimica, a fim de que pudesse ele recolher algum benefício ao contato dos companheiros materializados na experiência física, que lhe haviam fornecido energias vitalizantes, tal como acontece às flores que sustentam, sem perceber, o trabalho salutar das abelhas operosas.

5.11 Reparei que os sentidos do insensível perseguidor ganharam inesperada percepção. Visão, audição, tato e olfato foram nele subitamente acordados e intensificados. Parecia um sonâmbulo despertando. À medida que se lhe casavam as forças às energias da médium, mais se acentuava o fenômeno de reavivamento sensorial. Apossando-se provisoriamente dos recursos orgânicos de dona Isaura, em visível processo de "enxertia psíquica", o hipnotizador gritou e chorou lamentosamente. Misturou blasfêmias e lágrimas, palavras comovedoras e palavras menos dignas, entre a penitência e a rebeldia. Escutando agora, com aguçada sensibilidade, conversou detidamente com o doutrinador. O senhor Silva, marido da médium, fez-lhe sentir a necessidade de renovação espiritual em edificante lição que nos tocava as fibras mais íntimas, e, depois de sessenta minutos de exaustivo embate emocional, Gaspar foi conduzido por dois servidores de nossa equipe ao lugar que lhe correspondia, isto é, à posição de demente com retorno gradativo à razão.

Findos os serviços ativos, a reunião foi encerrada, notando-se que imensa alegria transbordava de todos os corações.

Margarida estava, enfim, aliviada e, em pranto, pedia ao esposo agradecesse, de viva voz, as dádivas recebidas.

Gúbio, porém, vendo Saldanha espantadiço, obtemperou:

— O triunfo essencial ainda não veio. Margarida recebeu amparo imediato, mas precisamos agora socorrer-lhe a casa, até que ela mesma incorpore à própria individualidade, em caráter definitivo, os benefícios aqui recolhidos.

Sorriu bondosamente e acrescentou:

— Para que uma planta seja efetivamente preciosa, não basta que esteja bela e perfumada na estufa protetora. É necessário receber o auxílio externo, consolidando a resistência própria, de modo a produzir utilidades no bem comum.

E, passando a entender-se com Sidônio, aceitou a colaboração, por dez dias sucessivos, de 12 companheiros espirituais incorporados ao agrupamento destinado a reforçar as atividades defensivas na moradia de Gabriel, uma vez que, segundo Saldanha e Leôncio, do dia seguinte em diante, teríamos guerra aberta com os assalariados de Gregório, que viriam naturalmente sobre nós, temíveis e insistentes.

16
Encantamento pernicioso

16.1   Finda a reunião, reparei que a médium dona Isaura Silva apresentava sensível transfiguração.

Enquanto perduravam os trabalhos, mostrava radiações brilhantes em derredor do cérebro, oferecendo simpático ambiente pessoal; entretanto, encerrada que foi a sessão, cercou-se de emissões de substância fluídica cinzento-escura, qual se houvesse repentinamente apagado, em torno dela, alguma lâmpada invisível.

Impressionado, dirigi-me a Sidônio, com natural indagação, ao que ele me respondeu atencioso:

— A pobrezinha encontra-se debaixo de verdadeira tempestade de fluidos malignos que lhe vão sendo desfechados por entidades menos esclarecidas, com as quais se sintonizou, inadvertidamente, pelos fios negros do ciúme. Enquanto se acha sob nossa influência direta, mormente nos trabalhos espirituais de ordem coletiva, em que age como válvula captadora das forças gerais dos assistentes, desfruta bom ânimo e alegria, porque o médium é sempre uma fonte que dá e recebe, quando em função entre os dois planos; terminada, contudo, a tarefa, Isaura volta às tristes condições a que se relegou.

— Não há, porém, algum recurso para socorrê-la? — indaguei curioso.

— Sem dúvida — elucidou o orientador da pequena e simpática instituição —, e, porque não a abandonamos, ainda não sucumbiu. É imprescindível, todavia, num processo de semelhante natureza, agir com cautela, sem humilhá-la e sem feri-la. Quando defendemos um broto tenro, do qual é justo aguardar preciosa colheita do porvir, é necessário combater os vermes invasores sem atingi-lo. Crestar o grelo de hoje é perder a colheita de amanhã. Nossa irmã é valorosa cooperadora, revela qualidades apreciáveis e dignas; porém, não perdeu ainda a noção de exclusivismo sobre a vida do companheiro e, por meio dessa brecha que a induz a violentas vibrações de cólera, perde excelentes oportunidades de servir e elevar-se. Hoje, viveu um dos seus dias mais infelizes, entregando-se totalmente a esse gênero de flagelação interior. Reclama-nos concurso ativo nesta noite, pois cada servo acordado para o bem, quando se projeta em determinada faixa de vibrações inferiores durante o dia, marca quase sempre uma entrevista pessoal, para a noite, com os seres e as forças que a povoam.

Estampou na fisionomia significativa expressão e acrescentou:

— Enquanto a criatura é vulgar e não se destaca por aspirações de ordem superior, as inteligências pervertidas não se preocupam com ela; no entanto, logo que demonstre propósitos de sublimação, apura-se-lhe o tom vibratório, passa a ser notada pelos característicos de elevação e é naturalmente perseguida por quem se refugia na inveja ou na rebelião silenciosa, visto não conformar-se com o progresso alheio.

Convenci-me de que o caso assumiria grande importância para os meus estudos particulares e, compreendendo que

Margarida já recebera grandes vantagens, pedi permissão ao nosso instrutor, após o consentimento de Sidônio, para observar naquela noite o conflito inquietante entre a missionária e os que se lhe prendiam às teias escuras do sentimento.

16.3 Gúbio concordou sorridente.

Aguardar-me-ia o regresso no dia seguinte.

Nosso grupo retirou-se, conduzindo a doente e o esposo infinitamente satisfeitos, e coloquei-me, ao lado de Sidônio, em interessante conversação.

— Por enquanto — explicou-me a certa altura da útil palestra —, este domicílio está sob a guarda dos nossos processos de vigilância. Entidades perturbadoras ou criminosas não dispõem de acesso até aqui, mas nossa amiga, transtornada pelo ciúme, vai, ela mesma, ao encalço de maus conselheiros. Esperemos que abandone o veículo de carne, sob a ação do sono, e verás de perto.

Decorridas apenas duas horas, vimos o senhor Silva que nos acenava de porta próxima, já desligado do corpo físico. Sidônio levantou-se e, convocando um de seus auxiliares, recomendou-lhe acompanhasse o dono da casa em proveitosa excursão de estudos.

O irmão Silva, junto de nós, alegou pesaroso:

— Tanto desejava que Isaura viesse, mas não me atendeu aos apelos!

— Deixa-a! — observou Sidônio, com inflexão de energia na voz. — Naturalmente ainda hoje não se acha preparada para atender às lições.

O interlocutor mostrou profunda tristeza no semblante calmo, porém não vacilou. Seguiu, sem delongas, o cooperador que lhe era apresentado.

Mais alguns minutos e D. Isaura, fora do corpo de carne, surgiu-nos à vista, revelando o perispírito intensamente obscuro. Passou rente a nós sem prestar-nos a mínima atenção, mostrando-se encarcerada em absorvente ideia fixa. Sidônio endereçou-lhe algumas palavras amigas, que não foram absolutamente ouvidas. Tentou o amigo tocá-la com a destra luminosa, mas a médium precipitou-se em desabalada carreira, deixando-nos perceber que a nossa aproximação lhe constituía, naqueles instantes, aflitiva tortura. Encontrava-se incapaz de assinalar-nos a presença; entretanto, percebia-nos, instintivamente, as vibrações mentais e demonstrava temer o contato espiritual conosco.

O benfeitor explicou-me que poderia constrangê-la a ouvir- **16.4**
-nos, obrigando-a a submeter-se, sem reservas, à nossa influência; no entanto, semelhante atitude de nosso lado implicaria a supressão indébita das possibilidades educativas. Isaura, no fundo, era senhora do próprio destino e, na experiência íntima, dispunha do direito de errar para melhor aprender — o mais acertado caminho de defesa da própria felicidade. Ali estava a fim de ajudá-la, quanto possível, na preservação das forças físicas, mas não para algemá-la a atitudes com que ainda não pudesse concordar espontaneamente, nem mesmo em nome do bem que não reclama escravos em sua ação, e sim servidores livres, contentes e otimistas.

Com grande surpresa para mim, o prestimoso guardião continuou explicando que aquela senhora, efetivamente, detinha extensas possibilidades no serviço aos semelhantes. Caso quisesse perdê-las temporariamente, outro recurso não nos cabia senão o de entregá-la à corrente da própria vontade, até que um dia conseguisse ela própria despertar em plano de compreensão mais alta. Sabia, à saciedade, que o marido não lhe era propriedade exclusiva, que o ciúme tresloucado só poderia conduzi-la a perigosa situação espiritual, não ignorava que a palavra do Mestre exortava os aprendizes ao perdão e ao amor para que os companheiros mais infelizes não se projetassem nos despenhadeiros fundos da estrada. Entretanto, se os seus desígnios se demorassem na linha contrária ao roteiro que o plano superior lhe havia traçado, só nos restaria deixá-la circunscrita aos círculos da mente em desânimo ou em desespero, a fim de que o tempo lhe ensinasse o reajustamento próprio.

16.5 Depois de pacientes elucidações, Sidônio concluiu num sorriso melancólico:

— Educação não vem por imposição. Cada Espírito deverá a si mesmo a ascensão sublime ou a queda deplorável.

A esse tempo, acompanhávamos a senhora Silva, fora do corpo de carne, a fugir de seu domicílio para a via pública. Estugou o passo até encontrar velha casa desabitada, a cuja sombra se lhe depararam dois malfeitores desencarnados, inimigos sagazes do serviço de libertação espiritual de que se convertera em devotada servidora. É evidente que a esperavam com o propósito deliberado de intoxicar-lhe o pensamento.

Abeiraram-se dela, amistosos e macios, sem se aperceberem da nossa presença.

— Com que então, dona Isaura — disse um dos embusteiros, apresentando na voz mentiroso acento de compaixão —, a senhora tem sofrido bastante em seus respeitáveis sentimentos de mulher...

— Ah, meu amigo! — clamou a interpelada visivelmente satisfeita por encontrar alguém que se lhe associasse às dores imaginárias e infantis. — Então, o senhor também sabe?

— Como não? — comentou o interlocutor, enfático. — Sou um dos Espíritos que a "protegem" e sei que seu esposo lhe tem sido desalmado verdugo. A fim de "ajudá-la", tenho seguido o infeliz por toda parte, surpreendendo-lhe as traições aos compromissos domésticos.

D. Isaura, em lágrimas, confiou-se ao fingido amigo.

— Sim — gritou, molestada —, esta é que é a verdade! Sofro infinitamente... Não existe neste mundo criatura mais desventurada que eu...

— Reconheço — acentuou o loquaz perseguidor —, reconheço a extensão de seus padecimentos morais, vejo-lhe o esforço e o sacrifício e não ignoro que seu marido eleva a voz nas preces, nas sessões habituais, para simplesmente acobertar as próprias culpas. Por vezes, em plena oração, entrega-se a pensamentos de lascívia, fixando senhoras que lhe frequentam o lar.

Envolvendo a médium imprevidente na melifluidade das frases, aduzia:

— É um absurdo! Dói-me vê-la algemada a um patife mascarado de apóstolo.

— É isto mesmo... — confirmava a pobre senhora, qual se fora andorinha delicada, portadora de importante mensagem, repentinamente presa num tabuleiro de mel —, estou rodeada de gente desonesta. Nunca sofri tanto!

Indicando o quadro triste, Sidônio informou-me:

— Antes de tudo, os agentes da desarmonia perturbam-lhe os sentimentos de mulher, para, em seguida, lhe aniquilarem as possibilidades de missionária. O ciúme e o egoísmo constituem portas fáceis de acesso à obsessão arrasadora do bem. Pelo exclusivismo afetivo, a médium, nesta conversação, já se ligou mentalmente aos ardilosos adversários de seus compromissos sublimes.

Deixando transparecer imensa tristeza, acrescentou:

— Repara.

O inteligente obsessor abraçou a senhora, parcialmente desligada do corpo físico, e prosseguiu:

— Dona Isaura, acredite que somos seus leais amigos. E os protetores verdadeiros são aqueles que, como nós, lhe conhecem os padecimentos ocultos. Não é justo que se submeta às arbitrariedades do marido infiel. Abstenha-se de receber-lhe o séquito de companheiros hipócritas, interessados em orações coletivas, que mais se assemelham a palhaçadas inúteis. É um perigo entregar-se a práticas mediúnicas, qual vem fazendo em companhia de gente dessa espécie... Tome cuidado!

16.7 A médium invigilante arregalou os olhos, impressionada com a estranha inflexão impressa nas palavras ouvidas, e gritou:

— Aconselhe-me, Espírito generoso e amigo, que tão bem me conhece o martírio silencioso!

O interlocutor, na intenção de destruir a célula iluminativa que funcionava com imenso proveito no santuário doméstico da jovem senhora, assediada agora por seus argumentos adocicados e venenosos, observou com malícia:

— A senhora não nasceu com a vocação do picadeiro. Não permita a transformação de sua casa em sala de espetáculo. Seu marido e suas relações sociais exageram-lhe as faculdades. Precisa ainda de longo tempo para desenvolver-se suficientemente.

E, envolvendo-a nos pesados véus da dúvida que anulam tantos trabalhadores bem-intencionados, aduziu:

— Já meditou bastante na mistificação inconsciente? Está convencida de que não engana os outros? É indispensável acautelar-se. Se estudar a grave questão do Espiritismo com inteligência e acerto, reconhecerá que as mensagens escritas por seu intermédio e as incorporações de entidades supostamente benfeitoras não passam de pálidas influências de Espíritos perturbados e de alta percentagem dos produtos de seu próprio cérebro e de sua sensibilidade agitada pelas exigências descabidas das pessoas que lhe frequentam a casa. Não vê a plena consciência com que se entrega ao imaginado intercâmbio? Não creia em possibilidades que não possui. Trate de preservar a dignidade de sua casa, mesmo porque seu esposo não tem outro objetivo senão o de utilizar-lhe a credulidade excessiva, lançando-a a triste aventura do ridículo.

A pobre criatura, tão ingênua e prestimosa, registrava com visível terror aquela conceituação do assunto.

Espantado com a passividade de Sidônio ante aquele assal- 16.8
to, enderecei-lhe a palavra, respeitoso, porém menos tranquilo:
— Não será razoável defendê-la?
Ele sorriu compreensivamente e elucidou:
— Todavia, que fizemos, há poucas horas, no culto da prece
e do socorro fraternal, senão prepará-la à própria defensiva? Trabalhou mediunicamente conosco; ouviu formosa e comovedora preleção evangélica contra os perigos do egoísmo enfermiço; colaborou, decidida, para que o bem se concretizasse e ela própria emprestou-nos os lábios a fim de ensinarmos princípios de salvação em nome do Cristo, a quem deveria confiar-se. Entretanto, apenas porque o esposo se dispôs a justa gentileza com as damas que lhe buscaram a companhia esclarecedora e fraterna, obscureceu o pensamento no ciúme destruidor e perdeu o equilíbrio íntimo, entregando-se, inerme, a entidades que lhe exploram o sentimentalismo.

Fez significativo gesto, apontando os malfeitores desencarnados, e explicou:

— Estes companheiros retardados procedem com os médiuns à maneira de ladrões que, depois de saquearem uma casa, acordam o dono, hipnotizam-no e obrigam-no a tomar-lhes o lugar, compelindo-o a sentir-se na condição de mentiroso e mistificador. Aproximam-se da mente invigilante, dilaceram-lhe a harmonia, furtam-lhe a tranquilidade e, depois, com sarcasmo imperceptível e sutil, obrigam-na a acreditar-se fantasiosa e desprezível. Muitos missionários se deixam atropelar pela falsa argumentação que acabamos de ouvir e menosprezam as sublimes oportunidades de estender o bem através de preciosa sementeira que lhes enriqueça o futuro.

— Mas não há recurso — inquiri, sensibilizado — de afastar semelhantes malfeitores?

— Sem dúvida — elucidou Sidônio, bem-humorado —, em toda parte existe contenção e panaceia, remediando situações pela violência ou pelo engodo prejudiciais, mas, na intimidade de nossa tarefa, que será mais aconselhável, espantar moscas ou curar a ferida?

16.9 Sorriu enigmático e prosseguiu:

— Tais dificuldades são lições valiosas que o Espírito do medianeiro, entre encarnados e desencarnados, deve aproveitar em benditas experiências, e não nos compete subtrair o ensinamento ao aprendiz. Enquanto um trabalhador da mediunidade empresta ouvidos a histórias que lhe lisonjeiem a esfera pessoal, disso fazendo condição para cooperar na obra do bem, quer dizer que ainda estima o personalismo inferior e o fenômeno, acima do serviço que lhe cabe no plano divino. Nessa posição, demorar-se-á longo tempo entre desencarnados ociosos que disputam a mesma presa, anulando valiosa ocasião de elevar-se, porque, depois de certo tempo de auxílio desaproveitado, perde provisoriamente a companhia edificante de irmãos mais evolvidos que tudo fazem inutilmente pelo reerguer no caminho. Então cai vibratoriamente no nível moral a que se ajusta, convive com as entidades cujo contato prefere e acorda, mais tarde, verificando as horas preciosas que desprezou.

A esse tempo, o obsidente de dona Isaura afirmava-lhe, palrador:

— Estude a senhora o próprio caso. Consulte cientistas competentes. Leia as últimas novidades em psicanálise e não perca sua oportunidade de restauração, sob pena de enlouquecer.

E comentava sacrílego:

— Falo-lhe em nome das esferas superiores, na qualidade de amigo fiel.

— Sim... compreendo... — concordava a interlocutora, tímida e desapontada.

Nesse momento, Sidônio abeirou-se do grupo e fez-se visível para dona Isaura, hipnotizada pelos perseguidores, e a médium registrou-lhe a presença com alguma dificuldade, exclamando:

— Vejo Sidônio, nosso devotado amigo espiritual!

O verboso obsessor, que de maneira alguma percebia a nossa vizinhança, em virtude do baixo padrão emocional em que se mantinha, zombou, franco:

— Nada disso. A senhora nada vê. É pura ilusão. Abandone o vício mental para furtar-se a maiores desequilíbrios.

Sidônio voltou algo triste e informou sem rebuços:

— Desde o instante em que Isaura se projetou na zona sombria do ciúme, tem a matéria mental em posição difícil e não se acha em condições de compreender-me. Mas poderemos socorrê-la de outro modo.

Em volitação rápida, no que foi seguido por mim, encontrou o marido da medianeira numa reunião instrutiva, junto de vários amigos espirituais, e recomendou-lhe tomar o corpo físico sem perda de tempo, a fim de auxiliar a esposa em dificuldade.

O irmão Silva não hesitou.

Em breve, regressava à câmara conjugal, reapossando-se do veículo denso.

O corpo da senhora, ao lado dele, arfava em reiteradas contorções, acorrentado a indizível pesadelo.

Dócil à influenciação de Sidônio, procurou despertá-la, sacudindo-lhe o busto delicadamente.

Isaura, em copioso pranto, retornou ao campo carnal sem detença, abrindo os olhos assustadiços:

— Oh! Como sou infeliz! — bradou angustiada. — Estou sozinha! Sozinha!

Sidônio, quase incorporado ao marido complacente e bondoso, levava-o a falar construtivamente:

— Lembra-te, querida, de nossa fé e de quanto temos recebido de nossos amados benfeitores espirituais!

— Nada disso! — retrucou irritada.

6.11 — Como assim? — tornou ele, paciente. — não temos sido tão amparados pela tua própria mediunidade?

— Nunca! Nunca... — protestou a pobre senhora —, tudo é uma farsa. As mensagens que recebo são pura atividade de minha imaginação. Tudo é expressão de mim mesma.

— Mas ouve, Isaura! — aduziu o esposo, sorrindo. — Jamais foste mentirosa. Já sei. Caíste nas malhas dos nossos infelizes irmãos que te conduzem ao purgatório do ciúme terrível, mas Jesus nos auxiliará no oportuno reajustamento.

Nesse momento, Sidônio voltou-se para mim e lembrou:

— Penso, André, que já assististe à fase culminante da lição. E esta conversa agora seguirá até muito longe. Com o milagroso concurso das horas, pacificaremos a mente da servidora respeitável, mas exclusivista e invigilante. Volta ao teu círculo de trabalho e guarda o ensinamento desta noite.

Profundamente tocado pelo que vira, agradeci e afastei-me.

17
Assistência fraternal

17.1 No segundo dia de serviço espiritual definitivo, na tarefa de socorro a Margarida, nossa movimentação aureolava-se de sublime entusiasmo no santuário doméstico, que novamente se revestia das doces claridades da paz.

A casa transformou-se.

Desde a véspera, Saldanha e Leôncio eram os primeiros a pedir instruções de trabalho.

Teimavam em dizer que os adversários do bem voltariam à carga. Conheciam a crueldade dos ex-companheiros e, porque muitos apaniguados de Gregório viriam fiscalizar a normalidade do processo alienatório da esposa de Gabriel, Gúbio começou por traçar expressivas fronteiras ao redor da casa, mantidas dali em diante sob a responsabilidade dos colaboradores que Sidônio nos cedera por gentileza.

Enquanto aprestávamos a defensiva, o jovem casal louvava a alegria que lhes retornara aos corações.

Margarida sentia-se leve, bem-disposta e rendia graças ao 17.2
Eterno pelo "milagre" com que fora contemplada. O esposo formulava mil promessas de trabalho espiritual, com o júbilo do neófito embriagado de sublime esperança.

De nosso lado, porém, as responsabilidades passaram a crescer.

Atendendo às determinações de Gúbio, Saldanha dirigiu-se ao interior da casa e trouxe, por influência indireta, velha serva encarnada, que espanou móveis, bruniu adornos e abriu as janelas, dando passagem a vastas correntes de ar fresco.

O prédio como que se reconciliava com a harmonia.

As medidas referentes à limpeza prosseguiam adiantadas, quando vozes ásperas se fizeram ouvir, partidas da via pública.

Elementos da falange gregoriana gritavam por Saldanha, que compareceu, junto de nós, desapontado e algo aflito. Nosso instrutor paternalmente lhe recomendou:

— Vai, meu amigo, e mostra-lhes o novo rumo. Tem coragem e resiste ao venenoso fluido da cólera. Usa a serenidade e a delicadeza.

Saldanha estampou na fisionomia perceptível gesto de reconhecimento e avançou na direção dos recém-chegados.

Uma das entidades de horrível semblante, de mãos à cintura, gritou-lhe irreverente:

— Então? Que houve aqui? Traindo o comando?

O interpelado, que os últimos sucessos haviam alterado profundamente, respondeu humilde, mas firme:

— Meus compromissos foram assumidos com a própria consciência e acredito dispor do direito de escolher a minha rota.

— Ah! — disse o outro, sarcástico. — Tens agora o direito... Veremos...

E, tentando insinuar-se de maneira direta, clamou:

— Deixa-me entrar!

7.3   — Não posso — esclareceu o ex-perseguidor —, a casa segue noutra direção.

O interlocutor lançou-lhe um olhar de revolta insofreável e indagou estentórico:

— Onde tens a cabeça?

— No lugar próprio.

— Não temes, porventura, as consequências do gesto impensado?

— Nada tenho de que me penitenciar.

O visitante fez carantonha de irritação extrema e aduziu:

— Gregório saberá.

E retirou-se acompanhado pelos demais.

Transcorridos alguns instantes, outros elementos assomaram à entrada, assustadiços e insolentes, com a repetição dos mesmos quadros.

Em breve, cenas diversas passaram a desdobrar-se.

Gúbio colocou sinais luminosos nas janelas, indicando a nova posição daquele abrigo doméstico, opondo-se às manchas de sombra que provinham dali; e, naturalmente atraídos por eles, Espíritos sofredores e perseguidos, mas bem-intencionados, apareceram em grande número.

A primeira entidade a aproximar-se foi uma senhora que se ajoelhou, à entrada, suplicando:

— Benfeitores de cima, que vos congregastes nesta casa, em serviço de luz, livrai-me da aflição!... Piedade! Piedade!...

O nosso instrutor atendeu-a imediatamente, permitindo-lhe a passagem. E, no pátio ao lado, a senhora contou em pranto que se mantinha, há muito tempo, num edifício próximo, segregada por verdugos impassíveis que lhe exploravam antigas disposições mórbidas para o vício. Achava-se, porém, cansada do erro e suspirava por mudança benéfica. Penitenciava-se. Pretendia outra vida, outro rumo. Implorava asilo e socorro.

O orientador consolou-a, bondoso, e prometeu-lhe amparo.

Logo após, surgiram dois velhos rogando pousada. Ambos haviam desencarnado em extrema indigência num hospital. Revelavam-se possuídos de imenso terror. Não se conformavam com a morte. Temiam o desconhecido e mendigavam elucidações. Padeciam de verdadeira loucura.

Curiosa dama compareceu pedindo providências contra Espíritos pervertidos e perturbadores que, em grande bloco, lhe não permitiam aproximar-se do filho, instigando-o à embriaguez.

Outra veio solicitar recursos contra os maus pensamentos de um Espírito vingativo que lhe não dava ensejo à oração.

A corrente dos pedintes, contudo, não ficou aí.

Tive a ideia de que a missão de Gúbio se convertera, de repente, numa avançada instituição de pronto-socorro espiritual.

Dezenas de criaturas desencarnadas, sob regime de prisão aos círculos inferiores, alinhavam-se, agora, ao lado da residência de Gabriel, sob a determinação de Gúbio, que dizia aguardar a noite para os serviços da prece em geral.

Antes, porém, que o dia expirasse, começaram a surgir vários elementos da falange de Gregório, afirmando-se dispostos à renovação de caminho.

Procediam da própria colônia que visitáramos, e um deles, com grande assombro para mim, foi claro na enunciação dos propósitos de que se achava inspirado.

— Salvem-me dos juízes cruéis! — suplicou, emocionando-nos pela inflexão de voz. — Não posso mais! Não suporto, por mais tempo, as atrocidades que sou constrangido a praticar. Soube que o próprio Saldanha se transformou. Eu não posso persistir no erro! Temo a perseguição de Gregório, mas se é necessário arrostar as maiores dores, enfrentá-las-ei de bom grado, preferindo-lhes o golpe fulminatório a regressar. Ajudem-me! Aspiro à nova estrada, com o bem.

17.5   Apelos como este foram repetidos muitas vezes.

Enfileirando os sofredores de intenções nobres e retas que nos alcançavam, no vasto recinto de que dispúnhamos, nosso instrutor recomendou que eu e Elói nos colocássemos à disposição deles, ouvindo-os com paciência e prestando-lhes a assistência possível, a fim de se prepararem mentalmente para as orações da noite.

Confesso que me senti à vontade.

Dividimo-nos, então, em dois setores distintos.

Organizei os irmãos que me cabia atender em assembleia fraternal; contudo, em vista de os necessitados continuarem chegando, de espaço a espaço, era imperioso abrir novos lugares no extenso grupo dos ouvintes.

Muitas entidades em desequilíbrio, lá fora, reclamavam acesso, pronunciando rogativas comovedoras; todavia, o nosso orientador aconselhara fosse a entrada privativa dos Espíritos que se mostrassem conscientes das próprias necessidades.

De há muito aprendera que uma dor maior sempre consola uma dor menor e limitava-me a pronunciar frases curtas, para que os infelizes ali congregados encontrassem reconforto, uns com os outros, sem necessidade de doutrinação de minha parte.

Conduzindo-me desse modo, pedi a uma das irmãs presentes, em deploráveis condições perispiríticas, expor-nos, por gentileza, a experiência de que fora objeto.

A infortunada concentrou a atenção de todos, em virtude das feridas extensas que mostrava no semblante agora erguido.

— Ai de mim! — começou, penosamente .— Ai de mim, a quem a paixão cegou e venceu, transportando-me ao suicídio! Mãe de dois filhos, não suportei a solidão que o mundo me impusera com a morte de meu marido tuberculoso. Cerrei os olhos ao campo de obrigações que me convidavam ao entendimento e sufoquei as reflexões ante o futuro que se avizinhava. Olvidei o lar, os filhos, os compromissos assumidos e precipitei-me no vale fundo de sofrimentos inenarráveis. Há quinze anos, precisamente, vagueio sem pouso, à feição da ave imprevidente que aniquilasse o ninho... Leviana que fui! Quando me vi só e aparentemente desamparada, entreguei meus pobres filhos a parentes caridosos e sorvi, louca, o veneno que me desintegraria o corpo menosprezado. Supunha reencontrar o esposo querido ou chafurdar-me no abismo da inexistência; todavia, nem uma realização nem outra me surpreenderam o coração. Despertei sob denso nevoeiro de lama e cinza e debalde clamei socorro, à face dos padecimentos que me asfixiavam. Coberta de chagas, qual se o tóxico letal me atingisse os mais finos tecidos da alma, gritei sem destino certo!

A essa altura, porque a emotividade lhe interceptasse a voz, interferi, perguntando, de modo a fixar o ensinamento:

17.6

— E não conseguiu retornar ao santuário doméstico?

— Ah! Sim! Fui até lá — informou a interpelada, tentando dominar-se —, mas, para acentuar-me a angústia, o toque de meu carinho nos filhos amados, que confiara aos parentes próximos, provocava-lhes aflição e enfermidade. As irradiações de minha dor lhes alcançavam os corpos tenros, envenenando-lhes a carne delicada por meio da respiração. Quando compreendi que a minha presença lhes inoculava pavoroso "vírus fluídico", deles fugi aterrada. É preferível suportar o castigo de minha própria consciência isolada e sem rumo a infligir-lhes sofrimento sem causa! Experimentei medo e horror de mim mesma. Desde então, perambulo sem consolo e sem norte. É por isso que venho até aqui implorando alívio e segurança. Estou cansada e vencida...

— Convença-se de que receberá os recursos que pleiteia, por intermédio da prece — esclareci, prometendo-lhe a colaboração eficiente de Gúbio.

A pobrezinha sentou-se, mais calma, e, reparando que um dos irmãos presentes buscava salientar-se, no intuito de relatar-nos a experiência de que era vítima, roguei atenção nas palavras que pronunciaria.

17.7 Fitei-o, vigilante, e notei-lhe o singular brilho dos olhos. Parecia alucinado, abatido.

Com a expressão típica da loucura cronificada, falou aflito:

— Permite-me indagar?

— Perfeitamente — respondi surpreso.

— Que é o pensamento?

Não aguardava a pergunta que me era desfechada, mas, centralizando minha capacidade receptiva, no propósito de responder com acerto, elucidei como pude:

— O pensamento é, sem dúvida, força criadora de nossa própria alma e, por isso mesmo, é a continuação de nós mesmos. Por intermédio dele, atuamos no meio em que vivemos e agimos, estabelecendo o padrão de nossa influência, no bem ou no mal.

— Ah! — fez o estranho cavalheiro, um tanto atormentado. — A explicação significa que as nossas ideias exteriorizadas criam imagens tão vivas quanto desejamos?

— Indiscutivelmente.

— Que fazer, então, para destruir nossas próprias obras, quando interferimos, erroneamente, na vida mental dos outros?

— Auxilie-nos a apreciar seu caso, contando-nos alguma coisa de sua experiência — pedi com interesse fraternal.

O interlocutor, provavelmente tocado pelo tom de minha solicitação afetuosa, expôs a perturbação que lhe vagava no íntimo, com frases incisivas, quentes de sinceridade e dor:

— Fui homem de letras, mas nunca me interessei pelo lado sério da vida. Cultivava o chiste malicioso e com ele o gosto da volúpia, estendendo minhas criações à mocidade de meus dias. Não consegui posição de evidência nas galerias da fama; entretanto, mais que eu poderia imaginar, impressionei, destrutivamente, muitas mentalidades juvenis, arrastando-as a perigosos pensamentos. Depois do meu decesso, sou incessantemente procurado pelas vítimas de minhas insinuações sutis, que me não deixam em paz, e, enquanto isto ocorre, outras entidades me buscam, formulando ordens e propostas referentes a ações indignas que não posso aceitar. Compreendi que me achava em ligação, desde a existência terrestre, com enorme quadrilha de Espíritos perversos e galhofeiros que me tomavam por aparelho invigilante de suas manifestações indesejáveis. No fundo, eu mantinha por mim mesmo, no próprio espírito, suficiente material de leviandade e malícia, que eles exploraram largamente, adicionando aos meus erros os erros maiores que intentariam debalde praticar, sem meu concurso ativo. Acontece, porém, que abrindo meus olhos à verdade, na esfera em que hoje respiramos, em vão busco adaptar-me a processos mais nobres de vida. Quando não sou atribulado por mulheres e homens que se afirmam prejudicados pelas ideias que lhes infundi na romagem carnal, certas formas estranhas me apoquentam o mundo interior, como se vivessem incrustadas à minha própria imaginação. Assemelham-se a personalidades autônomas, se bem que sejam visíveis tão somente aos meus olhos. Falam, gesticulam, acusam-me e riem-se de mim. Reconheço-as sem dificuldade. São imagens vivas de tudo o que meu pensamento e minha mão de escritor criaram para anestesiar a dignidade de meus semelhantes. Investem contra mim, apupam-me e vergastam-me o brio, como se fossem filhos rebelados contra um pai criminoso. Tenho vivido ao léu, qual alienado mental que ninguém compreende! Como entender, porém, os pesadelos que me possuem? Somos o domicílio vivo dos pensamentos que geramos ou as nossas ideias são pontos de apoio e manifestação dos Espíritos bons ou maus que sintonizam conosco?

Havia nos ouvintes significativa expectação, não obstante a calma reinante.

17.9   O infeliz deixou de falar, titubeante. Demonstrava-se atormentado por energias estranhas ao próprio campo íntimo, apalermado e trêmulo à nossa vista. Fitou em mim os olhos esgazeados de esquisito terror e, correndo aos meus braços, bradou:

— Ei-lo! Ei-lo que chega por dentro de mim... É uma das minhas personagens na literatura fescenina![25] Ai de mim! Acusa-me! Gargalha irônica e tem as mãos crispadas! Vai enforcar-me!

Alçando a destra à garganta, denunciava aflito:

— Serei assassinado! Socorro! Socorro!...

Os demais companheiros perturbados e sofredores, ali presentes, alarmaram-se, desditosos.

Houve quem tentasse fugir, mas, com uma frase apenas, sustei o tumulto que se iniciava.

O pobre beletrista desencarnado contorcia-se em meus braços, sem que eu pudesse socorrer-lhe a mente transviada e ferida.

Cautelosamente, enviei um emissário a Gúbio, que compareceu em alguns segundos.

Examinou o caso e pediu a presença de Leôncio, o ex-hipnotizador de Margarida. À frente do recém-chegado, indicou-lhe o doente em crise e falou peremptório, mas bondoso:

— Opera, aliviando.

— Eu? Eu? — falou o convertido, um tanto apalermado. — Merecerei a graça de transmitir alívio?

Gúbio, no entanto, obtemperou, sem hesitar:

— Serviço construtivo e atividade destrutiva constituem problema de direção. A corrente líquida, devastadora, que derruba e mata, pode sustentar uma usina de força edificante. Em verdade, meu amigo, todos somos devedores, enquanto nos situamos nas linhas do mal. É imperioso reconhecer, contudo, que o bem é a nossa porta redentora. O maior criminoso pode abreviar

---

[25] N.E.: Gênero de versos populares e licenciosos, muito cultivados entre os antigos romanos.

longos anos de pena, entregando-se ao resgate próprio, por meio do serviço benéfico aos semelhantes.

Dissipando-lhe as dúvidas, acentuou com inflexão de ternura: 17.1
— Começa hoje, aqui e agora, com o Cristo. Em tua determinação de ajudar, esconde-se a solução do segredo da felicidade própria.

Leôncio não mais vacilou.

Magnetizou o enfermo dementado que, poucos minutos depois, silenciou, em profundo repouso.

Desde esse instante, o ex-perseguidor não mais me abandonou nas experiências do dia, desempenhando as funções de excelente companheiro.

A assembleia, porém, crescia de hora a hora.

Entidades de boa intenção buscavam-nos sequiosas de paz e esclarecimento, mas, francamente, doía-me observar tanta ignorância além da morte do corpo.

Na maior parte dos presentes não surgia o mais leve traço de compreensão da Espiritualidade. Raciocínios e sentimentos jaziam presos ao chão terrestre, vinculados a interesses e paixões, angústias e desencantos.

E nosso orientador fora categórico nas últimas informações que transmitira. A noite próxima assinalar-nos-ia o término da permanência junto ao lar de Margarida, e cabia-nos preparar quantos nos buscavam, famintos de conhecimento santificante, para os serviços de oração que ele pretendia realizar. Não convinha comparecessem desprevenidos de avisos salutares e oportunos, acerca das obrigações e esperanças que lhes competiam desenvolver.

Em razão disso, interferi nas conversações, disseminando os esclarecimentos de que podia dispor.

Ao entardecer, a conformação e o contentamento reinavam em todos os rostos. Nosso instrutor prometera conduzir os companheiros de boa vontade a esfera mais elevada, garantindo-lhes a passagem para a condição superior, e doce júbilo transparecia de todos os olhares.

7.11 Na exaltação da fé e confiança que nos dominavam, simpática senhora pediu-me permissão para cantar um hino evangélico, ao que anuí prazeroso, e era de ver a beleza da melodia desferida em notas de maravilhoso encantamento.

Alegre e reconfortado pela expressão do serviço que nos fora conferido, tinha meus olhos nublados de pranto, quando, aos últimos versos do cântico de esperança, jovem dama, de triste fisionomia, avançou para mim e disse em voz súplice:

— Meu amigo, de hoje em diante adotarei novo rumo. Sinto, neste cenáculo de fraternidade, que o mal nos afundará invariavelmente nas trevas.

Fixou os olhos lacrimosos nos meus e rogou, depois de comovente intervalo:

— Promete-me, porém, a bênção do olvido na "esfera do recomeço"![26] Fui mãe de dois filhinhos, tão belos e tão puros como duas estrelas, mas a morte me arrebatou muito cedo do lar. Mas não foi a morte o único algoz que me feriu, desapiedado... Meu marido, em seis meses, esqueceu as promessas de muitos anos e entregou-me os dois anjos à madrasta sem entranhas, que cruelmente os amesquinha... Há vinte meses luto contra ela, tomada de incoercível revolta; todavia, estou entediada do ódio que me constringe o coração! Preciso renovar-me para o bem, a fim de ser mais útil. Entretanto, meu amigo, tenho sede de esquecimento. Ajuda-me por piedade! Prende-me em algum lugar, onde minhas recordações amargas possam tranquilamente morrer. Não me deixes, por mais tempo, entregue aos caprichos que me arrastam. Minha inclinação ao bem é insignificante réstia de luz no seio da noite do mal que me envolve. Compadece-te e

---

[26] Nota do autor espiritual: Nos círculos mais próximos da experiência humana, "esfera do recomeço" significa reencarnação.

ajuda-me! Não sei amar, ainda, sem o ciúme violento e aviltante! Entretanto, não ignoro que o Mestre Divino se entregou à cruz em extrema renúncia! Não permitas que as minhas elevadas aspirações desta hora venham a perecer!

As rogativas e lágrimas daquela mulher acordaram-me a lembrança viva do próprio passado. **17.1**

Eu também sofrera intensivamente para desvencilhar-me dos laços inferiores da carne. Sensibilizado, nela enxerguei uma irmã pelo coração e que me cumpria esclarecer e amparar.

Abracei-a comovido, como se o fizesse a uma filha, chorando por minha vez. E, refletindo nas dificuldades de quantos empreendem a reveladora viagem da morte, sem bases de verdadeiro amor e de legítimo entendimento nos corações que permanecem à retaguarda, exclamei:

— Sim, farei tudo quanto estiver em minhas forças para auxiliar-te. Fixa-te em Jesus e doce esquecimento do perturbado campo terrestre te balsamizará o espírito, preparando-te para o voo às torres celestes. Serei teu amigo e desvelado irmão.

Ela abraçou-me confiante, como a criancinha quando se sente segura e feliz.

18
Palavras de benfeitora

18.1   A reunião noturna guardava-nos surpreendente alegria.

Sob a doce claridade lunar, Gúbio assumiu a direção dos trabalhos e congregou-nos em largo círculo.

Era, efetivamente, nos menores gestos, precioso guia a conduzir-nos aos montes de elevação mental.

Recomendou-nos o esquecimento dos velhos erros e aconselhou-nos atitude interior de sublimada esperança, emoldurada em otimismo renovador, a fim de que as nossas energias mais nobres fossem ali exteriorizadas. Esclareceu que um caso de socorro, quando orientado nos princípios evangélicos, qual sucedia no problema de Margarida, é sempre suscetível de comunicar alívio e iluminação a muita gente, elucidando, ainda, que ali nos encontrávamos para receber a bênção do plano superior, mas, para isso, tornava-se imperioso guardar inequívoca posição de superioridade moral, porque o pensamento, em reunião qual aquela, punha em jogo forças individuais de suma importância no êxito ou no fracasso do tentame.

De todas as fisionomias transbordavam o contentamento 18.2
e a confiança, quando o nosso orientador, erguendo a voz no
cenáculo de fraternidade, rogou humilde e comovente:

Senhor Jesus, digna-Te abençoar-nos, discípulos Teus, sequiosos das águas vivas do Reino Celeste!
Aqui nos congregamos, aprendizes de boa vontade, à espera de Tuas santificadas determinações.
Sabemos que nunca nos impediste o acesso aos celeiros da graça divina e não ignoramos que a Tua luz, quanto a do Sol, cai sobre santos e pecadores, justos e injustos... Mas nós, Senhor, nos achamos atrofiados pela própria imprevidência. Temos o peito ressecado pelo egoísmo e os pés congelados na indiferença, desconhecendo o próprio rumo. Todavia, Mestre, mais que a surdez que nos toma os ouvidos e mais que a cegueira que nos absorve o olhar, padecemos, por desdita nossa, de extrema petrificação na vaidade e no orgulho que, através de muitos séculos, elegemos por nossos condutores nos despenhadeiros da sombra e da morte; mas confiamos em Ti, cuja influência santificante regenera e salva sempre.
Poderoso amigo, Tu que abres o seio da Terra pela vontade do supremo Pai, usando a lava comburente, liberta-nos o espírito dos velhos cárceres do "eu", ainda que para isso sejamos compelidos a passar pelo vulcão do sofrimento! Não nos relegues aos precipícios do passado. Descerra-nos o futuro e inclina-nos a alma à atmosfera da bondade e da renúncia.
Dentro da extensa noite que improvisamos para nós mesmos, pelo abuso dos benefícios que nos emprestaste, possuímos tão somente a lanterna bruxuleante da boa vontade, que a ventania das paixões pode apagar de um momento para outro.

Oh, Senhor! Livra-nos do mal que amontoamos no santuário de nossa própria alma! Abre-nos, por piedade, o caminho salvador que nos faça dignos de Tua compaixão divina. Revela-nos Tua vontade soberana e misericordiosa, a fim de que, executando-a, possamos alcançar, um dia, a glória da ressurreição verdadeira.

Distanciados, agora, do corpo de carne, não nos deixes cadaverizados no egoísmo e na discórdia.

Envia-nos, magnânimo, os mensageiros de Tua Bondade infinita, para que possamos abandonar o sepulcro de nossas antigas ilusões!

18.3   Nesse momento, as lágrimas serenas do orientador em prece receberam resposta celestial, porque verdadeira chuva de raios diamantinos começou a jorrar do Alto sobre ele, como se força misteriosa e invisível ali houvesse libertado divina torrente de claridade em nosso favor.

Calara-se-lhe a voz, mas o quadro sublime arrancava-nos pranto de emotividade indefinível. Não havia um só dos circunstantes sem o toque visível, no rosto, daquele êxtase bendito que nos assomava, de assalto, ao coração.

O instrutor parecia vacilante, embora o halo radioso que lhe cobria gloriosamente a cabeça veneranda.

Chamou-me num sopro e informou:

— André, dirige os trabalhos da reunião enquanto devo fornecer recursos à materialização de nossa benfeitora Matilde. Vejo-a ao nosso lado, esclarecendo haver chegado a noite longamente esperada por seu coração materno. Antes do reencontro com Gregório, em companhia de bem-aventuradas entidades que a assistem, pretende ela visitar-nos, de maneira tangível, encorajando quantos aqui hoje se candidatam ao serviço preparatório de ingresso em círculos superiores.

Tremi perante a ordem, mas não hesitei.

Tomei-lhe o lugar, sem detença, enquanto o sábio mentor se recolheu a dois passos de nós, em profunda meditação.

Reparamos, em silêncio, que luz brilhante e doce passou a se lhe irradiar do peito, do semblante e das mãos, em ondas sucessivas, semelhando-se a matéria estelar, tenuíssima, porque as irradiações pairavam em torno, como que formando singulares paradas nos movimentos que lhe eram característicos. Em breves instantes, aquela massa suave e luminescente adquiria contornos definidos, dando-nos a ideia de que manipuladores invisíveis lhe infundiam plena vida humana.

Mais alguns instantes e Matilde surgiu diante de nós, venerável e bela.

O fenômeno da materialização de uma entidade sublimada ali se fizera prodigioso aos nossos olhos, em processo quase análogo ao que se verifica nos círculos carnais.

Ante a benfeitora, diversas mulheres presentes prosternaram-se, dominadas de incoercível emoção, atitude natural que não nos surpreendeu, porque, efetivamente, nos sentíamos em contato direto com um anjo glorioso em forma de mulher.

A abnegada protetora endereçou à assembleia um gesto de bênção e falou em voz pausada e emocionante, depois de ligeira saudação:

— Meus amigos, todos aguardais a hora feliz de abençoado retorno à "esfera do recomeço"; entretanto, a dádiva do vaso de carne é inapreciável bênção divina.

"Não busqueis a reencarnação tão somente pela ânsia de olvido, nos sonhos do mundo que as tentações do campo inferior podem transformar em pesadelo.

"A vida que conhecemos até agora é contínuo processo de aperfeiçoamento.

"Não basta desejar. É imprescindível orientar o desejo na direção do bem infinito."

18.5   Fez ligeira pausa e, talvez respondendo à arguição mental de muitos, prosseguiu:

— Não julgueis seja eu excepcional emissária do reino da luz. Sou humilde servidora, sem outro crédito perante o Eterno Doador que não seja o da boa vontade. Meus pés jazem ainda marcados pelo pretérito obscuro e meu coração ainda guarda cicatrizes recentes e profundas de experiências amargosas, que os dias incessantes, até agora, não conseguiram apagar.

"Não me confirais, portanto, nomes e títulos que não possuo. Sou simplesmente vossa irmã de luta, interessada em acordar-vos para a sublimidade do futuro.

"Nosso coração é um templo que o Senhor edificou a fim de habitar conosco para sempre.

"Gloriosas sementes de divindade esperam-nos a harmonia e o ajustamento interiores para desabrocharem dentro de nós mesmos, arrebatando-nos às esferas resplandecentes.

"A aquisição das virtudes iluminativas, no entanto, não constitui serviço instantâneo da alma, suscetível de efetuar-se de momento para outro.

"Somos, cada qual de nós, um ímã de elevada potência ou um centro de vida inteligente, atraindo forças que se harmonizam com as nossas e delas constituindo nosso domicílio espiritual. A criatura, encarnada ou desencarnada, onde estiver, respira entre os raios de vida superior ou inferior que emite ao redor dos próprios passos, tal qual a aranha que se confunde nos fios escuros que produz ou da andorinha que corta os altos céus com as próprias asas. Todos nós exteriorizamos energias, com as quais nos revestimos e que nos definem muito mais que as palavras.

"De que vos valeria o retorno à oficina da carne, sem conhecimento das obrigações que nos competem ante a Justiça Divina? Que nos adiantaria o temporário esquecimento do passado, sem nos integrarmos na responsabilidade, a maior força capaz de nos socorrer nos círculos de matéria densa e que se traduz em tendência nobre a persistir conosco?

"A volta à vestimenta física é uma bênção que poderemos conseguir à custa de generosas intercessões, quando nos faleçam méritos para obtê-la, no instante oportuno, por nós mesmos, tanto quanto é possível conseguir trabalho digno na esfera da crosta, movimentando amigos que nos conduzam aos objetivos disputados; no entanto, qual ocorre a muitos encarnados que se localizam em respeitáveis quadros de serviço, tão só para usarem direitos que nada fizeram por merecê-los, com flagrante abuso das leis que nos regem as ações, muitas almas procuram o santuário da carne, formulando precipitadas promessas, e nele penetram agravando os próprios débitos. Tímidas, levianas ou inconsequentes, aproveitam o estágio bendito na região da neblina,[27] para repetirem as mesmas faltas de outra época, com absoluta perda do tempo, que é patrimônio do Senhor."

18.6

Nesse momento, dentro de breve intervalo que imprimiu à alocução edificante e piedosa, Matilde estendeu-nos as mãos que despediam raios de intensa luz e exclamou maternal:

— Rogais o regresso à sombra protetora da carne, no propósito de desfazer os sinais desagradáveis que vos marcam a veste espiritual. Contudo, já armazenastes suficiente força para esquecer os males que vos foram causados na crosta da Terra? Reconheceis os vossos erros a ponto de aceitar a necessária retificação? Fortalecestes o ânimo a fim de examinar as necessidades que vos são peculiares, sem aflições alucinatórias? Aprendestes a servir com o Cordeiro Divino, até o sacrifício pessoal na cruz da incompreensão humana, anulando na própria alma as zonas viciadas de sintonia com os poderes das trevas? Já auxiliastes os companheiros de caminho evolutivo e salvador com a intensidade e a eficiência que vos justifiquem a rogativa de colaboração intercessora? Que

---

[27] Nota do autor espiritual: "Região da neblina" é também sinônimo de esfera carnal.

boas obras já efetuastes a fim de rogardes novos recursos do Céu? Com quem contais para vencer nas experiências porvindouras? Acreditais, porventura, que o lavrador recolherá sem plantar? Armazenastes bastante serenidade e entendimento no coração, de modo a não vos intoxicardes amanhã, no plano físico, sob o bombardeio sutil dos raios pardos da cólera, da inveja ou do ciúme nefasto? Permaneceis convencidos de que ninguém se aquecerá ao Sol divino sem abrir o próprio coração às correntes da luz eterna? Ignorais, acaso, que é preciso igualmente trabalhar para que se mereça a bênção de um templo carnal na Terra? Que amigos beneficiastes para pedir-lhes a ternura e o sacrifício da paternidade e da maternidade no mundo, em vosso favor?

18.7 "Não vos iludais.

"Somente as criaturas primitivas, nos círculos selvagens da Natureza, conhecem, por agora, a semi-inconsciência do viver, por se abeirarem ainda dos reinos inferiores. Recebem a reencarnação quase ao jeito dos irracionais, que aperfeiçoam instintos para ingressarem, mais tarde, no santuário da razão.

"Para nós, porém, senhores de vigorosa inteligência, que já respiramos em centenas de formas diversas e que já atravessamos vários climas evolutivos, ofendendo e sendo ofendidos, amando e odiando, acertando e errando, resgatando débitos e contraindo-os, a vida não pode resumir-se a mero sonho, como se a reencarnação constituísse simples processo de anestesia da alma.

"É indispensável, pois, que nos refaçamos, aprimorando o tom vibratório de nossa consciência, alargando-a para o bem supremo e iluminando-a à claridade renovadora do divino Mestre.

"A mente humana, honrando os patrimônios celestiais que lhe foram conferidos, não poderá vegetar, à feição do arbusto enfezado que nada produz de útil na economia do orbe, nem deve imitar o irracional que se localiza na retaguarda da inteligência incompleta.

"Uma existência entre os homens, por mais humilde, para 18.8 nós outros é acontecimento importante demais para que o apreciemos sem maior consideração. Todavia, sem abraçar a noção de responsabilidade individual, que nos deve marcar o esforço de santificação, qualquer empresa dessa ordem é arriscada, porque em nosso aprendizado intensivo, na recapitulação, cada Espírito segue sozinho no círculo dos próprios pensamentos, sem que os companheiros de jornada, com raríssimas exceções, lhe conheçam as esperanças mais nobres e lhe partilhem as aspirações dignificadoras. Cada criatura encarnada permanece só, no reino de si mesma, e faz-se indispensável muita fé e suficiente coragem para marcharmos vitoriosamente, sob o invisível madeiro redentor que nos aperfeiçoa a vida, até o Calvário da suprema ressurreição."

Nesse instante, Matilde fez mais longa pausa na alocução com que nos enriquecia aquela hora de sabedoria e luz e acercou-se de Gúbio, prostrado e palidíssimo.

Afagou-o, bondosa, com palavras de agradecimento e, em seguida, como se desejasse quebrar a feição de solenidade que a sua presença nos imprimira à reunião, dirigiu-se, com acento carinhoso, aos ouvintes, rogando-lhes que se pronunciassem acerca dos projetos acalentados para o futuro.

Vozes de gratidão elevaram-se comovidas.

Um cavalheiro de olhos fulgurantes destacou-se e foi claro na consulta.

— Grande benfeitora — disse gravemente —, fui duplamente homicida na derradeira romagem terrestre. Respirei muitos anos no corpo carnal como se fora a pessoa mais tranquila do mundo, não obstante trazer a consciência tisnada de remorso e as mãos enodoadas de sangue humano. Ludibriei quantos me cercavam, com a máscara da hipocrisia. Atravessando os umbrais do túmulo, atormentado de acerbas reminiscências, supus que tremendas acusações me esperariam. Semelhante expectativa aliviava-me, de algum modo, porque o criminoso perseguido pelo remorso encontra verdadeiro socorro nas humilhações que o espezinham. Contudo, não encontrei senão o desprezo, com aviltamento de mim próprio. Minhas vítimas distanciaram-se de mim, desculparam-me e esqueceram-me. Vejo-me, todavia, acicatado por forças punitivas que nunca poderei descrever com as minúcias desejáveis. Há um tribunal invisível em minha consciência e debalde procuro fugir aos sítios em que menoscabei as obrigações de respeito ao próximo.

18.9   Abafando os soluços, rematou comoventemente:

— Como iniciar o esforço de minha restauração?

Tão imensa tristeza perpassava naquela voz humilde que nos sentíamos todos tocados nas fibras mais íntimas.

Matilde, contudo, respondeu sem titubear:

— Outros irmãos, não longe de nós, suportando a carga das mesmas culpas, peregrinam, desditosos, entre o pesadelo e a aflição inomináveis. Abre teu coração para eles. Começarás ajudando-os a enxergar a senda regenerativa, alimentando-os com esperanças e ideais novos e atraindo-os ao trabalho de sublimação, pelo esforço, na constante aplicação do bem. Sofrer-lhes-ás as injúrias, os remoques, as incompreensões, mas descobrirás um meio de ampará-los com eficiência e brandura. Depois de semelhante sementeira, principiarás a recolher as bênçãos de paz e de luz, porquanto, o Espírito que ensina com amor, embora delituoso e imperfeito, acaba aprendendo as mais difíceis lições da responsabilidade que adquire, transmitindo a outros revelações salvadoras que lhe não pertencem. Realizado esse serviço nobilitante, retomarás, então, mais tarde, o corpo físico, recapitulando os ensinamentos que gravaste na mente interessada em renovar-se. Reencontrarás, daí em diante, mil motivos para a cólera violenta; e a tentação de eliminar adversários, prostrando-os a golpe mortal, visitar-te-á com frequência o coração. Se souberes, porém, e, sobretudo, se quiseres vencer os próprios impulsos destrutivos, quando te encontrares em plena e abençoada luta na "esfera do recomeço", plantando amor e paz, luz e aperfeiçoamento, ao redor dos teus pés, então terás demonstrado aproveitamento real e efetivo das dádivas recebidas e revelar-te-ás preparado para maior ascensão.

18.1 Antes que a emissária pudesse imprimir novo brilho ao ensinamento, chorosa mulher recorreu-lhe ao conselho, exclamando humilhada:

— Grande mensageira do bem, confesso aqui minhas faltas diante de todos e peço-te roteiro salvador. Enquanto encarnada, nunca fui punida pelos meus excessos no abuso dos sentidos. Possuí um lar que não honrei, um esposo que depressa esqueci e filhos que afastei, deliberadamente, de meu convívio, para gozar, à saciedade, os prazeres que a mocidade me oferecia. Meu transviamento moral não foi conhecido na comunidade em que vivi, mas a morte apodreceu a máscara que me ocultava aos alheios olhos e passei a experimentar horrível pavor de mim mesma. Que farei por retornar à paz? Como traduzir o arrependimento que me enche a alma de infinita amargura?

Matilde fitou-a compungidamente e observou:

— Milhares de seres, despojados da roupagem fisiológica, estertoram em zona próxima, sob o guante cruel das paixões a que se algemaram invigilantes. Poderás encetar o reajustamento de tuas energias, dedicando-te, nos círculos próximos, ao levantamento dos sofredores de boa vontade. Com esquecimento de ti mesma, arrebatarás muitos Espíritos, cadaverizados no abuso, aos pântanos de dor em que se debatem. Plantarás na mente deles novos princípios e novas luzes, consolando-os e transformando-os, a caminho da harmonia divina, reconquistando, por tua vez, o direito de regresso ao campo bendito da carne.

Reconduzida, então, à abençoada escola terrestre, receberás, talvez, a prova terrível da beleza física, a fim de que o contato com as tentações da própria natureza inferior te retempere o aço do caráter, se conseguires manter fidelidade suprema ao amor santificante. Esta é a lei, minha filha! Para que nos reergamos com segurança, depois da queda ao precipício, é imprescindível auxiliar quantos se projetaram nele, consolidando, ante as dores alheias, a noção da responsabilidade que nos deve presidir às ações porvindouras, de modo que a reencarnação não se converta em novo mergulho no egoísmo. O único recurso de fugirmos definitivamente ao mal é o apoio constante no bem infinito.

A benfeitora imprimiu ligeira interrupção ao verbo generoso, espraiou o olhar na assembleia que a ouvia, expectante, e concluiu:

— E que nenhum de nós admita o acesso fácil aos tesouros eternos, tão só porque atualmente nos vejamos libertos das cadeias beneméritas do corpo de carne. O Senhor criou leis imperecíveis e perfeitas para que não alcancemos o Reino da Divina Luz ao sabor do acaso, e Espírito algum trairá os imperativos sábios do esforço e do tempo! Quem pretende a colheita de felicidade no século vindouro comece desde agora a sementeira de amor e paz.

Nesse momento, entregou-se Matilde a maior parada e, enquanto parecia meditar, em prece, de seu tórax iluminado nasciam, espontâneas e brilhantes, ondas sucessivas de maravilhosa luz.

19
Precioso entendimento

19.1   Certo, acreditando haver transmitido a nós outros os ensinamentos que podíamos receber, a nobre mensageira recomendou a Elói trouxesse Margarida àquele plenário amoroso, deixando perceber que pretendia consolidar-lhe o equilíbrio e fortalecer-lhe a resistência.

Transcorridos alguns minutos, a esposa de Gabriel, que se convertera em objeto de nossas melhores atenções naqueles dias, desligada do envoltório denso, compareceu no cenáculo.

Mostrava passo vacilante e estranho alheamento no olhar, revelando a semi-inconsciência em que se demorava.

Ao que me pareceu, a luz reinante não lhe afetou o olhar.

Caracterizava-se, naquela hora, pelos movimentos impulsivos, caminhando, em nosso meio, qual se fora sonâmbula vulgar.

Maquinalmente se asilou nos braços maternos que Matilde lhe oferecia e, tão depressa se acolheu no regaço da benfeitora que a envolvia em doce ternura, reagiu favoravelmente, contemplando-nos, então, assustadiça. Parecia acordar, pouco a pouco...

A protetora, interessada em despertar-lhe alguns centros importantes da vida mental, começou a aplicar-lhe passes ao longo do cérebro, operações que não pude compreender tão bem quanto desejava. Reparei, contudo, que Matilde lhe aplicava recursos magnéticos sobre os condutores nervosos do órgão de manifestação do pensamento, tanto quanto ao longo de toda a região do simpático, esclarecendo-me o instrutor, mais tarde, que o estado natural da alma encarnada pode ser comparado, em maior ou menor grau, à hipnose profunda ou à anestesia temporária, a que desce a mente da criatura por meio de vibrações mais lentas, peculiares aos planos inferiores, para fins de evolução, aprimoramento e redenção, no espaço e no tempo.

Fenômenos de metabolismo, na organização perispirítica, fizeram-se patentes à nossa observação, porque Margarida expelia, pelo tórax e pelas mãos, fluidos cinzento-escuros em forma de vapor tenuíssimo, a desfazer-se no vasto oceano de oxigênio comum. Logo após semelhante "operação de limpeza", as zonas do sistema endocrínico emitiam radiações diamantinas, figurando-se uma constelação de caprichosos contornos a brilhar nas sombras do perispírito, até ali opaco e vulgar.

Do peito de Matilde ondas luminosas partiam ininterruptas e tudo nos fazia crer que a tutelada de Gúbio se achava, naquela hora, num banho autêntico de essências divinas.

A certa altura do singular processo de *despertamento*, a jovem senhora abriu desmedidamente os olhos, qual criança espantada, e fixou-nos com expressão de assombro, ensaiando movimentos de recuo e pavor. Mas, voltando-se para o semblante doce e iluminado da benfeitora, aquietou-se brandamente, como que magnetizada por indefinível amor.

Matilde osculou-a, enternecida, e, ao contato daqueles lábios sublimes, Margarida, mostrando-se tocada nos recessos do ser, abraçou-lhe o busto, evidenciando ânsia suprema de integração espiritual.

19.3   Parecendo desvairada de repentino júbilo, bradou, em lágrimas comoventes:

— Mãe! Querida mãezinha!

— Sim, minha filha, sou eu — disse a interlocutora, afagando-a com extremado afeto —; o amor jamais desaparece! A união das almas vence o tempo e a morte.

— Por que me abandonaste? — inquiriu a esposa de Gabriel, colando-se-lhe ao coração, num transporte de inexprimível ventura.

— Nunca te esqueci — elucidou a benfeitora, acolhendo-a com mais intensa ternura. — O país da "neblina carnal" muitas vezes parece distanciar-nos uns dos outros; entretanto, sombra alguma conseguirá separar-nos. Nossas aspirações e esperanças se confundem, quais pontos de luz, nas trevas da separação, assim como as estrelas se assemelham a balizas brilhantes no nevoeiro noturno, recordando-nos o infinito e a eternidade.

Ao som caricioso daquelas palavras, a ex-obsidiada parecia acordar cada vez mais largamente em nosso plano.

De olhos ansiosos, fixos na protetora, como que magnetizada por incomensurável afeto, ponderou, entre lágrimas:

— Mãezinha querida, estou cansada e infeliz!

— Quando a boa luta apenas começa? — perguntou Matilde, sorrindo.

— Sinto-me cercada de inimigos sem entranhas. Devo ser atormentada dia e noite. Noto invencível antagonismo entre meus sentimentos e a realidade humana. O próprio matrimônio, em que eu depositava os mais caros sonhos, não me foi senão escuro livro de desenganos cruéis. Trago meu coração extenuado e oprimido. Frustração e ruína espiritual seguem-me de perto... Por isso, sou um fardo pesado ao esposo dedicado e digno de melhor sorte...

Soluços violentos impediram-na de continuar.

A veneranda emissária enxugou-lhe o pranto e falou bondosa:

— Margarida, viver no corpo terrestre, entendendo os deveres divinos que nos cabem, não é tão fácil, ante a glória infinita que em companhia dele podemos recolher. Todos possuímos culposo pretérito a redimir. É imperioso reconhecer, todavia, que, se a experiência humana pode ser doloroso curso de renunciação pessoal, é também abençoada escola em que o Espírito de boa vontade pode alcançar culminâncias. Para isto, no entanto, é indispensável se abra o coração ao clima interior da bondade e do entendimento. Somos diamantes brutos, revestidos pelo duro cascalho de nossas milenárias imperfeições, localizados pela magnanimidade do Senhor na ourivesaria da Terra. A dor, o obstáculo e o conflito são bem-aventuradas ferramentas de melhoria, funcionando em nosso favor. Que dizer da pedra preciosa que fugisse às mãos do lapidário, do barro que repelisse a influência do oleiro? Modifica as mais íntimas disposições com referência aos adversários. O inimigo nem sempre é uma consciência agindo deliberadamente no mal. Na maioria das vezes, atende à incompreensão quanto qualquer de nós; procede em determinada linha de pensamento, porque se acredita em roteiro infalível aos próprios olhos, nos lances do trabalho a que se empenhou nos círculos da vida; enfrenta, qual ocorre a nós mesmos, problemas de visão que só o tempo, aliado ao esforço pessoal na execução do bem, conseguirá decidir. O batráquio e a ave caracterizam-se por impulsos diferentes, não obstante filhos do mesmo mundo. É necessário, Margarida, sabermos utilizar o inimigo, nele situando nossa lição benfeitora. A rigor, em vista da nossa posição de inferioridade, seremos adversários naturais da obra dos anjos, na esfera menos elevada que atravessamos presentemente; todavia, as potências angélicas não nos punem a incapacidade temporária de compreensão ante os serviços divinos que lhes cabem na economia do Universo. Em vez de condenar-nos, identificam-nos as deficiências compadecidamente e estendem-nos braços fraternos, por intermédio de mil recursos invisíveis e indiretos, a fim de que aprendamos a escalar o monte da sublimação, em marcha para os cumes celestes.

19.5 Verificando-se pequena pausa nas observações maternais, a jovem senhora obtemperou, enlevada:

— Amada mãezinha! Pudessem meus ouvidos guardar sempre a doce música de tuas palavras! Tristemente, antevejo o torvelinho das dificuldades terrenas a que devo retornar. Tudo agora é consolação e esperança; todavia, amanhã serei novamente prisioneira no cárcere físico e caminharei de memória anestesiada, em conflito incessante com os monstros que me assediam!

— Este, filha — acrescentou Matilde, afetuosa —, é o imperativo da tarefa que te compete realizar. Entretanto, não percas os tesouros do tempo em considerações inúteis. Enche as tuas horas de trabalho salutar com a possível harmonia, fonte de toda a beleza. A inteligência que, de algum modo, já se evadiu das limitações da animalidade, encontra-se no corpo de carne, à maneira do lidador num estádio de provas benfeitoras. Lá dentro, na arena das possibilidades sublimes que a região do nevoeiro oferece, há quem se encaminhe para cima e há quem se dirija para baixo. Não fujas ao óbice valioso na corrida de aperfeiçoamento, nem sorvas o mentiroso elixir da ilusão, apaixonadamente usado por todos os que se deixaram vencer pelas tentações do desânimo, incapazes de aceitar o desafio que o mundo lhes endereça. A vida, para toda alma que triunfa no carreiro áspero, é serviço, movimento, ascensão. E à rajada de luta que te conduzirá ao píncaro luminoso, não te suponhas sozinha na jornada áspera. Outras, aos milhares, suam e sangram em silêncio. Passam na cena do mundo, sem o afeto de um esposo e sem a bênção de um lar. Não conhecem, como tu, a dádiva de um corpo normal, nem podem guardar os mínimos sonhos que arregimentas no coração feminil. São homens esquecidos e mulheres desamparadas que passam despercebidos e humilhados, do berço ao túmulo. Respiram em regime de tortura moral e seguem, estrada afora, desprotegidos e dilacerados, aos olhos do mundo, abafando os próprios soluços que, se ouvidos, lhes acarretariam implacável punição. Entretanto, apesar do espesso véu de lágrimas que lhes dificulta a marcha, continuam caminhando impávidos, contando com um amanhã cada vez mais impreciso e distante, que parece ocultar-se, indefinido, nos horizontes sem-fim.

Margarida, que assinalava enternecidamente a argumentação, rogou súplice: **19.6**

— Mãezinha querida, ensina-me a continuar. Desejo honrar a bendita oportunidade que recebi!

— Não procures ser atendida em todos os teus desejos — falou a benfeitora, suavemente —, mas procura servir, fraternalmente, a quantos te reclamem arrimo e braço forte.

"Ajuda, antes de procurares auxílio.

"Compreende, sem exigir compreensão imediata.

"Desculpa os outros, sem desculpar a ti mesma.

"Ampara, sem a intenção de ser amparada.

"Dá, sem o propósito de receber.

"Não persigas o respeito humano que te faça aparecer melhor que és, mas busca, em todo tempo e lugar, a bênção divina na aprovação da própria consciência.

"Não procures destacada posição diante dos outros; antes de tudo, aperfeiçoa os teus sentimentos, cada vez mais, sem propaganda de tuas virtudes vacilantes e problemáticas.

"Age corretamente e esquece as frases vazias ou venenosas da maledicência contumaz.

"Socorrendo-te das diretrizes alheias, desconfia das palavras que te lisonjeiem a fantasiosa superioridade pessoal ou que te inclinem à dureza de coração.

19.7   "Diante da fartura ou da escassez, recorda o serviço que o Senhor te convocou a realizar e produze o bem em seu nome, onde estiveres.

"Lembra-te de que a experiência na carne é demasiadamente breve e que a tua cabeça deve permanecer tão cheia de ideais santificantes quanto as mãos repletas de trabalho salutar.

"Para que atendas, porém, a semelhante programa, é imprescindível abras o coração ao sol renovador do sumo bem.

"De alma cerrada ao interesse pela felicidade do próximo, jamais encontrarás a própria felicidade.

"A alegria que improvisares, em torno dos pés alheios, te fará mais rica de júbilo.

"Na paz que semeares, encontrarás a colheita da paz que desejas.

"Estes são princípios da vida radiante.

"No insulamento, ninguém recolherá a suprema alegria.

"Para a Sabedoria Divina, tão infortunado é o pastor que perdeu o rebanho, quanto a ovelha que perdeu o pastor. A desistência de ajudar é tão escura quanto o relaxamento de extraviar-se.

"O egoísmo conseguirá criar um oásis, mas nunca edificará um continente.

"É indispensável, Margarida, aprenderes a sair de ti mesma, auscultando a necessidade e a dor daqueles que te cercam."

Nesse ínterim, calou-se a voz da protetora e, sentindo-se banhada na infinita luz daqueles momentos inesquecíveis, a esposa de Gabriel indagou, embriagada de ventura:

— Ó Deus, Pai misericordioso, a que devo atribuir a graça inolvidável desta hora?

Matilde, pretendendo talvez imprimir ampla familiaridade à cena a que assistíamos, levantou-se, abraçada à filha espiritual, e, caminhando ao nosso encontro, apresentou-nos a ela por particulares amigos.

Confraternizadora palestra estabeleceu-se, extinguindo-se a onda de lágrimas que nos visitava, indistintamente, ante a conversação comovedora e inesquecível.

Chegou, entretanto, o momento em que a benfeitora se revelou interessada em despedir-se.

Antes, porém, cravou o olhar muito lúcido na ex-obsidiada e falou-lhe resoluta:

— Margarida, agora que reténs, tanto quanto possível, regular consciência de ti mesma em nossa esfera de ação, ouve o apelo que te endereçamos. Não suponhas que te visito pelo simples prazer de consolar-te, o que seria talvez induzir-te ao caminho da despreocupação irresponsável, que nunca nos dirige à verdadeira paz. A finalidade divina há de ser, em tudo, a alma de nossa ação. O lavrador que amanha o solo e o socorre com irrigação confortadora espera algo da sementeira que lhe reclama o esforço diário. O amparo do Alto, direto ou indireto, reservado ou ostensivo, não é apenas mera exibição de poder celestial. Os moradores dos círculos mais elevados não se arriscariam a descer, sem objetivos de ordem superior, ao domicílio da mente encarnada, assim como os artistas da inteligência não se animariam a movimentar espetáculos de cultura intelectual, sem fins educativos, junto aos irmãos de raciocínios e sentimentos ainda rudimentares ou inferiores. O tempo é valioso, minha filha, e não podemos menoscabá-lo sem grave prejuízo para nós mesmos.

Ante a expressão de surpresa que a tutelada de Gúbio estampava no semblante inquieto, Matilde continuou:

— Em breves anos, voltarei também ao círculo de lutas em que te debates.

— Tu? — gritou Margarida, apalermada, ante a perspectiva de renascimento carnal para o ser iluminado que se mantinha à nossa vista. — Por que te seria imposta semelhante pena?

19.9 — Não te guardes em tamanha incompreensão da lei do trabalho — ajuntou a mensageira, sorrindo —; a reencarnação nem sempre é simples processo regenerativo, embora, na maioria das vezes, constitua recurso corretivo de Espíritos renitentes na desordem e no crime. A crosta da Terra é comparável a imenso mar onde a alma operosa encontra valores eternos aceitando os imperativos de serviço que a Bondade Divina nos oferece. Além disso, todos temos doces laços do coração, que se demoram, por muitos séculos, retidos ao fundo do abismo. É indispensável buscar as pérolas perdidas para que o paraíso não permaneça vazio de beleza ao nosso olhar. Depois de Deus, o amor é a força gloriosa que alimenta a vida e move os mundos.

A benfeitora fitou a jovem senhora, enlevada, fez pequena pausa e aduziu:

— Em razão disto, espero não desconheças a santidade do ministério maternal, na orientação dos Espíritos renascentes. Nossas melhores possibilidades se perdem na "esfera do recomeço", por falta de braços decididos e conscientes que nos guiem através dos labirintos do mundo. Carinho, quase sempre, não falta no santuário familiar, onde a alma se habilita à recapitulação de valiosa aventura; entretanto, a ternura absoluta é tão nociva quanto a absoluta aspereza. Não ignoras, filha amada, que a entidade mais enobrecida, retomando o veículo de carne, é compelida a sofrer-lhe os regulamentos. As leis fisiológicas, que dominam na crosta, não fazem exceção. Impõem-se sobre os justos com o mesmo rigor dentro do qual funcionam para os pecadores. O anjo que desça ao fundo da mina de carvão continuará naturalmente a ser um anjo na vida íntima; entretanto, não escapará ao clima deprimente do subsolo. O esquecimento temporário me acompanhará nos abafadores das células físicas, mas o êxito desejável somente me felicitará se eu puder contar com a tua orientação robusta e vigilante.

"Bem sei que, depois, regressando por tua vez ao envoltório que te liga ao círculo comum da luta terrestre, olvidarás, igualmente, a nossa conversação desta hora. No entanto, a saúde e a harmonia que te inundarão a estrada doravante, aliadas ao otimismo e à esperança, que persistirão em teu espírito por recordações indeléveis e vagas destes instantes divinos, não te deixarão esquecer de todo.

"Defende o teu corpo como quem preserva um recipiente sagrado para o serviço do Senhor e espera-me em tempo breve.

"Viveremos mais juntas na peregrinação meritória.

"Nos abençoados elos do sangue seremos mãe e filha, de maneira a aprendermos, mais intensamente, a ciência da fraternidade universal.

"Realmente, Margarida, o meu retorno ser-te-á sacrifício doloroso ao corpo frágil e delicado; todavia, ajuda-me na sementeira renovada para que eu te seja útil na colheita infalível.

"Não me recebas, nos braços, por boneca mimosa e impassível. Adornos externos nunca trazem felicidade legítima ao coração, e sim o caráter edificado e cristalino, base segura de que se expande a boa consciência. A estufa pode alimentar as flores mais lindas da Terra, mas não produz os melhores frutos. A árvore benfeitora não prescindirá do carinho e da assistência constante do pomicultor. É imperioso reconhecer, porém, que somente se fortalecerá sob a temperatura atormentadora da canícula, debaixo de aguaceiros salutares ou aos golpes da ventania forte. A luta e o atrito são bênçãos sublimes, pelas quais realizamos a superação de nossos velhos obstáculos. É necessário não menosprezá-los, identificando neles o ensejo bendito de elevação.

"Compreende-me as necessidades para que eu te possa entender no momento justo. As conveniências humanas são respeitáveis, mas as conveniências espirituais são divinas. Auxilia-me a conquistar equilíbrio nas primeiras, a fim de atender aos imperativos celestiais do Espírito eterno. Logo que me sintas nos braços, não me relegues à garridice e à inutilidade, a pretexto de guardar-me em maternal proteção. Não é com enfeites exteriores que ajudaremos o vegetal precioso a crescer e frutificar, mas sim com o esforço perseverante da enxada, com a vigilância na defesa, com o adubo estimulante e com a poda benfeitora. Não me percas de vista, para que o amor e a gratidão a Deus perdurem para sempre em minha memória frágil. Socorre-me em tempo para que eu seja útil no momento oportuno."

11. Edificados com a lição indireta que se nos administrava, reparamos que Margarida, em copioso pranto, prometia tudo quanto lhe era solicitado.

A doce palestra interessava-nos a todos e, por nossa vontade, seria indefinidamente alongada no tempo; porém, Matilde agora revelava no olhar a preocupação de ausentar-se.

Dirigiu, ainda, brandas frases de reconforto à filha querida, envolveu-a em operações magnéticas, reajustando-lhe os centros perispiríticos, carinhosamente, e rogou o auxílio de Elói para que a esposa de Gabriel regressasse ao envoltório carnal.

Despedindo-se em definitivo, a grande mentora acrescentou algumas recomendações de adeus:

— Margarida — disse, bondosa —, não te esqueças do reino de beleza que podes improvisar no santuário doméstico.

"Foge, resoluta, dos perigosos fantasmas do ciúme e da discórdia. Aprende a renunciar, nas questões pequeninas, para recolheres com facilidade a luz que emana do sacrifício. Não comprometas, por bagatelas, o êxito espiritual que a experiência te pode oferecer. Estás livre dos males exteriores, mas ainda te não libertaste dos males próprios. Confia no divino Poder e não desfaleças, ainda mesmo quando a tempestade te açoite as fibras mais íntimas do coração."

Mãe e filha permutaram um abraço cheio de indefinível ternura e, encaminhando-se para Gúbio, a este explicou Matilde, discreta, o trabalho que planejara para as horas seguintes, asseverando que nos esperaria em paisagem próxima.

Logo após, agradeceu-nos com extrema gentileza, não nos oferecendo oportunidade de exprimir-lhe o reconhecimento e o júbilo que nos possuíam a alma.

Em seguida, ausentou-se, restituindo, naturalmente, ao nosso orientador as forças que lhe subtraíra em caráter temporário.

Gúbio, então, retomou as rédeas do trabalho, notificando que, exceção feita a quatro companheiros que montariam guarda fraterna junto ao lar de Gabriel, deveríamos partir todos na direção dos círculos mais altos com escala em um dos "campos de saída" da esfera carnal.

20
Reencontro

20.1 A noite ia avançada, mas o nosso instrutor, vagueando o olhar em torno, parecia consultar a paisagem externa, ensimesmado, pensativo...

Logo após, fitou, enternecido, a filha espiritual que passara a convalescer em brando e defendido repouso. Orou, longamente, junto dela, na câmara íntima e, em seguida, veio anunciar-nos o instante da partida.

Aves tornando ao ninho de esperança e de paz, deveríamos, agora, transportar conosco outros pássaros de asas semimutiladas que a tormenta das paixões ameaçava. Todos os corações ali socorridos demandariam, junto de nós, outros campos de ação regenerativa e redentora.

Aquelas entidades sofredoras e amigas, ainda mesmo as que se conservavam nas imediações da loucura pelos desequilíbrios do sentimento a que se haviam confiado, tinham lágrimas de alegria e reconhecimento nos olhos. Em cada uma palpitava o anseio de retificação e de vida nova. Por isto mesmo, talvez, cravavam o olhar inquieto e jubiloso em nosso orientador, como que a lhe devorarem as palavras.

20.2 — Todos os companheiros incorporados à nossa missão destes dias — avisava Gúbio, paternal —, desde que se mantenham perseverantes no propósito de autorrestauração, seguem ao nosso lado, com acesso aos círculos de trabalho condigno, onde estudantes do bem e da luz lhes acolherão, com simpatia, as aspirações de vida superior. Espero, contudo, que não aguardem milagres na esfera próxima. O trabalho de reajustamento próprio é artigo de lei irrevogável, em todos os ângulos do Universo. Ninguém suplique protecionismo a que não fez jus, nem flores de mel às sementes amargas que semeou em outro tempo. Somos livros vivos de quanto pensamos e praticamos, e os olhos cristalinos da Justiça Divina nos leem em toda parte. Se há um ministério humano, na crosta da Terra, determinando sobre as vidas inferiores da gleba planetária, temos, em nossas linhas de ação, o ministério dos anjos, dominando em nossos caminhos evolutivos. Ninguém trai os princípios estabelecidos. Possuímos agora o que ajuntamos no dia de ontem e possuiremos amanhã o que estejamos buscando no dia de hoje. E como emendar é sempre mais difícil que fazer, não podemos contar com o favoritismo, na obra laboriosa do aprimoramento individual, nem provocar solução pacífica e imediata para problemas que gastamos longos anos a entretecer. A prece ajuda, a esperança balsamiza, a fé sustenta, o entusiasmo revigora, o ideal ilumina, mas o esforço próprio na direção do bem é a alma da realização esperada. Em razão disso, ainda aqui, a bênção do minuto, a dádiva da hora e o tesouro das oportunidades de cada dia hão de ser convenientemente aproveitados se pretendemos santificadora ascensão. Felicidade, paz, alegria não se improvisam. Representam conquistas da alma no serviço incessante de renovar-se para a execução dos desígnios divinos. Felizmente, desde agora estamos abrigados no santuário da boa vontade e, ainda neste instante, cabe-nos não esquecer a promessa evangélica: "quem perseverar até o fim será salvo". A graça celestial, sem dúvida, é um sol permanente e sublime. Urge, porém, a criação de qualidades superiores em nós, para fixar-lhe os raios e recebê-los.

20.3 Doce intervalo mostrou-nos o júbilo reinante.

Salutar otimismo transbordava de todos os rostos.

Saldanha, de olhos fitos em nosso dirigente, confundia-nos pelo pranto de contrição purificadora, a correr-lhe, abundante, dos olhos.

Antes que o nosso instrutor pudesse retomar o fio da palavra encorajadora e vigilante, algumas irmãs entoaram formoso hino de louvor à bondade do Cristo, com visível desassombro no olhar firme, dantes ansioso e dorido, enchendo-nos o coração de intraduzível bem-estar.

Raios de safirina luz derramaram-se profusamente sobre nós, enquanto as vozes harmoniosas e singelas se espalharam em derredor, tangendo-nos as fibras mais recônditas, nos recessos do ser.

Terminado o cântico melodioso e tocante que nos recordava os pensamentos sublimes de inolvidável Salmo de Davi,[28] o instrutor retomou a palavra e informou que, não obstante as santificadas alegrias daquela hora, a batalha não estava finda.

Faltava-nos o epílogo, esclareceu com inflexão mais grave na voz.

Matilde antecipara-se, de modo a esperar-nos em região intermediária, em cujo clima vibracional lhe seria possível materializar-se, de novo, aos olhos de todos, realizando o sonhado reencontro espiritual com o filho de outras eras que, a breve tempo, nos procuraria na condição de vingador.

Evidenciando manifesta preocupação no olhar muito lúcido, o nosso orientador prosseguiu esclarecendo que Gregório, ciente das novidades havidas no drama de Margarida e informado acerca

---

[28] Nota do autor espiritual: Salmo 90.

da renovação de muitos companheiros e colaboradores dele, agora francamente inclinados ao bem, entediados da ignorância e do ódio, da perversidade e da insensatez, se revoltara contra ele, Gúbio, dispondo-se a buscá-lo para um ajuste de que se julgava credor. Explicou, emocionado, que num duelo espiritual, como aquele a esboçar-se, esperava de todos nós o auxílio eficiente da prece e das emissões mentais de amor puro. Não deveríamos receber os doestos e insultos de Gregório por ofensas pessoais, nem levar suas atitudes à conta de maldade ou grosseria. Competia-nos observar-lhe nos gestos de incompreensão a dor que se lhe cristalizara no Espírito oprimido e inconformado, vendo-lhe nas palavras não a maldade deliberada, mas sim a eclosão de uma revolta doentia e infeliz que não poderia prejudicar e ferir senão a ele próprio. O pensamento é uma força vigorosa, comandando os mínimos impulsos da alma e, se nos entregássemos à reação espiritual, armada de ódio ou desarmonia, pactuaríamos com a violência, impedindo não só a manifestação providencial de Matilde, a benfeitora, mas também a renovação de Gregório, que guardava a inteligência centralizada no mal. Emissões de mágoa ou revide colocar-nos-iam em trabalho contraproducente. As vibrações de amor fraternal, quais as que o Cristo nos legou, são as verdadeiras energias dissolventes da vingança, da perseguição, da indisciplina, da vaidade e do egoísmo que atormentam a experiência humana. Além disso — tornou o instrutor bondoso —, cumpria-nos considerar que aquela mente transviada do trilho divino se caracterizava muito mais pela moléstia do orgulho ferido e impenitente que pela perversidade. Gregório era tão somente um infeliz, quanto nós mesmos em passado próximo ou remoto, acicatado por rebeliões e remorsos interiores a lhe desajustarem os sentimentos. Merecia, por isso mesmo, nossa dedicação carinhosa e confortadora, ainda mesmo que nos visitasse com aparências de celerado ou de louco. Nossa conduta, aliás, nada apresentava de surpreendente, em semelhante capítulo, porque não fora para ensinar-nos outras lições que o Cristo trabalhara em benefício de todos e padecera na cruz, sem ninguém.

Notificou-nos, ainda, que o sacerdote das sombras se faria acompanhar, em sua vinda até nós, de muitos companheiros tão envenenados mentalmente quanto ele, e que, contra essa equipe de criaturas inimigas da luz, cabia-nos formar um todo de defesa harmônica, por meio da fraternidade legítima, da oração intercessora e do amor espiritual que se compadece e age em favor da restauração do bem.

Valendo-se da pausa que se impusera natural, Saldanha perguntou ao nosso mentor se não devíamos organizar pelo menos um movimento coordenado de repulsão enérgica, ao que o dirigente, sábio e amigo, respondeu sorrindo:

— Saldanha, em companhia do Mestre que abraçamos, só há lugar para o trabalho sadio, com entendimento das lições de sacrifício e iluminação que nos deixou. Não acredites que um golpe possa desaparecer com outro golpe. Não se cura a ferida, aprofundando o sulco da carne em sangue. A cicatriz abençoada surge sempre à custa de enfermagem, remédio ou retificação, com ascendentes de amor. Quem pretende o reinado do Cristo entrega-se a Ele. Somos servos. A defesa, qualquer que seja, pertence ao Senhor.

O ex-perseguidor calou-se humilde.

Decorridos alguns minutos, algo constrangidos afastamo-nos, em bloco, da vivenda em que tantos ensinamentos preciosos havíamos recebido.

Amparados os mais doentes naqueles que se mostravam mais fortes, retiramo-nos, cautelosos, pondo-nos a caminho da zona preestabelecida.

Duas horas de jornada, sob a supervisão de Gúbio, perfeitamente treinado em experiências daquela natureza, conduziram-nos ao local desejado.

O campo, em torno, era singularmente belo.

Verdejante planalto, coroado de luar, convidava-nos à meditação e à prece, e brisas ligeiras e frescas da madrugada como que nos bafejavam o cérebro, convidando-nos a reconfortar as fontes do pensamento.

Nosso instrutor fez-nos sentar em semicírculo, compelindo-nos a recordar várias cenas evangélicas e informou, com visível emoção, que, segundo mensagem particular por ele registrada, Gregório e os dele já se haviam colocado em nosso encalço e que, se alguns dos companheiros procurassem evitar-lhe a presença, qualquer fuga, em nosso agrupamento, se fazia impraticável, em virtude de a elevada percentagem de peregrinos, ali reunidos, se revelarem incapazes de volitação em alto plano, pela densidade do padrão mental em que se mantinham.

Cabia-nos, pois, agora, a atitude de oração e expectativa amorosa de quem sabia compreender, ajudar e perdoar.

Do zimbório estrelejado desciam valiosos estímulos para nós.

Constelações tremeluziam distantes, enquanto a Lua, silenciosa e bela, parecia disposta a testemunhar-nos o esforço cristão.

Reparei que o nosso dirigente, insulado na relva macia, assumia a mesma posição de instrumento mediúnico, qual acontecera na reunião que vínhamos de efetuar, porque me entregou, confiante, a direção da assembleia, o que aceitei dentro de preocupação extrema, embora sem hesitar.

Providenciada semelhante medida, Gúbio passou a elevada condição mental, por intermédio da oração.

Acompanhamo-lo, reverentes. Não havia gosto para conversações estranhas ao problema delicado daquela hora.

Demorávamo-nos em observação expectante, quando ruído longínquo nos anunciou a alteração dos acontecimentos.

O instrutor, não obstante palidíssimo, dando-nos a ideia de que já se achava em comunicação com entidades superiores e imperceptíveis ao nosso olhar, mais uma vez nos exortou ao silêncio, à paciência, à serenidade e à prece, recomendando-nos seguir todos os fatos, sem revolta, sem mágoa e sem desânimo.

0.7 Não foi preciso esperar muito.

Alguns minutos se desdobraram apressados e Gregório, com algumas dezenas de assalariados, surgiu em campo, investindo-nos com palavrões que se caracterizavam pela dureza e violência. Os recém-chegados apareceram acompanhados de grande cópia de animais, em maioria monstruosos.

Noutras circunstâncias, sem a bênção do aviso salutar, provavelmente teríamos debandado, mas Gúbio, cuja superioridade conhecíamos por experiência própria, ali se mantinha resoluto e imperturbável, emitindo ondas de luminosidade intensa, veiculando forças magnéticas, imponderáveis, que, dirigidas sobre nós, como que nos supria de recursos necessários ao procedimento irrepreensível.

Por mim, ao reparar as máscaras sinistras que se abeiravam de nós, confesso que, em tempo algum, senti tamanha ameaça de medo e tão profundo contágio de confiança.

O sacerdote das sombras avançou para o nosso orientador, à semelhança de general parlamentando na praça antes de começar a batalha, e acusou sem rodeios:

— Miserável hipnotizador de servos ingênuos, onde se alinham tuas armas para o duelo desta hora? Não contente em prejudicar-me os projetos mais íntimos, num problema de ordem pessoal, aliciaste numerosos colaboradores meus, em nome de um Mestre que não ofereceu aos que o acompanharam senão sarcasmo, martírio e crucificação! Acreditas, porventura, esteja eu disposto, por minha vez, a aceitar princípios que relaxam a dignidade humana? Admites, acaso, permaneça, a meu turno, fascinado pelos feiticeiros de tua estirpe? Traidor da palavra empenhada, confundir-te-ei os poderes de bruxo desconhecido! Não creio no amor açucarado que elegeste por senha de luta! Creio na força que governa a vida e que te dobrará, igualmente, aos meus pés!

Percebendo que o nosso orientador não se erguia, como que chumbado ao solo, compelido por indefinível prostração, não obstante cercado de intensa luz, o sacerdote dos mistérios negros, acariciando os copos da espada luzente, acentuou irado:

— Covarde, não te levantas para ouvir-me a acusação justa e digna? Perdeste também o brio, semelhando-te a quantos te antecederam no movimento de humilhação que persiste no mundo há quase dois mil anos? Também, noutra época, acreditei na celestial proteção por meio da atividade religiosa, nos ideais em que hoje te empenhas. Entendi, contudo, a tempo, que o trono divino paira distante demais para que nos preocupemos em alcançá-lo. Não há um Deus misericordioso, e sim uma Causa que dirige. Essa causa é inteligência, e não sentimento. Encastelei-me, assim, na força determinativa para não soçobrar. O "querer", o "mandar" e o "poder" estão em minhas mãos. Se tuas mágicas prevalecem acima dos princípios que consagro e defendo, aceita a luva que te lanço à face! Combatamos!

Gregório espraiou torvo olhar pela assistência muda e exclamou:

— Aqui descansam inermes, ao teu lado, os meus colaboradores que adormeceram, vergonhosamente, ao teu cântico sedutor; entretanto, cada qual deles me pagará muito caro a defecção e a desobediência.

Fixou, com mais atenção, os olhos felinos na assembleia, mas, exceto eu, que deveria permanecer atento à tarefa direcional que me fora cometida, ninguém ousou modificar a atitude de profunda concentração nos propósitos de humildade e amor a que fôramos conclamados.

Demonstrando acentuado desapontamento em face dos insultos sem resposta, o temível diretor de legiões sombrias abeirou-se, mais estreitamente, de nosso instrutor sereno e bradou:

20.9 — Levantar-te-ei, por mim mesmo, usando os sopapos que mereces.

Antes, porém, que conseguisse ligar o intento à ação, delicado aparelho luminoso surgiu no alto, à maneira de garganta improvisada em fluidos radiantes, como as que se formam nas sessões de voz direta, entre os encarnados, e a voz cristalina e terna de Matilde ressoou acima de nossas cabeças, exortando-o com amorosa firmeza:

— Gregório, não enregeles o coração quando o Senhor te chama, por mil modos, ao trabalho renovador! O teu longo período de dureza e secura está terminado. Não intentes contra os abençoados aguilhões de nosso Eterno Pai! O espinho fere, enquanto o fogo o não consome; e a pedra mostra resistência, enquanto o fio d'água a não desgasta! Para a tua alma, filho meu, findou a noite em que a tua razão se eclipsou no mal. A ignorância pode muito; no entanto, é simples nada quando a sabedoria espalha os seus avisos. Não admitas que os monstros da negra magia te alimentem o coração com a felicidade desejável!

O temido perseguidor mantinha-se confundido, semiaterrado, ao passo que nós mesmos, os circunstantes ligados à missão de Gúbio, não conseguíamos dissimular a imensa surpresa que nos dominava ante o quadro imponente e inesperado.

Compreendi que a benfeitora se valia dos fluidos vitais de nosso orientador para exprimir-se naquele plano, qual o fizera, horas antes, na residência de Margarida.

O sacerdote transviado, num complexo de espanto, rebelião e amargura, tinha agora o aspecto de uma fera enjaulada.

— Acreditas, porventura — prosseguiu a voz materna, adulçorada —, que o amor pode alterar-se no curso do tempo? Supuseste, um dia, que eu te pudesse esquecer? Olvidaste a imantação de nossos destinos? Peregrine minha alma através de mil mundos, suspirarei sempre pela integração de nossos espíritos. A luz sublime do amor que nos arde nos sentimentos mais profundos pode resplandecer nos precipícios infernais, atraindo para o Senhor aqueles que amamos. Gregório, ressurge!

E, numa inflexão de lágrimas que desarmaria o raciocínio mais enrijecido, acentuou:

— Lembra-te! Deixaste morrer nos séculos os projetos de amor que traçamos na Toscana e na Lombardia distantes? Esqueceste nossos votos ao pé dos altares humildes? Olvidaste as cruzes de pedra que nos ouviam as orações? Não prometemos ambos trabalhar em comum pela purificação dos santuários de Deus na Terra? Sempre grande e belo no combate à política venal dos homens, cristalizaste na mente os desvarios do orgulho e da vaidade, adquiridos ao contato de uma coroa putrescível. Afogaste ideais preciosos na corrente de ouro mundano e perdeste a visão dos horizontes divinos, mergulhando-te na sombra dos cálculos pela extensão do império de teus caprichos. Incensaste a grandeza dos poderosos do mundo em desfavor dos humildes, incentivaste a tirania espiritual, crendo-te possuidor de autoridade infalível, e supunhas que o Céu, além da morte, nada mais fosse que simples cópia dos tribunais e das cortes da Terra. Tremendos desenganos surpreenderam-te o despertar, e, embora humilhado e padecente, coagulaste os pensamentos no ácido venenoso da revolta e elegeste a escravização das inteligências inferiores por única posição digna de conquistar. Durante séculos, tens sido apenas rude disciplinador de almas criminosas e perturbadas que o túmulo encontrou na imprudência e no vício. Não te doerá, porém, filho meu, a triste condição de gênio desprezível? Semelhante pergunta não morre sem resposta. Falam por ti o imenso tédio do mal e a profunda solidão interior que presentemente te invadem as horas. Aprendeste com infinito desapontamento que os tesouros divinos não repousam em frias arcas de valores amoedados, e sabes, agora, que Jesus dispõe de escasso tempo para frequentar basílicas suntuosas, não obstante respeitáveis, porque da escura senda humana emergem soluços de peregrinos sem luz e sem lar, sem arrimo e sem pão...

Via-se que a benfeitora, quase asfixiada pela emoção, apresentava enorme dificuldade para continuar, mas, após longa pausa, que ninguém ousou interromper, prosseguiu comovida:

— Como pudeste esquecer, por alguns dias de autoridade efêmera na Terra, as nossas redentoras visões do Cristo angustiado na cruz? Aderiste aos Dragões do mal pela simples verificação de que a tiara passageira não te poderia aureolar a cabeça nos domínios da vida eterna a que a morte nos arrebatou; entretanto, o Divino Amigo jamais descreu das nossas promessas de serviço e espera por nós com a mesma abnegação do princípio. Vamos! Sou Matilde, alma de tua alma, que, um dia, te adotou por filho querido e a quem amaste como dedicada mãe espiritual.

Calou-se a voz da mensageira, interditada pela corrente de pranto.

Foi então que Gregório, fazendo quanto lhe era possível por manter-se de pé, gritou, como ansioso por fugir a si mesmo.

— Não creio! Não creio! Estou só! Consagrei-me ao serviço das sombras e não tenho outros compromissos.

Transbordava-lhe da voz menos altiva um tom de pavor indescritível. Parecia disposto à fuga, francamente transformado. Mas, ante a assembleia extática e silenciosa, mantinha-se magnetizado pela palavra da benfeitora que se fazia ouvir, austera e doce, bela e terrível, escalpelando-lhe a consciência. Espraiou o olhar de leão ferido por todos os ângulos do campo que nos situava, e, sentindo-se no centro de quantos assistiam, ali, atônitos, à cena inesperada, exteriorizou na expressão fisionômica todo o desespero extremo que lhe vagava na alma, arrancou a espada da bainha e bradou encolerizado:

— Vim para combater, não para argumentar. Não temo sortilégios. Sou um chefe e não posso perder os minutos com palavras tergiversantes. Não admito a presença de minha mãe espiritual de outras eras. Conheço as artimanhas dos fascinadores e não tenho alternativa senão duelar.

Fitando a delicada forma de luz que pairava no espaço, acrescentou:

— Por quem és! Anjo ou demônio, aparece e combate! Aceitas meu desafio?

— Sim... — respondeu Matilde, com ternura e humildade.

— Tua espada?! — trovejou Gregório, arquejante.

— Vê-la-ás dentro em breve...

Após alguns momentos de ansiosa expectativa, apagou-se a garganta luminosa que brilhava sobre nós, mas leve massa radiante e disforme surgiu, não longe, à nossa vista.

Compreendi que a valorosa emissária se materializaria, ali mesmo, utilizando os fluidos vitais que o nosso orientador lhe forneceria.

Júbilo e assombro dominavam a assembleia.

Em poucos instantes, erguia-se Matilde, ao nosso olhar, de rosto velado por véu de gaze tenuíssima. A túnica alva e luminescente, aliada ao porte esguio e nobre, sob a auréola de safirina luz de que se tocava, traziam à lembrança alguma encantada *madona* da Idade Média, em repentina aparição.

Adiantava-se, digna e calma, na direção do sombrio perseguidor; todavia, Gregório, perturbado e impaciente, atacou-a de longe e empunhou a lâmina em riste, exclamando resoluto:

— Às armas! Às armas!...

Matilde estacou, serena e humilde, embora imponente e bela, com a majestade de uma rainha coroada de Sol.

Decorridos alguns instantes ligeiros, movimentou-se novamente e, alçando a destra radiosa até o coração, caminhou para ele, afirmando em voz doce e terna:

— Eu não tenho outra espada senão a do amor com que sempre te amei!

Libertação | Capítulo 20

0.13   E de súbito desvelou o semblante vestalino, revelando-lhe a individualidade num dilúvio de intensa luz. Contemplando-lhe, então, a beleza suave e sublime, banhada de lágrimas, e sentindo-lhe as irradiações enternecedoras dos braços que, agora, se lhe abriam envolventes e acolhedores, Gregório deixou cair a lâmina acerada e de joelhos se prosternou, bradando:

— Mãe! Minha mãe! Minha mãe!

Matilde enlaçou-o e exclamou:

— Meu filho! Meu filho! Deus te abençoe! Quero-te mais que nunca!

Verificara-se, ali, naquele abraço, espantoso choque entre a luz e a treva, e a treva não resistiu...

Gregório, como que abalado nos refolhos do ser, regressara à fragilidade infantil, em pleno desmaio da força que o sustinha. Finalmente, iniciara sua libertação.

A benfeitora, enlevada, recolhera-o, enlanguescido, nos braços, enquanto numerosos membros da sombria falange fugiram espavoridos.

Matilde, vitoriosa, agradeceu em palavras que nos faziam vibrar as fibras mais recônditas da alma, e, em seguida, confiou aos nossos cuidados o filho vencido, asseverando-nos que o abnegado Gúbio se encarregaria de guardar, por algum tempo, aquele que ela considerava o seu divino tesouro.

Após abraçar-nos, generosa, desmaterializou-se ao nosso coro de hosanas, a fim de seguir, de mais longe, a preparação do futuro glorioso.

Refez-se o nosso orientador, reintegrando-se em nosso grupo de serviço.

Edificado, feliz, Gúbio sustentou Gregório, inerte, nos braços, à maneira do cristão fiel que se orgulha de suportar o companheiro menos feliz. Orou, cercado de claridade santificante, arrancando-nos lágrimas irreprimíveis de alegria e reconhecimento e, depois, ante a paz que se estabelecera, triunfante e ditosa, deu por finda a nossa tarefa, dispondo-se a guiar a heterogênea, mas expressiva coletividade de novos estudantes do bem, recolhidos nos trabalhos de salvação de Margarida, até a importante e abençoada colônia de trabalho regenerador.

....

Surgira, para mim, a despedida.
Tinha meus olhos úmidos de pranto.
O instrutor abraçou-me e, retendo-me junto do coração, falou bondoso:
— Jesus te recompense, filho meu, pelo papel que desempenhaste nesta jornada de libertação. Nunca te esqueças de que o amor vence todo ódio e de que o bem aniquila todo mal.
Quis responder, esclarecendo que somente a mim, discípulo inábil, cabia o dever de gratidão; todavia, incoercível emotividade prendeu-me a voz.
O orientador, no entanto, leu-me no olhar os sentimentos mais profundos e sorriu, em retirada.
Elói, também, rumou para longe, em busca de outros setores.
E, voltando, sozinho, ao meu domicílio espiritual, roguei, chorando:
— Mestre de bondade infinita, não me abandones! Ampara-me a insuficiência de servo imperfeito e infiel!
Em torno, reinava insondável e sublime silêncio. Mas, enquanto o horizonte se tingia de rubro, preludiando a festa da aurora, a estrela matutina brilhava, tremeluzindo aos meus olhos, qual celeste resposta de luz.

Índice geral[29]

A

Adoração
  crentes elegantes – 9.7
  imagens – 9.6, 9.7
  intenção – 9.8
  primitiva – 9.7

Afinidade
  companhia espiritual – 5.3
  percepção – 14.8
  vampirismo – 3.5

Água
  magnetização – 9.7

Ajuda
  indignação – 14.8

Alcoolismo
  obsessor – 17.4

Alexandre, o conquistador
  civilização – 1.3

Alienação mental
  Margarida – 8.11
  obsessão – 8.10
  ociosidade – 7.4

Alighieri, Dante, poeta
  selva escura – 4.2, nota

Alimentação
  vontade – 2.6

Alma(s)
  abuso da liberdade – 2.2
  experiência da * no corpo físico – 9.9
  união das * decaídas – 4.7

Alucinação
  hipnotismo – 9.4, 10.2

Ambiente
  pensamento – 12.4

Ameba mental
  ovoide – 6.10

Amor
  caridade – 1.2
  conceito – 19.9
  destino – 20.3, 20.4
  evolução – 13.6
  exclusivismo – 16.6
  justiça – 8.3
  ódio – 20.14
  pecados – 8.4
  reencarnação – 6.10, 12.3
  Reino de Deus – 6.2
  salvação – 12.16
  sublimação – 2.11
  união – 1.7
  vampirismo – 12.2

Aparelho espiritual
  ondas mentais – 5.13

Aperfeiçoamento
  Espíritos maus – 2.9

---

[29] N.E.: Remete à numeração presente à margem das páginas.

Índice geral

Aposentadoria
  indébita – 5.11, 5.12
  ociosidade – 5.12

Asilo
  Espíritos desamparados – 7.3

Assistência espiritual
  coletivização – 18.1
  impedimentos – 7.2, 10.9
  juiz – 13.7
  médico – 10.7
  merecimento – 9.10
  momento certo – 16.9
  solidariedade – 3.2
  templos religiosos – 9.8

Atendimento fraterno
  André Luiz – 17.5
  Gúbio – 17.4
  lar de Margarida – 17.2, 17.3

Atilho
  obsessão – 2.10
  significado da palavra – 2.10, nota

Atrito
  bênção sublime – 19.10

Augusto, imperador romano
  unificação do Império – 1.3

Áulico
  significado da palavra – 8.1, nota

Aura
  conversação – 6.1, 6.2
  Espírito mau – 5.2
  espiritualidade – 9.8

Autoexame
  compreensão do mal – 1.10

Auto-obsessão
  ilusões – 2.10
  renovação mental – 11.4

Autopiedade
  Isaura – 16.5

Avareza
  conhecimento – 5.11
  literatura – 5.11

Ave agoureira
  voz – 4.2, nota

B

Beleza física
  provação – 19.6

Bem
  eficiência e segurança – 15.6
  planejamento – 3.9
  simbologia da árvore – 2.3

Bombyx mori
  fluidos – 12.3
  significado da palavra – 12.3, nota

Bondade Divina
  mal – 8.4

C

Campos de saída
  significado da expressão – 3.13, nota

Captador de onda mental
  perispírito – 5.13

Caráter
  aperfeiçoamento do * do filho
    transviado – 2.9

Caridade
  desobsessão – 6.6
  inferioridade – 8.6
  instrução – 1.2

Casa espírita
  vigilância – 16.3

Católico
  confiteor – 5.3, nota

Causa e efeito
  desarmonia – 2.9
  Justiça Divina – 14.9

Centro laríngeo
  passes – 12.11

Cérebro
  lembrança do sonho – 13.10
  ovoides – 9.2

Índice geral

passes – 19.1, 19.2

Céu
  promessa de * depois da morte – 6.5
  proteção – 1.11

Choque anímico
  incorporação – 15.10. 15.11

Ciúme
  sintonia – 16.10

Civilização
  violência – 1.5

Cláudio, Espírito
  delitos – 3.6

Clorótica
  jovem – 11.5
  significado da palavra – 11.5, nota

Colônia espiritual
  dominação da Terra – 1.8
  matéria – 2.8
  trevas – 2.1, 2.2

Colônia perturbadora
  origem – 2.2

Colônia purgatorial
  André Luiz – 4.9
  Espíritos prepotentes – 4.9

Combate espiritual
  arena de trevas – 10.9

Companhia espiritual
  mente, afinidade – 5.3

Concentração
  energias mentais – 11.9

Condenado
  obsessores – 13.9

Confiteor
  católico – 5.3
  significado da palavra – 5.7, nota

Conflito
  ferramenta de melhoria – 19.4

Conhecimento
  avareza – 5.11

Consciência
  aprovação – 19.6

Constantino, o Grande
  Cristianismo – 1.3

Conversação
  aura – 6.2

Cordeiro *ver* Jesus

Corpo físico
  fragilidade – 1.5
  perispírito – 5.2, 10.12
  símbolo da árvore – 6.10

Correção
  homem mau – 1.11
  mal – 4.5

Criação
  energia mental – 2.5
  ordem absoluta e * divina – 8.3

Criança
  purgatório – 4.11
  reeducação – 19.10

Criatura
  transviado moral – 8.4, nota

Crime
  dinheiro – 14.11

Cristalização mental
  desencarnados – 2.7

Crocitar
  significado da palavra – 4.2, nota

Culpa
  atração magnética – 7.10
  mediunidade – 11.1
  psiquismo – 11.1
  renovação – cap.17.10

D

Davi
  Salmo – 20.3, nota

Índice geral

Defesa
 repulsão energética – 20.5

Desarmonia
 causa e efeito – 2.9
 Elói – 2.9

Desdobramento
 ideia fixa – 16.3
 sono – 16.3

Desencarnação
 fixação mental – 12.3

Desencarnado
 assalariados – 11.6
 companhia – 5.3
 cristalização mental – 2.7
 igreja – 9.5
 indigência – 17.4
 irresponsáveis – 11.6
 obsessão – 7.7
 prazeres – 2.9
 vampirismo – 2.9

Desequilíbrio mental
 enfermidade – 11.4

Desobsessão
 caridade – 6.6
 erradicação da causa – 11.6
 extensão – 15.11
 missa – 9.5
 oração – 12.9
 reforma íntima – 6.6, 11.6
 tempo – 7.9

Destino
 amor – 20.4
 livre-arbítrio – 16.4
 vontade – 2.5

Deus
 adoração primitiva – 9.6
 criaturas – 1.5
 domínio do mal – 8.4
 evolução e crimes – 5.14
 servidor – 3.12
 trevas – 3.13, 4.1

Dinheiro
 crime – 14.10
 dívidas morais – 14.10
 família – 13.9
 felicidade – 14.11
 obsessão – 14.5

Divindade *ver* Deus

Divino Amigo *ver* Jesus

Domínio das sombras
 aves agoureiras – 4.2
 volitação – 4.1, nota

Dons da vida
 abuso – 7.4

Dor
 ferramenta de melhoria – 19.4

Doutrinação
 sono – 14.8

Dragões *ver também* Espírito mau
 significado da palavra – 8.2, nota

E

Ectoplasma
 tratamento – 15.10

Ectoplasmia
 voz direta – 20.9

Educação
 ascensão ou queda – 16.5
 direcionamento – 1.2

Elói, Espírito
 ameaça – 14.12
 captador de ondas mentais – 5.13
 desarmonia – 2.9
 Felício – 14.8

Emanação ódica
 Reichenbach – 11.9

Encarnado
 hipnose – 19.2
 ilusão – 1.5
 planos de vida – 6.3
 solidão – 18.8
 sono – 3.1
 vampirismo – 2.9

Índice geral

Energia mental
  criação – 2.5

Enfermidade
  desequilíbrio mental – 11.4
  espiritual – 7.11
  otimismo – 2.5
  passe – 13.3
  provação – 2.5
  reflexão – 13.3
  vontade – 2.5

Enxertia psíquica
  médium – 15.11

Erro
  aprendizagem – 16.4
  vidas passadas e * jurídico – 13.11

Esclarecimento
  serviço – 3.14

Escravidão
  obsessão – 7.7
  ódio – 7.8

Escritor
  criações mentais – 17.7
  Mundo Espiritual – 17.7
  obsessão – 17.7
  personagens – 17.7

Esfera do recomeço *ver também*
  Reencarnação
  reencarnação – 17.11, 18.4, 18.9
  significado da expressão – 17.11

Espiritismo
  divulgação – 10.10
  endosso de * dogmático e intolerante – 11.11
  escafandro – 4.3
  médico – 10.7
  psiquismo transformador – 11.11

Espírito bom
  igreja – 9.6
  missa – 9.7
  plano espiritual inferior – 4.3

Espírito desencarnado
  baixo padrão vibratório – 9.7

Espírito encarnado
  influenciação inferior – 2.6

Espírito imperfeito
  renovação – 18.9

Espírito inferior
  Mundo Espiritual – 1.7
  oração – 6.4
  plano físico – 1.6
  reencarnação – 1.8
  trabalho – 17.9

Espírito mau *ver também* Dragões
  André Luiz – 2.3
  aperfeiçoamento – 2.9
  aura – 5.2
  combate – 1.10
  delitos – 8.4
  entendimento – 8.9
  juízes – 5.2-5.6
  justiça – 8.3
  lei de talião – 5.5
  lógica – 8.5
  regeneração – 1.12
  respeito – 8.9
  trevas – 2.1

Espírito protetor
  homem mau – 1.11

Espírito seletor
  materialização – 5.9

Espírito sofredor
  vala comum – 7.4

Espírito subumano
  atuação – 4.9
  passividade – 4.8
  regeneração – 4.9
  responsabilidade – 4.9

Espírito Superior
  Humanidade – 3.1
  vidas passadas – 4.5

Espírito(s)
  aranha – 18.5
  asilo de * desamparados – 7.3
  ciência terrena – 1.5
  esquecimento da gloriosa

Índice geral

imortalidade – 7.4
fuga ao aprendizado salutar – 7.4
império de * gozadores e
animalizados – 10.12

Espiritualidade
aura – 9.8
estabelecimento da * superior
na Terra – 15.8
missa – 9.9

Esquecimento
bênção – 17.11

Estige
oportunidade de evolução – 3.1
significado da palavra – 3.1, nota

Evangelho
mentira – 4.4

Evolução
amor, dor – 13.6
combate – 12.3, 4.11
conceito de Deus – 5.13, 5.14
desinteresse – 7.4
domínio das ideias – 6.9
encadeamento – 1.5
Espíritos propulsores – 2.7
hierarquia – 2.7
influenciação – 1.7, 6.3
irracionalidade – 2.3
mecanismos – 2.3
natural – 6.10
paciência – 7.4
resistência – 2.3
solidariedade – 2.8, 2.11
virtudes – 2.9
vontade – 4.8

Expiação
adiamento – 8.9
purgatório – 1.1

Família
componentes da * universal – 1.11
dinheiro – 13.9
duelo mental – 10.9

Fascinação
mediunidade – 11.9, 11.11

Fatalidade
livre-arbítrio – 8.4

Fé
aquisição – 9.8
aumento indefinido – 15.9
ditadores de salvação e * religiosa –
6.4
sintonia e esforço preparatório – 9.8
trabalho – 9.8

Felicidade
dinheiro – 14.11
entes queridos – 3.7
laços afetivos – 3.10

Felício
crime calculado – 14.9
Elói – 14.8

Fenômeno mediúnico
psiquismo – 11.1

Fescenino
antigos romanos e verso – 17.9
significado da palavra – 17.9, nota

Filho
sustentação espiritual – 3.8

Fixação mental
desencarnação – 12.3

Flácus, ministro
palestra – 1.1-1.13

Fluido(s)
Bombyx mori – 12.3, nota
doadores – 3.4
energia plástica da mente e
* universal – 11.9
Mesmer e * magnético – 11.9
obsessão – 9.2
Reinos da Natureza e * universal –
11.9

Força nêurica
passe – 15.10

Fraternidade
vingança – 20.4

Freud
psicanálise – 4.8

Índice geral

G

Gama, instrutor
  materialização – 33.4

Gaspar
  hipnotizado – 15.2

Gray, Dorian
  retrato – 10.11

Gregório, obsessor
  alimento psíquico – 8.9, 8.10
  ataque – 20.8
  dúvida da vitória do mal – 3.9
  especialização – 3.9
  falange – 20.7
  Gúbio – 4.12
  libertação – 3.9
  Matilde – 3.10, 3.11, 20.13
  obsessão – 3.9
  palácio – 5.1
  prova perigosa da riqueza material – 3.11
  reencarnação, ideia intolerável – 8.9

Grosseria
  incompreensão – 20.4
  sofrimento – 20.4

Gúbio
  atendimento fraterno – 17.4
  confiança em Deus – 8.6
  confissão – 14.1, 14.2
  Gregório – 4.12
  missa – 9.9
  missão – 17.4
  oração – 12.5, 18.2
  passes de despertamento – 14.8
  perispírito – 9.1
  segunda morte – 6.7
  Sidônio – 15.10

Guerra
  perseverança na posição de indisciplina – 1.7

H

Halo vibratório
  personalidade dos conversadores – 6.2

Herança
  infanticídio – 14.5, 14.6

Hierofante
  religiões da Grécia antiga – 5.9
  significado da palavra – 5.9, nota

Hipnotismo
  alucinação – 9.4, 10.1
  ancianidade – 5.8
  confissão – 5.7
  licantropia – 5.8, nota
  perispírito – 5.8
  prostração – 10.2

Homem
  caminho evolutivo – 1.9
  jornada evolutiva do * depois do sepulcro – 2.3
  símbolo da árvore – 6.3, 6.10

Homem mau
  correção – 1.11
  Espírito protetor – 1.11
  vigias – 1.11

Hóstia
  fluidificação – 9.7
  luminescência – 9.10
  sacerdote – 9.10

Humanidade
  Espírito Superior – 3.2
  imediatismo – 1.3
  tolerância – 8.9

Humildade
  renovação – 19.6

I

Ideia fixa
  negligência – 7.2

Ídolo de barro
  criação – 9.6

Ignorância
  matriz do mal – 6.6

Igreja
  altares – 9.6
  aura dos crentes – 9.6
  desencarnados – 9.5
  Espíritos bons – 9.6

Índice geral

Jesus – 20.11
vibrações mentais – 9.6

Ímã
domicílio espiritual – 18.5

Incorporação
choque anímico – 15.10
retomada dos sentidos – 15.10

Indignação
ajuda – 14.8

Infanticídio
herança – 14.5, 14.6

Inferioridade
aperfeiçoamento – 8.7
caridade – 8.5
lógica – 4.8

Inferno
desespero – 2.11
dificuldade para aceitação – 2.4
governo – 2.4
ideia – 1.8
mente – 1.2, 7.3
problema de direção espiritual – 1.9
promessa de * depois da morte – 6.5
zonas de tormento – 1.2

Influenciação
evolução – 1.8
renovação – 14.3
vontade – 2.6

Inimigo
lição benfeitora – 19.4
utilidade – 19.4

Injustiça
justiça – 1.10

Inspiração
meditação – 11.2

Instrução
caridade – 1.2

Inteligência
dominação – 2.8
ortodoxia – 2.11
subumana – 4.9

Intercâmbio mediúnico
encarnados, desencarnados – 6.2
sintonia – 6.6
sublimação – 11.10

Intolerância
encarnados, desencarnados – 6.5

Intuição
disco milagroso da consciência – 3.10

Iracema, Espírito
revolta – 12.14

Isaura
auto piedade – 16.5
médium do culto familiar – 15.10
médium invigilante – 16.7
perispírito – 16.3

Ite, missa est
significado da expressão – 9.11, nota

J

Jesus
cântico de louvor – 20.3
cooperação humana – 14.12
defesa – 20.5
exemplo – 1.4
igrejas – 20.10
legado – 20.4
mediunidade – 11.6
pérolas aos porcos – 8.5
revolta – 20.8
sacrifício – 1.12
tolerância – 3.6
verdadeira obra salvacionista – 1.2
vibrações de amor – 20.4

Jorge
história – 13.11
loucura – 10.5

Juiz
amor, justiça – 13.7
assistência espiritual – 13.8
destino humano – 13.7
missão elevada – 13.7
sentimento – 13.7

Justiça
    amor – 8.3
    delitos – 8.4
    Espíritos maus – 8.3
    injustiça aparente – 1.11

Justiça Divina
    indiferença – 2.3
    justiça humana – 3.3
    Lei de Causa e Efeito – 14.9
    respeito – 8.9

Justo Juiz *ver* Jesus

L

Lar
    ninho das almas – 13.6

Lar de Margarida
    atendimento fraterno – 17.3
    proteção espiritual – 17.1
    sinais luminosos – 17.3

Lei de talião
    Espíritos maus – 5.5
    perdão, renúncia – 8.9

Lei do Retorno
    encarceramento – 1.5

Lei eterna
    compromissos – 8.9

Leôncio, obsessor
    confissão – 14.5
    ex-hipnotizador de Margarida – 17.9

Libertação
    solidariedade – 3.6

Licantropia
    gênese dos fenômenos – 5.8
    hipnotismo – 5.8
    Nabucodonosor – 5.8
    remorso – 5.8
    significado da palavra – 5.8, nota

Liderança
    austeridade – 11.7

    inimizade – 11.7
    probidade – 11.7

Lipotimia
    significado da palavra – 11.3, nota
    visões pavorosas – 11.3

Literatura
    avareza – 5.11
    criações mentais – 17.7
    fescenina – 17.9, nota
    mediunidade – 17.7

Livre-arbítrio
    destino – 16.4
    fatalidade – 8.4
    Reino de Deus – 6.2

Livro Divino *ver* Evangelho

Lombroso
    criminologia – 4.8

Loucura
    obsessão – 10.5

Luiz, André
    atendimento fraterno – 17.5
    auscultação psíquica – 13.5
    colônia purgatorial – 4.9
    desfiguração – 4.4
    Espíritos maus – 2.2
    indignação – 9.4, 9.5, 10.6
    metamorfose – 4.4
    ovoides – 7.6, 9.3
    prisão – 6.1
    recordações – 2.2
    revestimento de matéria densa – 4.4
    segunda morte – 6.7

Luta
    bênção sublime – 19.10

M

Magnetismo
    força universal – 15.2

Mal
    autoexame e compreensão – 1.11
    Bondade Divina – 8.4
    combate – 15.4
    conceito – 1.10

Índice geral

correção – 4.5
defesa – 20.5
função – 6.3
melhora – 14.7
Sabedoria Divina – 6.3
salvação – 14.6
tédio – 3.9

Margarida
alienação mental – 8.11
alimento psíquico – 8.10
Leôncio, ex-hipnotizador – 17.9
Matilde – 19.3
obsessão – 9.3
ovoides – 15.10
perispírito – 9.3
sentença – 8.9
vampiros – 9.3

Matéria
colônias espirituais – 2.8
passividade – 2.8

Materialismo
sacerdote – 9.10

Materialização
Gama – 3.4
Matilde – 3.4, 18.4, 18.6
templo – 3.3

Maternidade
abuso dos prazeres – 18.10
atormentada – 7. 11
excesso de amor – 19.9
missão – 3.11
obsessores – 7. 10
sacrifício – 3.7, 3.11

Matilde, Espírito
Gregório – 3.10, 20.13
Margarida – 19.4
materialização – 3.4, 18.4, 18.6
maternidade espiritual – 20.11
peplo – 3.9, nota
reencarnação – 3.11

Maurício
ciumenta genitora – 10.9

Medicina
saúde – 10.8

Médico
assistência espiritual – 10.8
Espiritismo – 10.7
responsabilidade – 10.10

Meditação
inspiração – 11.2

Médium
assistência espiritual – 15.8
cautela – 16.2
ciúme – 16.1-16.3
dúvidas – 15.8, 16.11
enxertia psíquica – 15.11
exclusivismo no amor – 16.2
insegurança – 15.8
materialização – 3.4
obsessão – 15.9
reunião mediúnica – 15.10
sono – 15.9

Mediunidade
capacitação – 15.9
caridade – 11.1
combate – 16.6, 16.7
comércio – 11.11
dedicação – 15.9
espera pela * espetacular – 15.8
fascinação – 11.9, 11.11
Isaura – 16.7, 16.10, 16.11
lei do uso – 15.8
literatura – 17.7
moral – 11.10
oração, sacrifício – 11.11

Memória
autojulgamento – 11.4

Mente
atração, repulsão – 2.5
coagulação – 12.3
companhia espiritual – 5.3
desejos – 7.3
energia plástica – 11.9
inferno – 1.2, 7.3
perispírito – 4.7
restauração da * perturbada – 2.4

Índice geral

Mentira
  ajuda anônima – 4.4
  Evangelho – 4.4

Mesmer
  fluido magnético – 11.9

Missa
  desobsessão – 9.5
  Espíritos bons – 9.8
  fluidificação de água – 9.7
  formação de clima interior – 9.9
  influência espiritual – 9.6
  influência perturbadora – 9.9
  Espiritualidade – 9.10

Moisés
  imagens – 9.6

Morte
  compreensão – 1.9
  perispírito – 2.9

Mundo
  aperfeiçoamento – 3.1

Mundo espiritual
  cântico – 17.11
  convivência – 1.6
  crimes, tragédias – 6.2
  desarmonia na Terra – 3.2
  divergências – 1.9
  escritor – 17.7
  Espíritos inferiores – 1.7
  médium de materialização – 3.4
  privilégio – 20.2
  regiões distintas – 4.1
  solidariedade – 3.2
  sono e consciência – 13.5

N

Nabucodonosor
  licantropia – 5.8, nota
  Livro Sagrado – 5.8

Napoleão, ditador
  progresso material – 1.3

Natureza
  fluido universal – 11.9
  inteligências subumanas – 4.7

Newton
  spiritus subitilissimus – 11.9

O

Obsessão
  abuso de poder – 11.3
  alienação mental – 8.11
  ciúme, egoísmo – 16.6
  controle mental – 11.4
  dardos mentais – 11.7
  desencarnados – 7.7
  dinheiro – 14.5
  enigma – 3.2
  escravidão – 7.7
  escritor – 17.7
  especialização – 3.9
  expedição espiritual – 3.2
  falange – 8.11
  fluidos – 9.1, 9.2
  Gregório – 3.9
  indignação das vítimas – 11.5
  loucura – 10.5
  mãe, filhos – 10.9
  Margarida – 9.2
  médium – 15.9
  metabolismo – 9.3
  paixões fulminantes – 9.3
  passado delituoso – 11.5
  planejamento – 9.3
  sono – 6.5
  viuvez – 10.9

Obsessor
  alcoolismo – 17.4
  aliciamento – 11.8
  alimento psíquico – 8.10
  dúvidas – 16.7
  guerra – 15.12
  hipnotizado – 15.2
  mediunidade – 16.6
  reconhecimento – 12.10
  salário – 11.8
  sentidos – 15.2
  sentimento bom – 12.10
  sonho de maternidade – 7.11
  sono – 16.5

Índice geral

táxi – 9.5
vírus fluídico – 17.6

Obstáculo
ferramenta de melhoria – 19.4

Ociosidade
alienação mental – 7.4
aposentadoria – 5.12

Ódio
servidor competente – 10.5
tédio – 17.11
vingança – 10.5

Onda mental
aparelho espiritual – 5.13

Oração
alteração da vida – 6.4
caminho da * e do sacrifício – 11.11
conceito – 4.3
constrangimento – 4.6
desobsessão – 12.9, 12.10
duelo espiritual – 20.3
eficácia – 12.9, 18.3
Espírito inferior – 6.4
Gúbio – 12.5, 18.1
mansidão – 6.4
mediunidade – 11.10
mobilização das reservas mentais – 4.6
passe – 12.5, 12.9
perigo – 6.4
reservas mentais – 4.6
sarcasmo – 15.5

Organismo perispiritual *ver* Perispírito

Ortodoxia
obstrução da inteligência – 2.11
revelação – 2.11

Otimismo
enfermidade – 2.5, 2.7

Ovoide
amebas mentais – 6.10
André Luiz – 7.6
caráter – 6.6
células nervosas – 9.2, 9.3
cérebro – 9.2

comunicação – 6.10
desligamento – 15.10
estudo – 7.1
exame magnético – 7.6
forma – 6.6, 7.6
hipnotizadores – 9.3
Margarida – 9.3, 15.10
particularidades – 6.6
passe – 15,10
perispírito – 11.3
vampirismo – 9.3
vingança – 7.6

P

Paraíso
imposição – 8.5
ingratidão – 3.6

Passado
temporário esquecimento – 18.5

Passe
centro laríngeo – 12.11
cérebro – 19.2
enfermidade – 13.3
força nêurica – 15.10
limpeza fluídica – 19.2
oração – 12.5, 12.9
ovoides – 15.10
retomada dos sentidos – 15.2
sistema endócrino – 19.2

Pasteur, cientista
saúde do corpo – 1.3

Paulo, o apóstolo
carta aos Efésios – 1.12
luta contra as trevas – 1.12

Pensamento
ambiente – 12.4
conceito – 17.7, 20.4
criação de imagens – 17.7
perispírito – 10.12
reunião mediúnica – 18.1
vida – 5.9

Peplo
mensageira Matilde – 3.9
significado da palavra – 3.9, nota

Índice geral

Perdão
  lei de talião – 8.9

Péricles, estadista grego
  trabalho educativo – 1.3

Perispírito
  captador de onda mental – 5.13
  conflitos – 2.9
  consciência – 4.7
  corpo físico – 5.2, 10.11
  deformação – 4.7
  densificação – 4.3
  escafandro – 4.3
  fixação no mal – 6.8
  forma de bruxa – 10.12
  Gúbio – 9.1
  hipnotismo – 5.8
  identificação de * desequilibrado – 5.13
  Isaura – 16.3
  Margarida – 9.3
  mente – 4.7
  morte – 2.9
  opacidade do corpo físico – 5.2
  operação redutiva – 6.7
  ovoides – 11.3
  pensamento – 10.12
  perda – 6.7, 6.8
  perecibilidade – 6.7
  registros – 10.11
  transformação – 6.7
  vampirismo – 9.3
  vida superior – 6.7

Perturbação mental
  sono – 13.3

Perversidade
  orgulho ferido – 20.4

Plano espiritual inferior
  espírito benfazejo – 4.3
  flora, fauna – 4.2
  habitantes – 4.2
  Terra – 4.2

Plano físico *ver também*
  Região da neblina
  Espíritos inferiores – 1.7

Prazer
  desencarnado – 2.9

Prece *ver* Oração

Primitivismo
  tirania – 2.2

Progresso
  combate – 2.3
  transformação natural – 1.10

Proteção espiritual
  lar de Margarida – 17.1

Provação
  beleza física – 18.10
  enfermidade – 2.5
  riqueza – 3.11

Psiquismo
  caridade – 11.1
  fenômenos mediúnicos – 11.1

Purgatório
  arquitetura – 7.2
  comunidade – 4.8
  criança – 4.11
  dificuldade para aceitação – 2.4
  panorama – 4.8
  sensações físicas – 2.8
  vampirismo – 4.11

R

Reajustamento
  recusa – 2.2

Rebeldia
  matriz do mal – 6.6

Recolta
  significado da palavra – 10.8, nota

Reencarnação *ver também* Esfera do recomeço

Reencarnação *ver também* Esfera do recomeço
  amor, sabedoria – 6.10, 12.3
  bênção divina – 18.4
  compulsória – 7.10
  desafios – 18.6

Índice geral

egoísmo – 2.10
esfera do recomeço – 17.11, nota; 18.4, 18.9, 19.9
Espírito inconsciente – 2.10
Espíritos inferiores – 1.9
estágio educativo – 6.9
ideia intolerável – 8.9
importância – 6.11, 18.8
inferioridade – 6.8
intercessões – 18.6
irresponsabilidade – 18.6
recurso corretivo de Espíritos – 19.9
redenção – 3.8
regeneração – 19.9
seres primitivos – 18.7
serviço à coletividade – 6.9
sublimação – 7.4

Reforma íntima
desobsessão – 6.6, 11.6

Região da neblina *ver também*
Reencarnação
plano físico – 18.6
significado da expressão – 18.6, nota

Reichenbach
emanação ódica – 11.9

Reino de Deus
livre-arbítrio – 6.2
renúncia – 1.12
sabedoria, amor – 6.3
semente de mostarda – 6.2

Reino Divino *ver* Reino de Deus

Remorso
bênção – 5.8
controle – 11.3
velhice – 11.3
vida mental – 5.9

Renovação
amor ao filho – 14.12
anseio – 17.11
boa vontade – 17.10
caridade – 17.9, 18.9
direcionamento – 1.2
esforço – 15.5
Espírito imperfeito – 18.9
espíritos subumanos – 4.8
exemplo do bem – 15.6
favoritismo – 20.2
humildade – 19.6
influenciação – 14.4
mecanismos – 1.2
perseguição – 15.6
programa – 19.7
reencarnação – 19.9
resistência – 2,2, 15.5, 16.2
trabalho, renúncia – 19.6
virtudes – 15.5

Renúncia
lei de talião – 8.9
Reino de Deus – 1.12

Responsabilidade
criatura racional – 2.10

Reunião mediúnica
defesa contra o mal – 16.8
grupo doméstico – 15.10
médium – 15.8, 16.1
pensamento – 18.1

Revelação
ortodoxia – 2.11

Riqueza
prova perigosa e aflitiva da * material – 3. 11
provação – 3.11

S

Sacerdote
hóstias – 9.10
materialismo – 9. 10

Saldanha, obsessor
falange – 9. 2
história – 10. 2
médium vidente – 11.9
perdão estéril – 10.5
transformação – 13.2

Salmo de Davi
cântico melodioso – 20.3, nota

Salvação
amor, fé – 12.16
ditadores de * e fé religiosa – 6.4

Índice geral

mal – 14.6
roteiros – 1.2
teorias – 15.6

Satanismo
   encarnados, desencarnados – 1.10

Sátrapa
   Grande Juiz – 4.5
   significado da palavra – 4.5, nota

Saúde
   medicina – 10.8
   negligência – 10.8

Segunda morte
   André Luiz – 8.7
   instrutor Gúbio – 6.7

Selva escura
   Dante Alighieri, poeta – 4.2, nota

Sepultura
   abertura de caminho novo – 2.4

Sexo
   vontade – 2.6

Sidônio, Espírito
   Gúbio – 15.10

Sintonia
   intercâmbio – 6.6

Sofrimento
   anônimo – 19.5
   conceito – 1.10
   esperança – 1.4
   evolução – 13.6
   grosseria – 20.4

Solidariedade
   assistência espiritual – 3.2
   libertação – 3.6
   mundo espiritual – 3.1
   salvação – 3.12

Sonho
   lembrança – 20.12

Sono
   ciúme – 16.6
   doutrinação – 14.8
   encarnados – 3.1

ideia fixa – 16.3
inquietação mental – 13.3
médium – 15.10
mundo espiritual – 13.6
obsessão – 6.5
obsessores – 16.5
reencontro – 13.6
sentimento inferior – 16.4

Spiritus subtilissimus
   Newton – 11.9

Suicida
   inconsciência da morte – 12.12

Suicídio
   falta de fé – 12.13
   revolta – 12.13

T

Tédio
   ódio – 17.11
   prática do mal – 3.9

Templo religioso
   assistência espiritual – 9.8

Tempo
   considerações inúteis – 19.5
   trabalho – 19.5

Ternura
   aspereza – 19.9

Terra
   colônias espirituais – 1.8
   domínio da animalidade – 8.4
   mente infantil da * e realidade espiritual – 1.9
   mundo espiritual – 3.3
   plano espiritual inferior – 4.4
   Universo – 1.4

Tirania
   primitivismo – 2.2

Tolerância
   Humanidade – 8.9

Tratamento espiritual
   extensão – 15.12

Índice geral

Trevas
afinidade – 2.1
aristocracia – 4.5
colônias espirituais – 2,2, 4.7
comunidade – 4.7
Deus – 4.5
Espíritos maus – 2.1
Espíritos revoltados – 2.1
governo – 4.4
juízes – 5.4

U

União
amor – 1.7

Universo
atração – 7.10
famílias de criaturas – 1.5
Terra – 1.4

V

Vampirismo
afinidade – 3.5
ajuda – 12.2
desânimo, pavor – 12.3
desencarnados, encarnados – 2.10
interesse mútuo – 2.10
ovoide – 9.2
perispírito – 9.3
purgatório – 4.11
rejeição ao auxílio – 3.5
remorso – 11.3

Vaso perispirítico *ver* Perispírito

Veículo perispiritual *ver também* Perispírito
perda – 6.7

Velhice
remorso – 11.3

Verdade
tirania – 5.6

Vibração mental
igreja – 9.5

Vida
pensamento – 5.9

Vida mental
remorso – 5.8

Vida passada
erro jurídico – 13.11
Espírito Superior – 4.5

Vingança
fraternidade – 20.5
ódio – 10.5
ovoide – 7.6

Violência
civilização – 1.5
mágoa, revide – 20.4

Virtude
aquisição – 18.5

Vírus fluídico
inoculação – 17.6

Volitação
domínio das sombras – 4.1
fuga – 20.6
significado da palavra – 4.1, nota

Vontade
alimentação – 2.6
destino – 1.9
enfermidade – 2.5
evolução – 4.8
influenciação – 2.6
renovação – 5.9
sexo – 2.6

Voz animal
ave agoureira – 4.2

Voz direta
Matilde – 20.9

Z

Zênite
espiritual – 1.8, nota
significado da palavra – 1.8, nota

Zimbório
beleza do * estrelado – 3.1, nota
significado da palavra – 3.1, nota

EDIÇÕES DE LIBERTAÇÃO

EDIÇÃO	IMPRESSÃO	ANO	TIRAGEM	FORMATO
1	1	1949	20.000	12,5x17,5
2	1	1952	10.000	12,5x17,5
3	1	1955	10.000	12,5x17,5
4	1	1969	5.212	12,5x17,5
5	1	1971	10.414	12,5x17,5
6	1	1974	15.300	12,5x17,5
7	1	1978	10.200	12,5x17,5
8	1	1980	10.200	12,5x17,5
9	1	1982	10.200	12,5x17,5
10	1	1983	10.200	12,5x17,5
11	1	1984	15.200	12,5x17,5
12	1	1986	20.200	12,5x17,5
13	1	1987	30.000	12,5x17,5
14	1	1990	30.000	12,5x17,5
15	1	1992	20.000	12,5x17,5
16	1	1994	10.000	12,5x17,5
17	1	1995	15.000	12,5x17,5
18	1	1996	15.000	12,5x17,5
19	1	1998	5.000	12,5x17,5
20	1	1999	5.000	12,5x17,5
21	1	1999	5.000	12,5x17,5
22	1	2000	3.000	12,5x17,5
23	1	2000	3.000	12,5x17,5
24	1	2001	3.000	12,5x17,5
25	1	2002	10.000	12,5x17,5
26	1	2003	10.000	12,5x17,5
27	1	2004	5.000	12,5x17,5
28	1	2005	6.000	12,5x17,5
29	1	2005	10.000	12,5x17,5
30	1	2007	5.000	12,5x17,5
31	1	2007	5.000	12,5x17,5
31	2	2008	10.000	12,5x17,5
31	3	2009	8.000	12,5x17,5
31	4	2010	15.000	12,5x17,5
31	5	2011	8.000	12,5x17,5
32	1	2003	5.000	14x21
32	2	2007	2.000	14x21
32	3	2009	1.000	14x21
32	4	2010	1.000	14x21
32	5	2010	15.000	14x21
33	1	2013	5.000	14x21
33	2	2014	2.500	14x21
33	3	2014	10.000	14x21
33	4	2015	6.000	13,8x21
33	5	2016	6.000	13,5x21
33	6	2016	3.500	14x21
33	7	2017	4.500	14x21
33	8	2017	5.500	14x21
33	9	2018	2.800	14x21
33	10	2018	3.500	14x21
33	11	2019	3.000	14x21
33	12	2019	4.000	14x21
33	13	2020	3.900	14x21
33	14	2021	6.000	14x21
33	15	2022	4.000	14x21
33	16	2023	5.000	14x21
33	17	2024	4.000	14x21
33	18	2024	4.500	14x21

FEB editora
Livro espírita para um novo mundo
www.febeditora.com.br
@febeditoraoficial
@febeditora

Conselho Editorial:
Carlos Roberto Campetti
Cirne Ferreira de Araújo
Evandro Noleto Bezerra
Geraldo Campetti Sobrinho – Coord. Editorial
Jorge Godinho Barreto Nery – Presidente
Maria de Lourdes Pereira de Oliveira
Miriam Lúcia Herrera Masotti Dusi

Produção Editorial:
Elizabete de Jesus Moreira

Revisão:
Elizabete de Jesus Moreira
Neryanne Paiva
Perla Serafim

Capa:
Evelyn Yuri Furuta

Projeto Gráfico:
Rones José Silvano de Lima – instagram.com/bookebooks_designer

Diagramação:
Helise Oliveira Gomes
Luisa Jannuzzi Fonseca

Foto de Capa:
dreamstime.com / Harlanov
dreamstime.com / Serp
istock.com / dra_schwartz
istock.com / RyanJLane

Foto Chico Xavier:
Grupo Espírita Emmanuel (GEEM)

Normalização Técnica:
Biblioteca de Obras Raras e Documentos Patrimoniais do Livro

Esta edição foi impressa pela Plenaprint Gráfica e Editora Ltda., Guarulhos, SP, com tiragem de 5,5 mil exemplares, todos em formato fechado de 140x210 mm e com mancha de 104x168 mm. Os papéis utilizados foram o Off white bulk 58 g/m² para o miolo e o Cartão 250 g/m² para a capa. O texto principal foi composto em fonte Adobe Garamond Pro 12/15 e os títulos em Adobe Garamond Pro 28/30. Impresso no Brasil. *Presita en Brazilo.*